Die Schmid von Uri

Auf den Spuren einer alten Urner Familie

Die Schmid von Uri

Auf den Spuren einer
alten Urner Familie.

Bibliografische Information der Deutschen Nationalbibliothek:
Die Deutsche Nationalbibliothek verzeichnet diese Publikation
in der Deutschen Nationalbibliografie; detaillierte bibliografische
Daten sind im Internet über www.dnb.de abrufbar.

Buchgestaltung: Rahel Schmid

© 2015 Christian Schmid
Herstellung und Verlag:
BoD - Books on Demand, Norderstedt

ISBN: 978-3-7386-4453-1

für Rahel und Joëlle

Inhalt

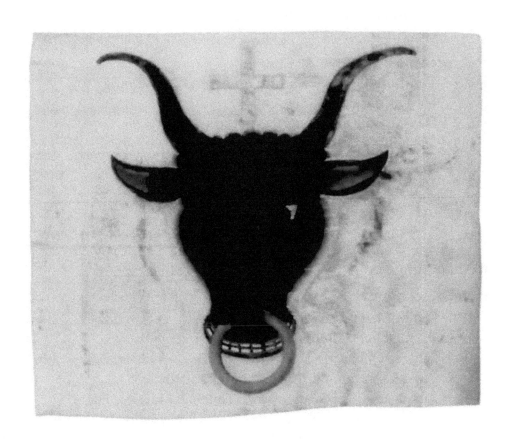

Alte Urner Fahne, Stier mit weissem Kreuz (Historisches Museum Altdorf)

Einführung

Dieses Buch ist in Rhythmen entstanden, dazwischen liegen jeweils jahrelange Pausen. Die erste und kürzeste Fassung war ein Aufsatz mit dem Thema »Meine Vorfahren«, den ich als Gymnasiast in der Schule schreiben musste. Das war 1961. Ein nächster Schub setzte Ende der 1980er Jahre ein, als ich auf Schloss Oberberg zufällig auf ein Dokument stiess, das einen Jost Schmid erwähnte, der damals, 1550 oder 1551 dort zu Gast war. Da begann ich zu recherchieren und eine erste Fassung des Buches zu schreiben. Dann legte ich es aber wieder zur Seite, da mir ein anderes Buchprojekt zu jener Zeit mehr am Herzen lag: »Gallusland«, ein Buch über den hl. Gallus und all die Orte, die er bereist hatte. Dieses erschien 2011, und danach wurde der Weg wieder frei für das Schmid-von-Uri-Buch.

Was als Familienforschung begonnen hatte, führte mich schliesslich zur allgemeinen Geschichte: ich befasste mich mit den Zeiten, in denen meine Vorfahren gelebt hatten, erfuhr so manches aus der Schweizer und europäischen Geschichte, wovon uns in der Schule nie etwas erzählt wurde, und es faszinierte mich! Es wurde zu einem wahren Abenteuer, einer Reise in alte und wilde Zeiten, während der ich meine Altvordern kennen lernte, von denen ich vorher noch nie gehört hatte: Haudegen, Händler und Kirchenleute, wehrhafte Frauen und Nonnen in Klöstern, Landammänner, Landschreiber und Schriftsteller, Hauptleute mit Söldnerheeren, aber auch gnadenlose Generale. Von all diesen Menschen möchte ich in diesem Buch berichten.

Wenn ich ihre Leben vor meinem geistigen Auge vorüberziehen lasse, so fällt mir auf: Mutig und wehrhaft waren sie alle, damals. Da könnten wir Heutigen uns, in unserer satten Selbstzufriedenheit, ein Beispiel nehmen… anstatt so leicht preiszugeben, was unsere Vorfahren erkämpft haben: Freiheit und selbstbestimmtes Leben in diesem kleinen schönen Land der Berge, Seen und Wälder. Es steht mir nicht zu, von heute aus zu kritisieren, was sie damals hätten besser machen können. Sie haben in jenen fernen harten Zeiten gelebt, gekämpft und geliebt – und ihnen verdanke ich mein Leben.

Nun soll das Buch beginnen! Und da es mehr als einen Anfang gibt, entscheide ich mich für folgenden:

2.0 *Es begann auf Schloss Oberberg: ein Vogt in unserer Familie?*

Als ich Ende der 1980er Jahre mit meiner damaligen Frau Marlen und meinen beiden kleinen Töchtern Rahel und Joëlle, vom Tierli-Walter kommend, im Restaurant vom Schloss Oberberg bei Gossau/SG einkehrte, zog ein altes Buch, das im Eingangsbereich ausgestellt war, meine Aufmerksamkeit auf sich. Das Buch lag unter Glas auf einem kleinen Podest (Weiteres dazu im Anhang). Darin waren Namen von Persönlichkeiten verzeichnet, die im Laufe der Jahrhunderte dem Schloss ihre Aufwartung gemacht hatten. Wie verblüfft war ich, als ich auf der Seite, die gerade aufgeschlagen war, den Namen **Jost Schmid** fand. Einer meiner Vorfahren, der im 16. Jahrhundert gelebt hatte, hiess ebenso! Neben seinem Namen war auch das Datum seines Besuchs verzeichnet; es war etwas wie 1550 (ich kann mich nicht mehr genau erinnern). Konnte das ein Zufall sein? Ich war recht aufgeregt und zeigte die Seite meiner Familie. Die Begeisterung meiner vier- und sechsjährigen Töchter allerdings hielt sich in Grenzen. Dennoch beschloss ich, dieser Sache auf den Grund zu gehen. Mich nahm wunder, ob dieser Jost Schmid, der vor über 400 Jahren Schloss Oberberg besucht hatte, tatsächlich mein Vorfahre war.

Rahel und Joëlle Schmid von Uri auf dem Weg zum Schloss Oberberg (1988)

Schloss Oberberg bei Gossau/SG, Sitz von Obervögten, 1262 erstmals erwähnt.

Landvogt im Thurgau

Zuhause nahm ich als erstes das alte Historisch-Biographische Lexikon der Schweiz von 1934 zur Hand, das ich aus dem Nachlass meines Onkels Franz geerbt hatte. Ich schlug im Sechsten Band nach und fand folgendes unter SCHMID:

>»A. *Kanton Uri*
>III. *Alte Aristokratenfamilie, der gelegentlich zum Unterschied von den Schmid von Bellikon der Zuname »von Uri« oder »ab Uri« beigelegt wird.*
>*Wappen (Adelsbrief von 1550): geviertet von Blau mit einer goldenen Lilie und von Gold mit einem schwarzen Bären. Die Familienfolge lässt sich vom Anfang des 16. Jahrh. an beglaubigen. – 1. Jost, Landschreiber 1519, korrespondierte mit seinem ehemaligen Lehrer Zwingli, gestorben als Hauptmann in Frankreich. –*
>*2. Jost, gen. Der Grosse, Sohn von Nr. 1,* **Landvogt im Thurgau** *1550-1551, eidg. Gesandter an Kaiser Karl V. auf den Reichstag nach Augsburg zur Bestätigung der Freiheiten, wobei er für sich und seine Nachkommen am 17. August 1550 einen Adelsbrief erlangte. Landesstatthalter 1562-1564, Landammann 1565-1567, 1573-1575, 1581-1582. Schiedsrichter zwischen dem Stift St. Gallen und den reg. Orten im Thurgau 1564. Gesandter zur Beschwörung des Bündnisses der Eidgenossen mit Karl IX. von Frankreich 1565. Eidg. Gesandter zu Kaiser Maximilian II. nach Augsburg 1566. Tagsatzungsgesandter 1566, 1573, 1574, 1581. Söhnte 1570 die Stadt Luzern mit den Rotenburgern aus und erhielt dafür 1578 das Burgrecht von Luzern geschenkt, das 1654 für seine ganze Familie erneuert wurde. Jost empfing 1573 auch das ausländische Burgerrecht im Hochgericht Disentis. Gestorben 28. Juni 1582 als der reichste Mann von Uri.«*

Nun las ich es schwarz auf weiss: dieser Jost, der vor rund 450 Jahren auf Schloss Oberberg eingekehrt war und so plötzlich aus dem Dunkel der Geschichte wieder auftauchte, war also tatsächlich mein Ahne. Ich stand am selben Ort wie er damals, wenn auch in anderer Mission. Gemeinsam haben wir aber, dass wir beide fürstlich bewirtet wurden - und natürlich unseren Namen.

Natürlich hatte ich gewusst, dass in unserer Familie einst ein adliger Ritter gelebt hatte, von dem wir abstammten, doch war dieses Wissen in einer alten Schublade meines Gehirns abgelegt. In meinen Jugend-, Sturm- und Drangjahren hatte mich ganz anderes interessiert als alte Vorfahren: ich war elektrisiert vom damaligen neuen Lebensstil der aufbrechenden Jugend! Auf unseren Fahnen prangten Wörter und Mottos wie Beat- und Rockmusik, lange Haare, Hippietum, Psychedelik, Love & Peace, sexuelle Befreiung, Demo gegen den Vietnamkrieg, Stopp dem Konsumterror, Räucherstäbchen, Siddharta und was sonst noch alles. In der eher gestrengen katholischen Familie meines Vaters war ich deshalb in jenem Alter so etwas wie ein sympathischer Fremdkörper. Meine Eltern hatten sich scheiden lassen, als ich etwas über vier Jahre alt gewesen war, und meine Mutter war mit mir und meinem jüngeren Bruder Ende 1951 von Altdorf weggezogen. Bis zur 3. Primarklasse habe ich meinen Vater und seine Altdorfer Familie überhaupt nicht mehr gesehen. Danach nahmen wir den Kontakt wieder auf und sahen sie vielleicht alle zwei Jahre einmal: meinen Vater, wenn ich zu ihm in die Ferien fuhr und die restliche Verwandtschaft zu runden Geburtstagen von Grosseltern, Onkeln oder Tanten. Mein Vater starb mit 46 Jahren, da war ich fünfzehn. Aus diesen Gründen waren mein Bruder und ich nicht in jenem urnerisch-katholischen Dunstkreis aufgewachsen (sondern im glarnerischen... und ab der fünften Primarklasse im st. gallischen), sondern haben nur immer mal wieder Einblicke in jene Ambiance erlebt.

Aber als über 40-jähriger Familienvater, Buchhändler und vielseitig Interessierter, hatte mich die Neugier gepackt: ich wollte mehr wissen über meinen Vorfahren, den Ritter und Landvogt Jost Schmid und seine Arbeit. Ein Ritter als Vorfahre, das war ja etwas, was einer Familie vielleicht zur Ehre gereichen mochte – aber ein Landvogt? Mir als Schweizerknabe kam da natürlich zuerst der böse Landvogt Gessler in den Sinn, der von Wilhelm Tell erschossen wurde… (Wir kennen die Geschichte). Etwas in mir wollte sich schämen dafür, dass wir einen Landvogt zu unseren Vorfahren zählten. Erst sehr viel später, im Laufe meiner Nachforschungen, erfuhr ich, dass im Mittelalter ein Vogt nicht à priori etwas Schlechtes war. Unser Bild vom ruchlosen Landvogt ist sicher geprägt durch Gessler und etliche andere habgierige Vögte aus der eidgenössischen Geschichte. Um Klarheit zu erhalten, wollte ich so viel wie möglich über Landvogt Jost Schmid herausfinden. Vielleicht gab es noch Aufzeichnungen oder Dokumente von damals? Ich führte ein Telefonat mit dem Leiter des Staatsarchivs von Frauenfeld, und dieser bestätigte mir, dass es tatsächlich Dokumente von Jost Schmid aus dieser Zeit gab. Bevor er mir diese aber zeigen wolle, empfahl er mir, mich zum Thema Landgrafschaft Thurgau kundig zu machen, damit ich eine Ahnung davon bekäme, was die Aufgabe eines Landvogtes überhaupt gewesen sei. Dazu verwies er mich auf folgende Schrift:

2.2 Die Landgrafschaft Thurgau vor der Revolution von 1798 von Helene Hasenfratz (Frauenfeld, 1908).

Dieses Buch also lieh ich mir in der Stiftsbibliothek St. Gallen aus und las es aufmerksam durch. Ich erhielt dergestalt Nachhilfeunterricht in einem Stück Schweizer Geschichte und erfuhr so manches, was ich in der Schule nicht gelernt hatte. Nachfolgend werde ich einige Fakten aus diesem Werk frei anführen oder auch zitieren; wer mehr erfahren möchte, findet im Anhang weitere Informationen.

> *1460 eroberten die expansionsfreudigen Eidgenossen den Thurgau und das Sarganserland.*
> *Da Papst Pius II. über Herzog Sigismund von Habsburg-Österreich den Kirchenbann verhängte, nutzten die Eidgenossen die Gunst der Stunde und rissen die erwähnten Gebiete an sich. Die Eidgenossen – das waren zu jener Zeit die acht Orte Uri, Schwyz, Unterwalden, Luzern, Zürich, Zug, Glarus und Bern (Noch im 18. Jahrhundert stand die Landeshoheit nur diesen acht Orten zu!). Der Thurgau gehörte somit zu den gemeinen eidgenössischen Herrschaften, über welche die acht Orte regierten und die ihnen tributpflichtig waren.*

16

Die von Österreich an die Eidgenossen gefallenen Kompetenzen üb-
ten sie wechelseitig aus, so stellte z.B. alle zwei Jahre ein anderer Ort
den Landvogt. Im Fall von Jost Schmid war in den Jahren 1550 und
1551 demnach ein Urner Landvogt an der Reihe gewesen.

Weitere **Kompetenzen** *bestanden:*
· *in der obersten Schutz- und Schirmherrschaft,*
· *in der Kastvogtei über die in der Landgrafschaft gelegenen Stif-*
  te und Klöster,
· *in der Handhabung des Landfriedens und der öffentlichen*
  Ruhe,
· *in den Rechten der Huldigung, des Heerbanns, der Steuern,*
  Zölle, Münzen,
· *im Verleihen der Reichslehen und der Verwaltung der unmit-*
  telbaren Reichsgebiete.
· *Auch nahmen die Eidgenossen das Recht, als oberste Appellati-*
  onsinstanz zu entscheiden, in Anspruch.

Da mich ja vor allem das Amt des Landvogtes interessierte, werde ich dieses auszugsweise etwas näher beschreiben:

Der Landvogt wurde, wie oben erwähnt, der Kehrordnung nach von jedem der acht alten Orte erwählt. Die Amtsdauer war zwei Jahre, und der Antritt des neuen Landvogts vollzog sich auf den Tag St. Johannis des Täufers (das ist der 24. Juni, welcher in enger Verbindung zu Sommersonnenwende steht, also einem alten heidnischen Datum! Anmerkung des Autors). Von Mitternacht dieses Tages an nahm er die Regierung an die Hand. Ausser seinen eigenen Hausangehörigen durfte er nicht mit mehr als sechs Pferden in die Landschaft einziehen.

Klar ist: arme Leute konnten nicht Landvogt werden, denn der Wahlakt war für den Landvogt mit grossen Unkosten verbunden, indem das souveräne Volk sich für seine Ernennung bezahlen liess. Alle Anstrengungen, diesen Missbrauch zu beseitigen, blieben erfolglos. … »Auf diese Art habe ich gesehen, dass ein Mann in Zug 8000 fl. (florin = Gulden), ein Glarner 1000 Gulden unter seine Mitbürger austeilte.« (Hasenfratz, S. 10)

Seine Einkünfte waren gering. Er erhielt von den regierenden Ständen eine jährliche Besoldung von 100 Gulden. Dazu Naturalien, z.B. von Dänikon (Tänikon) jährlich Haber 8 Mütt (= Mass/Scheffel), von Klöstern Wein (gesamthaft 101 Eimer jährlich), sowie Eid- und Patentsiegelgelder (Weiteres dazu im Anhang).

Bei dieser Art der landvögtlichen Besoldung war natürlich der Willkür Spielraum gelassen, doch konnte sich ein rechtschaffener Beamter nicht allzu sehr bereichern. Bei der Rechtsprechung bestachen die Parteien durch Geschenke an den Landvogt oder die Frau Landvögtin (Hier sieht man den Einfluss der alten Eidgenossinnen auf ihre Männer!). Der Landvogt hatte freie Wohnung im Schlosse Frauenfeld, das die zehn Orte unterhielten.

Kaum war der Landvogt eingearbeitet in die Gesetze und Sitten des Thurgau, musste er die Vogtei – nach zwei Jahren – auch schon wieder verlassen, und ein Neuling aus einem anderen Kanton folgte ihm nach. Aus diesem Grund kam dem Landschreiber, der von den Ständen auf Lebenszeit ernannt war, höhere Bedeutung zu.

Damit der Leser einen Eindruck bekommt, was für Strafen damals (um 1550) verhängt wurden, zitiere ich ein paar Beispiele aus den Urteilssprüchen des Malefizgerichts. *»Das vom Malefizgericht ergangene Urteil wurde sogleich dem Landvogt mitgeteilt, welcher die Gewalt hatte, es zu mildern, nicht aber es zu verschärfen.«* (S. 24ff.) Danach unterschrieb er diese Urteile mit seinem Namen und machte sie rechtskräftig.

> *»Pranger, Fustigation samt Landesverweisung.*
> *Dem Verurteilten wurden die Hände vorn zusammengebunden;*
> *so büsste er zwei Stunden oder mehr am Pranger; dann wurde er*
> *nach geschworner Urfehde mit Ruten gestrichen und endlich*
> *sechs Jahre des Landes verwiesen.*
>
> *Köpfen.*
> *Der Scharfrichter band dem »armen Menschen« die Hände auf*
> *den Rücken und führte ihn zur Richtstatt, um ihm daselbst das*
> *Haupt abzuschlagen und ihn also vom Leben zum Tode hinzu-*

richten, dergestalten, dass zwischen dem Haupt und dem Körper ein Karrenrad füglich durchgehen mochte. Diejenigen, die seinen Tod zu rächen versuchten, sollten in die gleiche Strafe verfallen.

Henckhen am Galgen.
Der »arme Sünder« wurde mit auf dem Rücken gebundenen Händen zur Richtstatt geführt und verbundenen Augen rücklings die Leiter hinaufgezogen. Dann wurde ihm der Strick um den Hals gelegt, dergestalten, dass zwischen dem Balken und dem Haupt die Luft füglich durchwehen mochte.

An der Saul erwürgen.
Der Scharfrichter erwürgte die »Person« an der aufgerichteten Säule und brachte sie so vom Leben zum Tod.

Rädern.
Nachdem der Malefikant, dem die Hände auf dem Rücken gefesselt waren, die Richtstatt erreicht hatte, wurde er auf die »Brechen« gelegt und angespannt, jedes seiner Glieder mit dem Rad zweimal ... gebrochen und endlich der Körper nach gegebenem Herz- oder Seelenstoss auf das Rad geflochten.

Lebendig verbrennen.
Der Malefikant wurde an die Leiter gebunden und mit einem Pulversack am Halse in das Feuer geworfen.

Das Vermögen der Verbrecher, welche das Todesurteil erlitten, fiel der Obrigkeit anheim.

Die Strafe wurde zuweilen dadurch verschärft, dass der Verurteilte in einer »Benne« oder mit herabhangendem Kopfe auf der »Schleiffen« die Richtstatt erreichte oder dass ihn der Scharfrichter unterwegs oder allda mit feurigen Zangen ein oder mehrere Male zwickte, ihm die rechte oder linke Hand abhieb und an den Galgen oder das Rad nagelte, die Zunge herausschnitt etc.«

Nach diesen grausamen Tätigkeiten wollen wir uns etwas Erfreulicherem zuwenden:

> »*Die Huldigung.*
> *Nach Beendigung der Tagsatzung unternahm der Landvogt den Hul-digungsritt, um die Huldigungen der Thurgauer entgegenzunehmen. Der erste Platz war* **Frauenfeld**. *Die Landleute erschienen bewaffnet in Kompagnien mit ihren Offizieren. Der Kleine und der Grosse Rat holten den Landvogt und das Oberamt auf dem Schloss ab. Auf einer Tribüne hielt dann der Landvogt seine Ansprache mit der Zusiche-rung, jedermann bei seinen Freiheiten zu schirmen, allen ein unpar-teiischer Richter zu sein und jedermann gut und schleunig Recht zu sprechen. Darauf begehrte er zu Handen der acht löblichen regieren-den Stände die Huldigung.*
> *Der Landschreiber verlas darauf die 1460 aufgesetzte und nie we-sentlich veränderte Eidesformel. Nach vollendetem Huldigungsakt geleitete der Frauenfelder Magistrat den Landvogt und das Oberamt zum Rathaus, wo eine Mahlzeit abgehalten wurde, die bis abends sechs Uhr dauerte.*
>
> *Gleich verfahren wurde an den weiteren Huldigungsplätzen: Kloster Fischingen, Kommende Tobel, Weinfelden, Bürglen, Amriswil, Müns-terlingen, Egelshofen, Ermatingen, Steckborn, Kloster St. Kathari-nental, Diessenhofen und Rheinau.*
>
> *Man sieht: allein mit dem Huldigungsritt verbrachte der Landvogt schon eine rechte Weile seines zweijährigen Amtes.*
>
> *Ein weiteres heisses Thema in jener Zeit – vor allem mit unseren heu-tigen Augen gesehen – war die Leibeigenschaft.*

Die Leibeigenschaft.

Die Bewohner der Landgrafschaft Thurgau waren der Leibeigen-schaft unterworfen; nur die Bürger der Städte Frauenfeld, Diessenho-fen, Bischofszell und Arbon waren davon befreit. Diese Städte besas-sen noch Freiheitsbriefe von österreichischen Fürsten, welche 1460, nach der Eroberung, von den Eidgenossen bestätigt wurden.

Der Leibeigene schuldete seinem Herrn verschiedene Dienste und Abgaben, wobei diese je nach Ort sehr ungleich oder aber gar nicht eingefordert wurden:

· Den Leibdienst oder Tagwerk genannt. Gemäss Vereinbarung von 1526 war der Leibeigene zu einem Tagwerk im Jahre verpflichtet (Die regierenden Orte verlangten diesen Dienst jedoch nicht).
· Das Fastnachtshuhn (auch Schutz- oder Leibhenne genannt), oder an dessen Stelle 10 Schillinge.
· Den Fall (Mortarium, Totengeld). Der Spruch von 1526 bestimmte, dass beim Tode der Leibeigenen das beste Stück Vieh geschätzt werde und dem Leibherrn die Hälfte seines Wertes als Hauptfall zufallen solle.
· usw.

Polizeiliches
Eine kleine Auswahl:

Es war die Aufgabe der Harschiere, fremde Bettler und herumschweifendes Gesindel vom Eintritt in das Land abzuhalten. Besonders scharfe Aufsicht hielt man über die sogenannten Bettelpfaffen, Waldbrüder, da sich häufig Landstreicher unter dieser Verkleidung verbargen. Nur wenn sie Pässe, Attestate und Empfehlungsschreiben vorweisen konnten, war ihnen das Almosensammeln zugelassen.

Alle, die Bären, Affen oder anderes Gaukelwerk ins Land brachten, ferner solche, die mit Dudelsäcken, Leiern (arme Musikanten! denke ich bei mir...), Raritätskasten, Lotterien, Glückshäfen herumzogen, sollten als unnütze und heillose Strolche, die den guten Landmann um sein Geld zu bringen trachteten, auf demselben Wege, den sie kamen, zurückgejagt werden. Inbegriffen war das höchst schädliche und gewissenlose Gesindel der Quacksalber und Marktschreier.

Sonn- und Feiertagsmandate mahnten zur Zucht unter dem Volke auf, um es vor Liederlichkeit und Armut zu bewahren. An Sonn-, Feier-, Fest- und deren Nachtagen (!!) war das Saufen, Springen, Tanzen, Spielen mit Karten, Kegeln, Würfeln...verboten. Der ehrsame Bürger mochte wohl nach geendetem Gottesdienste einen bescheidenen Trunk tun, doch niemals im Sommer bis über 9, im Winter über 8 Uhr im Wirtshause sitzen bleiben.

Damit beschliesse ich meine Zusammenstellung aus Helene Hasenfratz' Buch über »*Die Landgrafschaft Thurgau vor der Revolution von 1798*«.

Auch unser Landvogt Jost Schmid hat eine **Bettelordnung** verfasst, und zwar am 22. Januar 1552. Auf eine Übersetzung habe ich verzichtet, möchte aber die erste Seite als Abbildung zeigen. Das Dokument befindet sich heute im Staatsarchiv in Zürich. Es beginnt wie all diese Urkunden wie folgt:

»*Wir Jost Schmid dess Raths zu Uri...*«

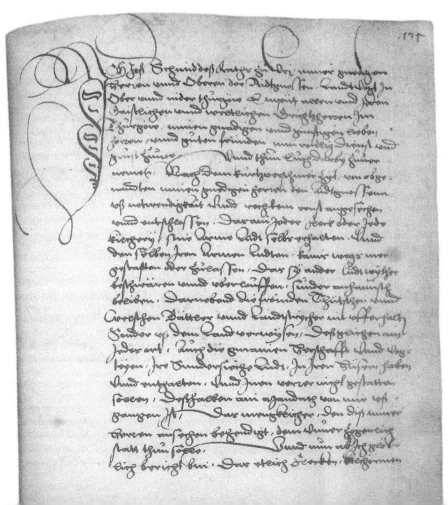

^{3.0} *Der Brief meines Grossvaters*

Nach diesem Ausflug ins Arbeitsgebiet *Thurgäuw* meines Vorfahren Jost während der Jahre 1550 und 1551, wenden wir uns wieder dem allgemeinen Fluss der Geschichte zu, und damit landen wir in Altdorf im Jahre 1961. Das Interesse für meine Vorfahren hat, wie schon erwähnt, nicht erst auf Schloss Oberberg, sondern mit einem Aufsatz angefangen, den wir in der Schule schreiben sollten. Ich war 14 Jahre alt und im 2. Gymi an der Kantonsschule St. Gallen. Das Thema des Aufsatzes lautete »meine Vorfahren«. So also begann meine Forschertätigkeit.

Ich befragte damals meine beiden Grossväter: den einen mütterlicherseits, Heinrich Ries, der in meiner Nähe wohnte, mündlich, und den andern väterlicherseits, Franz Schmid, der in Altdorf wohnte, schriftlich. Diesen Brief habe ich all die Jahre aufbewahrt. Er ist eine Zusammenfassung der Schmid'schen Familiengeschichte und diente mir damals wunderbar für meinen Aufsatz, da Grossvater die wichtigsten Ereignisse für mich zusammengestellt hatte.

Brief von Fürsprech und Notar Dr. Franz Schmid an seinen Enkel Christian:

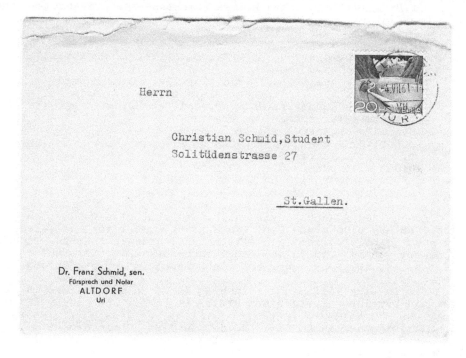

Altdorf, den 4. Juli 1961.

Mein lieber Enkel Christian!

Eben erhielt ich Euern Brief und da die gewünschten Angaben
für einen Aufsatz verwenden möchtest, will ich Deinem Ansuchen sofort entsprechen, obwohl ich immer ziemlich viel Arbeit an der Kunkel habe. Ich glaube kaum, dass Onkel Karl Notizen von seiner damaligen Ansprache besitzt. Du musst Dich aber mit einigen Angaben be-
gnügen.

Ich besitze den I. Teil der Familiengeschichte der Schmid ab Ury,
2. verfasst von Franz Vinzenz Schmid + 1799. Er fiel beim Einfall der Franzosen, als er als Befehlshaber der Urner Truppen in Flüelen sich gegen
die Uebermacht zur Wehr setzte.

Dieser erste Teil enthält den Stammbaum (Familienlisten), Bio-
graphien fast aller Familienväter, Ahnentafeln aller Gattinen, Wappen
der Schmid a b Ury & fast aller mit ihnen allierten Familien (farbig)

Der II. Teil, der sich in andern Händen befindet, enthält u.a.
A. Adelsbrief von 1550
B. Bürgerrechtsbrief der Stadt Luzern von 1587, erneuert 1654
C. Landrechtsbrief von Disentis v. 1571 mit Erneuerung
D. Stiftungsbrief der Schmidischen Pfrund von 1607
E. Zusammenstellungen:
   a. Landammänner (bis 1822 : 17)
   b. Landesstatthalter
   c. Landeshauptleute
   d. General der gesamten inländischen eidgenössischen Armee
      anno 1678 (Johann Anton)
   e. Oberster Heerführer old Gneralissimus der urnerischen
      Streitkräfte anno 1735 (Seb. Heinrich)
   f. Präsident des hohen ~~Kriegsgerichtes anno~~ Kriegsrates anno
1755 (Seb. Hainrich)
   g. Landschreiber
   h. Fürspreche
   i. Landesoffiziere (4 Obristwachtmeister, 12 Hauptleute &
      22 Leutenants
   k. Schlacht bei Sempach 1386, hier fiel Peter Schmid
   l. Schlacht bei Villmergen: Kriegstat des Seb. Heinrich
   m. Kriegsbaukunstverständiger: Jost Seb. Heinrich erbaute die
      erste Meienschanze (am Susten)
   n. Landesschützenmeister: 5
   o. Dorfvögte zu Altdorf (erwähnt 11)
   p. Tagsatzungsgesandte (15)
   q. Gesandte zum Syndikat zu Lifenen (6)
   r. Fürstbischöflicher Rat zu Basel (1)
   s. Landschreiber zu Bellenz (1)   usw.

Aus diesen Angaben ergibt sich, dass seit ältesten Zeiten die
1. Schmid ab Ury eine gross Zahl von Führern, sowohl im Staatsdienst,
wie auch im Kriegsdienst gestellt haben & grosses Ansehen genossen.
Ein Peter Schmid wird in der Familienchronik aufgeführt unter den
Eidgenossen, die in der Schlacht von Sempach im Jahre 1386 den Heldentod erlitten.
3. Wie Du Dich vielleicht erinnerst hängt in meinem Büro in Altdorf ein Gemälde, welches einen Ritter im Panzer und geschmückt mit
einer grossen goldenen Kette darstellt. Es ist dieses Bild übers chrie-
ben mit folgender Inschrift: "Landammann Jost Schmid, des Heiligen Rö-
von den mischen Reiches Ritter war ~~gesandt~~ zuo Karl V. Römischer Keiser: um
Eidgenos- Bestätigung ihrer Freiheyt gesendet 1550."
sen

Jost Schmid wurde der Zuname der Gross beigelegt.
Ihm wurde vom Kaiser Karl V.der erbliche Adel verliehen.

Den Originaladelsbrief vom 17.August 1550 hast Du ebenfalls
in meinem Büro gesehen,wo er unter Glas hängt.Er ist auf Pergament
geschrieben und mit dem grossen Reichssiegel versehen.

Obwohl wir durchaus dazu berechtigt wären,haben wir m.E.Erinnerns unserm ~~Adel nie~~ Namen nie das Adelsprädikat beigefügt,als
Urschweizer Demokraten.

Der Adel ist das Verdienst eines Ahnen,nicht unser eigenes:
Seien wir bestrebt uns auszuzeichnen durch Adel des Herzens und der
Seele.

Es würde zu weit führen,wenn ich Dir eine lückenlose Aufstellung
der ganzen Ahnenlinie hier geben wollte.Die hauptsächlichen historischen und biographischen Daten kannst Du gelegentlich einmal nachlesen im historisch-biographischen Lexicon der Schweiz (Ausgabe 1931
Seite 207 ff.)

Für Dich kommen,abgesehen von Jost Schmid (oben)in Betracht:
4. <u>Landammann und General Anton Maria Schmid,Dein Ururgrossvater</u>,geb.
9.November 1792,gestorben 1880,hervorragender Staatsmann & Heerführer,
ausgezeichnet mit vielen Kriegsorden.

Sein Bildnis in Uniform,die Brust mit Orden geschmückt,hängt in
meinem Büro;die Orden ebenfalls dort in einer Vitrine.
Du hast diese schon wiederholt gesehen.

5. <u>Dein Urgrossvater Bundesgerichtspräsident Dr.Franz Schmid</u>,der vor
seiner Wahl ins Bundesgericht im Heimatkanton als Anwalt tätig war
und die höchsten Staatsstellen bekleidete,wie Staatsanwalt,Regierungsrat
Landammann,Ständerat,Nationalrat;als 18jähriger war er Unterlieutenant
im päpstlichen Fremdenregiment,das sein Vater (obgenannt)befehligte,
in der Eidgenossenschaft war er zuletzt Justizoberst.

Ich denke,dass diese Notizen für Deinen Zweck genügen,sonst kannst
Du wieder anfragen.

Wenn Du im Studium in der Mathematik Schwierigkeiten hast,ist
es angezeigt,Nachhilfestunden zu nehmen.Gerade Fächer,die man vielleicht
nicht besonders liebt,muss man von Anfang an besonders energisch studieren & da ist die individuelle Aufklärung & Belehrung gleich am Anfang das Beste,um einem ein Fach beliebter zu machen,dass man sogar
direkt Freude daran hat.Onkel Fritz hat schon das richtige Verständnis
für Deine Nöten.

Euere Grüsse erwiedern wir herzlich.Grossmamma & Tante Gretli sind
immer noch schwer leidend und dabei sind wir mägdelos und konnten bisher trotz allen Bestrebungen keine solche finden.Unter diesen Umständen
war unser Alpaufzug nach Urigen noch nicht möglich,trotz grosser Hitze
und Dauerlärm in Altdorf.

Grüsst von uns Euere lieben Grosseltern und Verwandten.

Grossvater.

Zu Anfang des Briefes schreibt Grossvater, dass er immer ziemlich viel Arbeit an der *Kunkel* habe. Da ich nur eine vage Ahnung von dem Begriff hatte, schaute ich ihn nach:

die Kunkel = der Spinnrocken (m'hd.), v.a. im süddeutschen Raum.
Viel Arbeit an der Kunkel = viel zu tun

Ich las den Brief zwei, drei Mal durch und merkte, wie viel von der Schmid'schen Familiengeschichte auf diesen zwei Seiten enthalten war. Und wie viel davon ich in der Zwischenzeit auch wieder vergessen hatte – seitdem waren immerhin fast 30 Jahre verflossen.

Woran ich mich wohl erinnerte, waren das grosse Gemälde von **Ritter Jost mit der goldenen Kette**, der pergamentene Adelsbrief von 1550, mit einem grossen Siegel und unter Glas, sowie verschiedene andere alte, geschichtsträchtige Dinge wie Degen, Orden und was sonst noch. Wie man sieht, mass die Familie Schmid ihrem Ritter Jost überaus grosse Wichtigkeit zu, rangierte er doch sowohl im Brief wie im Büro des Grossvaters an erster Stelle. Ich beschloss also, meine Familienforschung ebenfalls mit Jost dem Grossen, wie er auch genannt wurde, anzufangen. Mich interessierte, was wohl im Adelsbrief alles stand, und so erbat ich von meinem Onkel Franz (der inzwischen das Erbe meines Grossvaters übernommen hatte) eine gute Fotografie des Adelsbriefes in Originalgrösse. Er liess eine solche anfertigen, die er mir dann zuschickte (wie auch meinem Bruder und meinen Cousins und Cousinen).

Der Adelsbrief hat eine Grösse von etwa 40 x 65 cm und ist in gotischer (altdeutscher) Schrift abgefasst. Obwohl ich von meiner Mutter her vertraut war mit dieser Schrift (sie musste sie in der Schule noch lernen, im Deutschland der Dreissiger Jahre), war das Lesen dieser alten Buchstaben doch eine rechte Knacknuss. Ich verbrachte manche Stunde, manchen Abend mit dieser Lektüre. Zwanzig Jahre später stiess ich in einem alten Urner Neujahrsblatt auf eine Übertragung dieses Adelsbriefes. Mein erster Gedanke war: da hätte ich mir all die Arbeit sparen können! Aber da mir im Laufe der Zeit viele weitere Dokumente in dieser alten Schrift vor Augen gekommen sind, war ich doch recht froh, mir diese Fähigkeit erworben zu haben.
Anschliessend folgt meine Übertragung.

Der Vogt wird zum Ritter geschlagen: Adelsbrief für Jost Schmid von Ury vom 17. August 1550

*Wir Karl der Fünnfte, von Gottes gnaden römischer **Kaiser**, zu allennzeiten Merer des Reichs, Künig zu Germanien, zu Castillien, Arragon, Leon, baider **Sicillien**, Jerusalem, Hungern, Dalmatien, Croatien, Navara, Granaten, Toleten, Valentz, Gallicien, Maiorica, Hespalis, Sardinien, Corduba, Corsica, Murcien, Giennis, Algarbien, Algeciern, Gibraltar, der Canarischen und Indianischen Insulen, und der Terre Firme des Oceanischen Mers, Ertzhertzog zu Österreich, Hertzog zu Burgundi, zu Lottrigk, zu Brabanndt, zu Steyer, zu Kernndten, zu Crain, zu Limpurg, zu Lutzemburg, zu Geldern, zu Calabrien, zu Athen, zu Neopatrien, und Wiertemberg, Grave zu Habspurg, zu Flanndern, zu Tirol, zu Gortz, zu Barcinon, zu Arthois, zu Burgundi, Pfaltzgrave zu Hemgau, zu Hollanndt, zu Seelanndt, zu Pfirdt, zu Kiburg, zu Namur, zu Rossillion, zu Occitania und zu Zutpfen, Lanndtgrave zu Elsasz, Marggrave zu Burgauw, zu Oristani, zu Golziani, und des hailigen Römischen Reichs, Fürst zu Schwaben, Cathalonia, Asturia, Herr zu Frieszlanndt, auf der Windischen Marck, zu Portugaw, zu Biscaya, zu Molin, zu Salins, zu Tripoli und Mecheln. § Bekennen öffentlich mit disem Brieve und thun kundt allermenigclich § wiewol wir aller und yegclicher unnserer und des Hailigen Reichs underthanen und getreuwen, Ehre, Nutz und pestes zu betrachten, und zu fürdern genaigt, so sein wir doch mer bewegt zu denen, die sich gegen unns und dem Hailigen Reiche zu getreuwer williger gehorsam halten und beweisen, Sy mit unsern Kaiserlichen Gnaden zu begaben, und zu fürsehen. § Wann uns nun unnser und des Reichs lieber getrewer J o b s t*

S c h m i dt von Uri dieser Zit Lanndvogt zu Turgaw, underthe-
nigclich zu erkennen geben hat, wie weilennd seine Voreltern
sich diss nachgeschriben Wappens und Clainats bissher ge-
praucht, gleichwol kainen brieflichen Beweiss oder Schein darüber zu zaigen hatten, Und unns darauf diemuetigclich angerueff-
fen und gepetten, das wir Ime sollich Wappen und Clainat, so
seinem anzaigen nach ist, Mit namen ain Quartierter Schilt, das
ober vorder, und undter hindter Plaw, oder Lasurfarb, in yegclichem ain gelbe oder Goldfarbe Lilien, und das ober hindter unnd
unndter vorder tail gelbe, oder Goldfarb, zu yegclichem fürsich
aufrechts sieend ain Schwartzer Ber, mit Roter ausschlagender
Zungen, seine vordere Tatzen fürsich haltend, Auf dem Schilt ain
Stechhelmb, vornen mit Schwartz und gelber, und hindten mit
gelber, und schwartzer Helmbdecken geziert, darauss erscheinend
ain vordertail aines Schwartzen Berens, mit Roter ausschlagender Zungen, und fürsich geregten Tatzen, zu confirmieren, zu
bestetten, und den Stechhelmb zu ain adelichen Torniershelmb zu
verendern, und pessern. Ime dasselb Wappen und Clainat mit der
Enderung und Pesserung des Tornierhelmbs zu füern, und zu geprauchen zu gonnen unnd von newem zu verleihen, und zu geben
gnedigclich geruechten § Des haben wir angesehen solich sein die-
muetig zimblich pitt auch die getrewen willigen diennst dartzu Er
sich unns und dem Reiche zu thun guetwillig erpeut, und wol
thuen mag und soll. § Und darumb mit wolbedachtem mueth,
guetem rath, und rechter wissen, demselben Jobsten Schmidt und
seinen Ehlichen leibs Erben, und derselben Erbenszerben, für
und für in ewig Zeit solche obgeschribne Wappen und Clainat,
wie dann dieselben mit dem Tornierhelmb in mitte diss gegen-
würtigen unnsers Kaiserlichen Brieves gemalt, und mit Farben
aigentlicher ausgestrichen sein, confirmiert, bestettet, gepessert,
geziert, gegönt, und von newem genedigclich verlihen und gegeben. Auch Ine und seine Eeliche leibs erben, und derselben Erbenszerben, für und für ewigclich, in den stannd und grad, und
zu der Schargesellschafft und gemainschafft unnserer und des
Reichs Edel gebornen Tornierszgenossen und Rittermessigen
Leuthen erhebt, gesetzt, geadelt und gewürdigt, confirmiern, bes-

tetten, ziern, bessern, gönnen, verleihen, und geben zue, die vor-
bestimbten Wappen und Clainat mit den Tornierszhelmb und
Adelszfreÿhait, füranhin zu füern, und zu geprauchen. Erheben,
würdigen, Adlen, setzen, und zuefüegen Sy der Schargesellschafft
und gemainschafft anderer unnserer und des Reichs Rechtgebor-
nen Tornierszgenossen Rittermessigen Leuthen, Alles von Römischer Kaiserlicher Macht volkomenhait, wissentlich in crafft disz
Brieves. § Und mainen, setzen und wollen, das nun hinfüran der
genant Jobst Schmid seine Eelichen Leibszerben und derselben
Erbenszerben für und für in ewig Zeit Recht Edel Rittermessig
Leuthe sein, und die obbestimten Wappen und Clainat mit dem
Tornierszhelmb, haben, füern und sich derselben zu allen und
yegclichen Iren schrifften, Reden, und andern Adelichen Erlichen
und Redlichen Sachen, zu Schimpf und Ernnst, zu Streitten, Stürmen, Kempffen, gevechten, Torniern, Gestechen, Ritterspilen,
Veldzügen, Paniern, Gezelten aufschlagen, In Sigeln, Botschaff-
ten, Clainaten, Begrebnissen und sonnst an allen Enden nach
Iren Ehren, notturfften, Willen und Wolgefallen, Auch dartzue
all und yegclich gnad, freÿhait, Privilegia, Ehr, Würde, Vortail,
Recht, gerechtigkait und guet gewonhait, mit Beneficien, und Lehen, auf Thumbstiften, hohen und nidern Embtern und Lehen,
gaistlichen und weltlichen zu haben, zu halten, tragen, empfahen
und aufzunemen, mit andern unsern und des Reichs Edel gebornen Rittermessigen Leuthen und all ander Gericht und Recht zu
besitzen, Urtail zu schöpfen, und Recht zu sprechen, und sich des
alles geprauchen und geniessen sollen und mögen, Als annder
Edel geborne Rittermessig Wappens- und Lehens genoszleuthe
solches alles haben und sich des geprauchen und geniessen, von
recht oder gewonhait, von allermenigclich unverhindert. § Unnd
gepieten darauf allen und yegclichen Churfürsten, Fürsten, gaistlichen und weltlichen Prälaten, Graven, freyen herrn, Rittern,
Knechten, Haubtleuthen, Landtvogten, Vitzdomben, Vogten,
Pflegern, Verwesern, Ambtleuthen, Schulthaissen, Bürgermais-
tern, Richtern, Rathen, Kundigern der Wappen, Ernholden, Per-
senanten, Bürgern, Gemainden, und sonst allen andern unsern
und des Reichs underthanen und getrewen, In was würden, stats-

oder wesens die sein, ernstlich und vestigclich mit disem Brieve
und wöllen, das Sy den genannten *J o b s t e n   S c h m i d* seine
Eeliche leibserben, und derselben Erbenszerben, für und für in
ewig Zeit, als ander unnser und des Reichs Edelgeborne Rittermessig Leuthe an den obgeschriben gnaden, Ehrn, würden, vor-
tailen, rechten, gewonhaiten, Wappen und Clainaten sampt Enderung und pesserung des Thornierhelmbs, und Erhebung des
Adels, nicht hindern noch irren, sonnder Sy des alles gerüebigclich
gebrauchen, gemessen, und gentzlich dabey bleiben lassen, und
hiewider nit thuen noch Jemandts andern zu thuen gestatten, In
kain Weise, Als lieb ainem yeden seye unnser und des Reichs
schwere Ungnad und Straf, und darzue ain peen Nemblich viert-
zig Marck löttigs Goldes zu vermeiden, die ain Jeder so offt Er
frevenlich hiewider thete unns halb in unnser und des Reichs Ca-
mer, und den anndern halben tail obgemeltem Jobsten Schmid,
und seinen Erben so hierüber beschwert wurden, unablesslich zu
bezalen verfallen sein soll. - Doch anndern, die vileicht den vor-
geschriben Wappen und Clainaten gleich füerten, an Iren Wappen und Rechten unvergriffenlich und unschedlich. - Mit Urkundt
ditz Brieves, besigelt mit unnserm Kaiserlichen anhangenden Insigel, - geben in unnser und des Reichs Stat Augspurg, am Siben-
zehenden Tag des Monats Augusti, nach Christi geburt fünffzehenhundert und Im fünfftzigsten, unsers Kaiserthumbs Im
dreyssigisten, und unserer Reiche Im fünffunddreyssigisten Jarn.
(17. August 1550)

   C a r o l u s.   *Ad mandatum Caesareae et*
Catholicae

                                       Maiestatis proprium.
                                       H. Obernburger.

Der Schreiber: Weingart.

In die heutige Schrift übertragen von Christian Schmid,
Erbenserbe und Nachfahr des Jobsten Schmid,
am Ersten Tag des Monats Juli nach Christi geburt neunzehenhundert und
Im Eynundneunzigisten.
(01. Juli 1991)

Erläuterungen zum Inhalt des Dokuments:

Als Jost Schmid Landvogt im Thurgau war (1550-1551), wurde er von den
Eidgenossen als Gesandter an Kaiser Karl V. auf den Reichstag nach Augsburg geschickt. Der Zweck des Besuchs war die Bestätigung ihrer Freiheiten. Diese hatten sie sich in den frühen Kämpfen gegen die Habsburger
hart erkämpft; den deutschen Kaiser jedoch hatten sie stets als ihren obersten Herrn anerkannt. Das war im 13. Jahrhundert so gewesen, und so wollten sie es auch weiterhin halten. Jost schien ein geschickter und gebildeter
Verhandler gewesen zu sein; so kam es, dass er als Botschafter für die Eidgenossenschaft, die damals 13 Orte umfasste, an den Reichstag reisen durfte.

Jost Schmid nutzte die Gelegenheit, um auch für sich persönlich, bzw. seine
Familie, etwas zu erlangen, und zwar wollte er sich von Kaiser Karl das Familienwappen bestätigen lassen und in den Ritterstand erhoben, also geadelt werden.

Lesen wir zunächst einige Zeilen im Originaltext:

> *»Wann uns nun unnser und des Reichs lieber getrewer Jobst
> Schmidt von Uri , dieser Zit Lanndvogt zu Turgaw, underthe-
> nigclich zu erkennen geben hat, wie weilennt seine Voreltern
> sich diss nachgeschriben Wappens und Clainats bissher ge-
> praucht, gleichwol kainen brieflichen Beweiss oder Schein darü-
> ber zu zaigen hatten... usw.«* (siehe Adelsbrief)

Hier meine freie Übersetzung:

Des Kaisers und des Reichs lieber und getreuer Jost Schmid von Uri, derzeit Landvogt im Thurgau, hat untertäniglich zu erkennen gegeben, dass schon seine Vorfahren (»Voreltern«) nachfolgendes Wappen und Kleinod bisher geführt hatten, obwohl sie dafür keinen urkundlichen Beweis vorzuweisen hatten. Er hat uns darauf demütig gebeten, dass **wir ihm jenes Wappen** - ein gevierteilter Schild, links oben und rechts unten blau mit einer **goldenen Lilie**, und rechts oben und links unten gold mit einem **schwarzen Bären** mit vorgereckten Tatzen und herausgestreckter roter Zunge, auf dem Schild ein Stechhelm, mit gelber und schwarzer Helmdecke geziert, daraus erscheinend das Vorderteil eines schwarzen Bären mit herausgestreckter roter Zunge und vorgereckten Tatzen, zu **bestätigen** und ihm dieses Wappen und Kleinod mit der Änderung und Verbesserung des Turnierhelms zu führen gönnen und von Neuem ihm gnädiglich verleihen.

Die Erhebung in den **Adelsstand** (»*Ritterschlag*«) und die **Wappenbesserung** verdankte Jost gewiss seinen Verdiensten um das Heilige Römische Reich und Kaiser Karl V. Dies war in erster Linie seiner Vermittlerrolle zwischen den Eidgenossen und dem Reich; auch können wir dies aus gewissen Formulierungen herauslesen (»*unser und des Reichs lieber getreuer Jost Schmid*«). Der Habsburger Kaiser Karl war dem Eidgenossen Jost Schmid wohl gesonnen, obwohl er und seine Vorväter stets der französischen Krone dienten. An anderer Stelle erwähnte Karl V. die Dienste, welche Jost dem Reich erwiesen hat und noch erweisen will. (»*...auch die getreuen willigen Dienste, dazu Er sich uns und dem Reiche zu tun gutwillig erbietet, und wohl tun mag und soll.*«)

Eduard Wymann, ehemaliger Staatsarchivar des Kantons Uri schreibt zu diesem Thema:
»*Gerne benützten daher selbstbewusste Krieger und Politiker ihre durch vieljährige Dienste oder auch durch blosse Empfehlungen bei irgend einem Monarchen erworbene Gunst zur Erlangung eines Adelsdiploms. So kamen im Laufe der Zeit selbst in das urdemokratische Land Uri mehrer Adelsurkunden, die zum Teil sogar im Original...noch vorhanden sind. Als glückliche Besitzer von solchen Adelsbriefen kennen wir die Familien von Beroldingen, a Pro, Schmid von Uri, ...*«* (Historisches Neujahrsblatt Uri 1928, S. 39)

Wahrscheinlich hat Jost sich dieses Anliegen einen Batzen Geld kosten lassen, da es ihm wichtig war, dieses Wappen nicht nur zu führen wie seine Voreltern, sondern bestätigt zu haben, dass er es zu Recht führe. Mit dem Adelsbrief wurde er in die Gemeinschaft der Ritter aufgenommen. (*»der Edelgeborenen Turniersgenossen und Rittermässigen Leute... und für würdig befunden, vorerwähntes Wappen und Kleinod mit Turniershelm und Adelsfreiheit fürderhin zu führen und zu gebrauchen.«*) Die Zeit der Ritter, das Mittelalter, war zwar längst vorbei, aber noch nicht vergessen. In der Erinnerung wurde sie wahrscheinlich vergoldet, so wie wir heute von der »guten alten Zeit« sprechen (obwohl diese vielleicht gar nicht immer so gut war). Gar manchem Oberhaupt einer alten führenden Familie war es wichtig, in den Adelsstand erhoben zu werden, um damit die Bedeutung ihrer Familie bestätigt zu erhalten.

Weiter lag Jost daran, dass die Helmform geändert wurde. Das Wappen seiner Vorfahren wurde noch von einem *Stechhelm* geziert. Dieser Helm wurde von Rittern in Turnieren und Schlachten getragen und trat Ende des 14. Jahrhunderts in Erscheinung. Der Turniershelm oder Bügelhelm hingegen schien Adligen vorbehalten, wie aus Kaiser Karls Brief ersichtlich:

»...und den Stechhelm zu einem adeligen Turniershelm zu verändern, und bessern.« Da die Helmform auf Jost Schmids Wappen der **Bügelhelm** ist, kann daraus geschlossen werden, dass um 1550 der Turniershelm die Bügelform hatte und Adligen vorbehalten war. Vielleicht aber hat sich im Verlauf eines Jahrhunderts ganz einfach auch der Modegeschmack verändert... (Harri Hofer schreibt auf seiner Website »Heraldik« über Helmformen: *»Über den Bügelhelm bestehen verschiedene Theorien. In vielen Ländern Europas wird er hauptsächlich in Adelswappen verwendet. Er erscheint um 1500.«*)

Das Schmid-Wappen mit dem Turniershelm in Bügelform
(Abbildung aus Franz Vinzenz Schmid's Familiengeschichte, um 1790)

Nun folgt nochmals die Bestätigung des erblichen Adels und eine ellenlange Aufzählung, bei welchen Gelegenheiten dieses Wappen mit all seinen Rechten und Pflichten getragen und gebraucht werden darf:

> *»Wir meinen, setzen und wollen, dass fürderhin der genannte Jobst Schmid und seine ehelichen Leibserben und derer Erbenserben für ewige Zeit Edle Rittermässige Leute seien und dieses Wappen in allen und jeglichen ihren Schriften und Reden, zu Schimpf und Ernst, zu Streiten, Stürmen, Kämpfen, Gefechten, Feldzügen, in Siegeln, Begräbnissen und sonst an allen Enden nach ihren Ehren, Notdurften, Willen und Wohlgefallen, auch dazu all und jeglicher Gnade, Freiheit, Privilegien, Ehre usw. usw. ...zu haben, zu halten, tragen, empfangen und aufzunehmen...«*

Wie lange die Familie Schmid von Uri dieses Wappen schon führte, als Jost um Bestätigung ersuchte, ist nicht bekannt. Aber dass wir es fürderhin *»für ewige Zeit«* tragen dürfen - das haben wir schriftlich...

Was die Herkunft betrifft, so helfen uns vielleicht die beiden Symbole des Wappens auf die Spur?

Der **Bär** könnte auf eine Herkunft von Hospental im Urserntal hindeuten. Auf lateinisch ursus, der Bär zurückgehend, führt die Talschaft Ursern einen schwarzen Bären im Wappen. Tatsächlich wurde im Jahre 1290 erstmals ein Schmid von Uri schriftlich erwähnt. (siehe Anhang: In Ordo Nobilitatis, Vol. 7, 1985-1992)

Die **Lilien** verweisen auf das französische Königshaus. Das bedeutet, dass schon Jost's Vorväter Beziehungen zum französischen Königshof gepflegt oder in deren Kriegsdiensten gestanden hatten. Deren Verdienste müssen so bedeutend gewesen sein, dass ihnen das Führen der königlichen Lilien im Wappen gestattet wurde. Wie wir im nächsten Abschnitt sehen, war schon der Vater von Jost dem Grossen Hauptmann in königlich französischen Kriegsdiensten.

Was meine weiteren Forschungen betraf, so wurde mir klar, dass ich mit meinem bisherigen Material nicht mehr weiter kam. Mein Onkel Franz hatte sämtliche Familienunterlagen (Dokumente, Gemälde, Fotoalben usw.) ans Staatsarchiv Uri in Altdorf übergeben, und so vereinbarte ich im Januar 2006 einen Termin, um dieses Material einmal zu sichten. Ich wurde sehr freundlich empfangen, und man händigte mir einen Karteikasten aus, wo auf Hunderten von Kärtchen jedes einzelne Schmid'sche Stück aufgelistet war, das sich nun im Archiv befand.

Als erstes interessierte mich die **Familiengeschichte von Franz Vinzenz Schmid**, die er um 1780 verfasst und reich bebildert hatte. Man brachte mir eine Abschrift derselben, einen grossen Band, reich verziert mit farbigen Wappen von Familien, mit denen die Schmid von Uri sich verbunden (verheiratet) hatten. Der hochformatige Band umfasst über 200 Seiten, von denen ich in einem speziellen Kapitel die für meine Untersuchung wichtigsten wiedergeben werde (den Anfang mit den ältesten Vorvätern der Familie sowie den dazu gehörigen Anhang). Die Abschrift war in altdeutscher Schrift geschrieben, die ich zu Hause zuerst wieder einmal transskribieren musste, um sie gut lesen zu können.

Doch kehren wir noch einmal zu den Lilien im Wappen zurück.

4.1 Bär und Lilie: Die Schmid von Uri im Dienst der französischen Krone

Auf Seite 15 der Familiengeschichte bin ich fündig geworden: ein Schmid von Uri in französischen Diensten war der Vater von Jost dem Grossen. Franz Vinzenz Schmid benennt ihn wie folgt: »*Jost edler Schmid ab Urÿ – dies Namens der Zweÿte. Er war Hauptmann in Königlich französischen Kriegsdiensten und wurde 1520 Landschreiber zu Urÿ. Er starb und liegt begraben in der Stadt Troÿes in der Champagne.*«

Derselbe Hinweis auf Troyes findet sich auf einem Gemälde des Jost Schmid, welcher aber dort der Erste genannt wird! (Das Bild befindet sich im Staatsarchiv Uri, in der Kunst- und Kulturgutsammlung) In diesem Fall wäre er also der Grossvater von Jost dem Grossen gewesen. Es zeigt Jost I Schmid von Ury, Landschreiber, in Harnisch und weisser Schärpe. Das Brustbild weist folgende Inschrift auf:

»1497/H: IOST SCHMID. LIGT ZUO/Trois in Champagne begraben.«
(Quelle: Helmi Gasser, die Kunstdenkmäler des Kantons Uri, Band I.II Altdorf II)

Hier scheint sowohl eine Verwechslung der Männer als auch der Jahresdaten vorzuliegen: Jost I. kann es nicht sein, da dieser um 1390 gelebt hat. Und wenn es Jost II. ist, dann liegt er nicht in Troyes begraben. Die Verwechslung kann sich dadurch erklären, dass das Gemälde posthum angefertigt wurde (in der 1. Hälfte des 17. Jahrhunderts).

Richtig ist: der Vater von Jost dem Grossen fiel 1522 in der Schlacht von Bicocca (bei Mailand). Sein Name (»Jost Schmid, landschriber«) ist vermerkt im Band Schlachtenjahrzeit der Eidgenossen (Basel 1940). In Bicocca standen am 27. April 1522 die Heere des französischen Königs mit den Eidgenossen jenen von Kaiser Karl V. gegenüber. Frankreich und die Eidgenossen verloren die Schlacht. Richtig ist auch, dass er **für** (nicht «in«) Frankreich gefallen ist.

Wie dem auch sei: all diese Vorväter hatten in französischen Diensten gestanden. Daher die Lilien, die Jost sich im Jahre 1550 von Kaiser Karl V. hat bestätigen lassen. Doch nun kommen drei weitere Schmid Wappen ins Spiel. Als ich damals im Historisch-Biographischen Lexikon der Schweiz unter Schmid nachgeschaut hatte, war mir ein A-4 Blatt in die Hände gefallen, darauf waren fünf verschiedene Schmid Wappen gezeichnet, alle mit verschiedenen Symbolen! Das Blatt war von Hand gezeichnet und beschrieben, aber es war undatiert und nicht unterschrieben. Vielleicht stammte es von Onkel Franz oder Karl Gisler. Sehr viel später stiess ich in den Dokumenten von Josef Muheim (siehe Kapitel 7.2) auf all diese Wappen, doch ohne Angabe, woher sie stammen. (siehe Abbildungen) Zwei der Wappen konnte ich sofort ausscheiden: das Wappen der Schmid von Bellikon und jenes der Schmid von Urseren. Übrig blieben drei Wappen der Schmid von Altdorf/Uri, was mich etwas verwirrte. Das eine kannte ich:

Variante 1: **Bär und Lilien**.
Eine Variante 2 zeigt den **Bären mit Goldstern**
und Variante 3 den **Bären mit silbernem Anker**
(alle Wappen sind geviertet).

Schmid

Schmid

Schmid

von Uri

Was bedeuten die beiden anderen Wappen? Mir war bekannt, dass verschiedene Familienmitglieder (v.a. die männlichen Erben) das Familienwappen abänderten, um sich vom Anderen zu unterscheiden. Doch hätte ich gern die Bedeutung von Goldstern und Anker gekannt! - Einige Jahre später stiess ich auf neue Spuren, die etwas Licht ins Rätsel von Stern und Anker zu bringen schienen. Der Autor und Privatforscher Arnold Claudio Schärer verriet mir, dass der **Stern** im Wappen (auch) für Nautik und Seefahrt stünde, der **Anker** sowieso, und dass die Eidgenossen Seefahrer gewesen waren! Er erzählte mir, dass sie Besitzungen am Meer hatten, speziell in Genua. Sie hätten ihre eigenen Werften gehabt, um mit ihren Schiffen die Kreuzfahrer ins Heilige Land zu bringen – und vermutlich orientalische Gewürze in die Heimat importierten. Die Eidgenossen wären sogar gute Schiffsbauer gewesen und hätten den Schiffsbau verbessert, um sich gegen die Konkurrenz in Genua zu behaupten (Schärer, Privatarchiv). Das zeigt, dass sie weit über ihre Heimat Uri hinausgedacht haben und wirtschaftlich weiter kommen wollten. Aber in welcher Beziehung die Schmid von Uri mit der Seefahrt zu tun hatten – das konnte ich leider nicht herausfinden. Ich könnte mir vorstellen, dass der eine oder andere mit Wein und Gewürzen gehandelt hatte.

Eine weitere Überraschung bot sich mir, als Prof. Christoph Zollikofer mir auf meine Anfrage eine Kopie der Zollikofer'schen Genealogie-Tafel schickte. Jost war in zweiter Ehe mit Anna Zollikofer von Altenklingen verheiratet gewesen, und ich wollte etwas mehr über diese Ehe erfahren. Jost und Anna hatten am 14. Februar 1565 geheiratet, etwa 15 Jahre, nachdem Jost am Reichstag in Augsburg gewesen war. Aber nun zeigte sein Wappen statt der Lilien zwei **goldene Sterne** auf blauem Grund! Die Bären waren gleich geblieben - für mich ein Hinweis, dass der Bär das ursprüngliche, älteste Motiv des Wappens ist. Auf der Genealogie-Tafel des Zollikofer'schen Schlosses Altenklingen ist dieses Wappen mit der Jahrzahl 1550 aufgemalt. Auf dieses Thema werde ich später (bei Anna Zollikofer) noch einmal zurückkommen.

Doch nun wird es Zeit, dass wir uns dem Leben Josts widmen.

4.2 Das Leben von Jost Schmid im 16. Jahrhundert, einer Zeit des Auf- und Umbruchs

Jost Schmid lebte in einer Zeit, die man heute als Frühe Neuzeit oder auch Frühmoderne bezeichnet. Dessen war er sich natürlich nicht bewusst. Er war sich aber wohl bewusst, dass er in einer Zeit des Auf- und Umbruchs lebte. Als er sich 1550 zu Kaiser Karl V. an den Reichstag begab, um für sein Land, die Eidgenossenschaft, die alten Freiheiten bestätigen zu lassen, war Amerika schon über ein halbes Jahrhundert entdeckt. Martin Luther und Ulrich Zwingli waren tot und die Glaubensspaltung war in vollem Gange. Josts Vater, gemäss Familienchronik Jost der Zweite, war ein Schüler des Reformators Ulrich Zwingli gewesen, als dieser in Basel von 1502 bis 1506 an der Universität studierte und gleichzeitig Latein unterrichtete, wie Iso Müller in »Geschichte von Ursern« schreibt: »Am 12. August 1519 schrieb Schmid seinem geliebten früheren »Meister«, um bei ihm Rat über den Bildungsgang seines Sohnes zu erbitten. Dass Schmid deshalb »reformatorisch« gesinnt war, kann man daraus kaum schliessen, geht es doch hier nicht um Glaubensfragen.« In diesem Jahr 1519 war er Landschreiber von Uri, und am 27. April 1522 fiel er in der Schlacht von Bicocca, nördlich von Mailand (Geschichtsfreund 70 von 1915).

Vater und Sohn Jost lebten also im Jahrhundert der Kirchentrennung, einer bewegten Zeit, in der auch in der Eidgenossenschaft heftig gestritten wurde. War man für oder gegen den Papst? Stellte man sich auf Seiten des Kaisers oder der Franzosen? Wie stand man zu Ablässen und Zölibat? Die Schmid von Uri waren »altgläubig« und blieben auch katholisch, wiewohl man aus der Verbindung von Jost Vater zu Zwingli schliessen darf, dass er für die Gedanken der Reformation offen war. (Mehr zu Zwingli unter 4.4 Zeitgenossen von Jost Schmid)

4.2.1 Söldnerheere in französischen Diensten

Die Schmid von Uri gehörten der herrschenden Schicht an und stellten im Lauf der Zeit zahlreiche Magistraten (Landammänner, Landschreiber, Heerführer usw.). Politisch und persönlich waren sie stets auf Seiten der

Franzosen, welche Treue ihnen in klingender Münze, als Pensionen, vergolten wurde. – Sie waren im eigentlichen Sinne Militärunternehmer, da sie die französische Krone mit Söldnern versorgten. Dabei sind sie und weitere Urner Familien sehr reich geworden. Urs Kälin schreibt: »*Die Urner gehören zu den Hauptnutzniessern der Alten Eidgenossenschaft. Kein anderer Stand bezog pro Kopf seiner Bevölkerung höhere Pensionsgelder, nirgendwo sonst fielen die landesherrlichen Hoheitsrechte stärker ins Gewicht.*« (Kälin, 1991, S. 13) Kälin schreibt weiter, dass von den einflussreichen Urner Familien nur die Schmid und die Scolar eindeutig dem französischen Lager zuzuordnen seien, und dass sich für Uri bereits für das 16. Jahrhundert eine Vormachtstellung der spanischen Partei feststellen lässt. (wie vorher, S. 84, 85)

Reich wurden nur die Hauptleute, quasi die »Besitzer« der von ihnen zusammengestellten Söldnerheere. Der Söldner, der einfache Soldat, der bekam zwar seinen Sold, aber reich werden konnte er damit sicher nicht. In dem Soldaten-Klagelied »Ach Frankereich« heisst es am Schluss: »*...dänn, Alte, nimm dä Bättelsack, Soldat bist du gewest.*« (CD von H.P. Treichler, siehe Kapitel 4.5 Die Musik) - Und Helmi Gasser hat mir erzählt, dass mein Onkel Franz immer gesagt habe: »*Mir hend s'Gält gmacht mit dä Seldner, und sie sind de die arme Cheibä gsi.*«

Schweizer Landsknecht, Gemälde des Lütisburger Künstlers Walther Wahrenberger (1899-1949)

41

Waren die Vorväter schon in französischen Diensten, so war es in jenen Zeiten klar und logisch, dass auch die Söhne nachfolgten. Nur wenige Familien schafften es, über Jahrhunderte hinweg Schlüsselpositionen im Söldnerwesen beizubehalten. Einigen dieser Familien gelang es gar, während Jahrhunderten »*Vorsitzende Ämter quasi-erblich zu okkupieren und zu monopolisieren.*« Zu diesen gehörte das Häuptergeschlecht der Schmid von Uri. Urs Kälin spricht in diesem Zusammenhang von Familien- oder Geschlechterherrschaft. (Kälin, S. 27)

4.2.2 Wer war Jost Dietrich Schmid?

Von Jost dem Dritten, »*genannt der Grosse*«, mit vollem Namen **Jost Dietrich Schmid**, haben wir nun schon Einiges erfahren; zu Anfang nur in Stichworten (Eintrag im Historisch-Biographischen Lexikon der Schweiz), doch im Laufe meiner Nachforschungen kamen immer mehr Details zutage, sodass sich vor meinem geistigen Auge langsam ein Bild abzuzeichnen begann.

Auch er begann seine Laufbahn in französischen Diensten, vor allem aber schien er ein grosses Talent zum Regieren, Vermitteln und Verhandeln gehabt zu haben. Aus diesem Grund betraute ihn die Tagsatzung (= Tagung der Abgesandten aller Orte/Kantone der Eidgenossenschaft) mit verschiedenen diplomatischen Geschäften: als eidgenössischen und als Tagsatzungs-Gesandten; 1564 als Schiedsrichter zwischen dem Stift St. Gallen und den regierenden Orten; 1566 war er Gesandter zu Kaiser Maximilian II. auf den Reichstag zu Augsburg; 1570 als Vermittler beim Streit zwischen den Städten Luzern und Rothenburg. –

Aus dem 2012 erschienenen Historischen Lexikon der Schweiz, Band 11, erfahren wir zusätzlich:

> »*1577 setzte er sich mit Peter a Pro erfolgreich für das Bündnis zwischen Uri und Savoyen ein. Schmid stand bei den Höfen von Frankreich und Savoyen in hohem Ansehen und bezog grosse Pensionen. Er galt als der reichste Mann von Uri, weshalb er von späteren Genealogen auch als der Grosse bezeichnet wurde. Äusseres Zeichen seines Einflusses war der vor 1563 erworbene Stammsitz der Familie im Bereich der heutigen oberen Bahnhofstrasse in Altdorf, der 1799 abbrannte.*«

Schmidt ex Uri.

◄(:45.)►

PRAENOBILIS ET GENE-

rosissimæ Familiæ, multisque titulis Spectatissimæ

SCHMIDIORUM,

Ex Uri Helvetia, Fragmentum Stemma-
tographicum.

Jodocus Schmidt, primus de cujus continua nepotum serie constat claruit sub annum Christi 1390. uxor Apollonia de Ramstein.

Joannes Schmidt, claruit sub annum Christi 1417. uxor Barbara zum Berg.

Henricus Schmidt, se sacris addixit. | Antonius Schmidt Capitaneus, ux. Margarita VVollabin, alibi Barbara dicitur. | Ludovicus Schmidt, ux. Catharina de Mäntlen.

Elisabetha Schmidin. | Apollonia Schmidin. | Jodocus Schmidt Capitaneus, ob Trojā in Campaniā, ux. Barb. Cristan. ab Urselen. | Joan. Antonius cælebs obiit. | Barbara, ux. Ludov. ab Erlach.

Jodocus Schmidt Junior, vir spectatissimus Helvetiorum ad Carolus V. Legatus ab eodem Eques S.R.J. creatus An. 1550. Landtammannus in Uri, gloriosus decessit, uxores ejusdem: 1. Euphemia ab Erlach. 2. Anna Zollickoterin ab Altenklingen, 3 Elisabeth Mutschlin.

Stammbaum der Schmid von Uri des Benediktiner-mönchs Gabriel Bucelinus, abgedruckt in seinem Werk über Klerus und Adel aus dem Jahre 1655.

Jost scheint ein gebildeter, sprachgewandter und weitgereister Mann mit grossem diplomatischem Geschick gewesen zu sein. Um sich an Königshöfen gewandt zu bewegen und durchzusetzen, braucht es Führungsqualitäten, Charme, vielleicht gar Charisma.

Der Genealoge Friedrich Gisler beschreibt Jost (auf einem undatierten Blatt) als »*eifrigen Anhänger der französischen Partei in Luzern und in den Ländern.*« Als Parteigänger Frankreichs erwarb er sich die Freundschaft des allmächtigen Ludwig Pfyffer (»*der Schweizerkönig*«) in Luzern, dem er 1566 das Urner Bürgerrecht verschaffte, wofür dieser ihn 1578 mit jenem von Luzern belohnte.

Bucelinus, Benediktinermönch und Universalgelehrter, nennt aber als Grund, dass die Stadt Luzern ihm und all seinen Nachkommen das Bürgerrecht geschenkt habe: »*wegen geleisteter Hilfe gegen die aufrührerischen Bauern*«. Im gleichen Atemzug nennt er ihn auch »*den tüchtigsten Mann der Helvetier*«, einen »*vir spectatissimus Helvetiorum*«. Gabriel Bucelinus (1599-1681) war Benediktiner-Prior, Universalgelehrter und Humanist. Er verfasste ein vierbändiges Werk über die Stammbäume der angesehensten Mitglieder des Klerus und des Adels (Germania Topo-chrono-stemmato-graphica sacra et profana, 1655). Siehe Abbildung.

Gedanken zur Abrundung:
»*Zweifellos war Schmid ein bedeutender Staatsmann, doch wird sein Charakter verschieden beurteilt*« schreibt Friedrich Gisler auf seinem undatierten Blatt. Ein vielsagender Satz! Aber interessieren würde hier natürlich, wer Jost's Charakter wie beurteilt. Wie wir weiter oben im Zusammenhang mit dem Luzerner Bürgerrecht schon erwähnt haben, war Jost für die Stadt Luzern erfolgreich gegen die aufrührerischen Bauern vorgegangen. Das ist wohl so ein Punkt, den man »*verschieden beurteilen*« kann: für die Stadt Luzern war die Niederschlagung des Aufstands ein Erfolg; für die Bauern jedoch, die sich um ihre alteidgenössischen Freiheits-Rechte betrogen sahen, war es eine herbe Enttäuschung, ein Desaster. Die Stadt Luzern und mit ihr Jost Schmid, waren nicht mehr auf Seiten der bäuerlichen Bevölkerung. Das Selbstbewusstsein der Städte und des Handels hatten einen einheimischen Adel hervorgebracht, der inzwischen das Sagen hatte. Und Rit-

ter Jost Schmid gehörte zu diesem Adel – so wie seine Familie seit Generationen zu den einflussreichsten von Uri zählte (seit 1390, laut Familienstammbaum).

Weitere interessante Einzelheiten aus seinem Leben kamen im Laufe meiner Nachforschungen ans Licht; dies betrifft v.a. seine Arbeit als Landvogt, die ich weiter unten, in Kapitel 4.3 Spuren im Thurgau beschreibe.

Die Ehefrauen von Jost

In erster Ehe war Jost mit **Euphemia von Erlach** verheiratet, von der Franz Vinzenz Schmid in der Familiengeschichte schreibt: *»Ich finde nit, dass Jost mit dieser Gattin Kinder erzeuget habe.«*

In zweiter Ehe war er mit **Anna Zollikofer von Altenklingen** verheiratet, welcher Ehe zwei Kinder entsprossen. (Details dazu siehe unter 4.2.3 Zum Geburtsjahr von Jost)

Gebäckmodel Wickelkind um 1550; aus dem Nachlass meiner Tante Madlen Gisler-Schmid. War er einst in der Familie von Ritter Jost in Gebrauch? Einen fast identischen Holzmodel aus dem Jahre 1552 habe ich im Landesmuseum in Zürich gesehen.

Die dritte Ehe mit **Elisabeth Mutschlin** war die fruchtbarste, aus dieser Verbindung entstammten vier Söhne und vier Töchter:

1. **Anton**
2. **Jost**
3. **Bernard**

Diese drei Söhne teilten das Schmidische Haus fürderhin in drei Hauptlinien.

4. Theodoric starb unmündig.
5. Barbara, Gattin von Landammann Pannerherr Ritter Emanuel Bassler von Wattingen.
6. Katharina, Gattin von Landammann Ritter Joann Peter von Roll.
7. Magdalena, Gattin von Landammann Hauptmann Rudolph von Reding von Biberegg.
8. Regina, Gattin in erster Ehe von Hauptmann Ritter Ascan à Pro von Vinascia. In zweiter Ehe von Landammann Landshauptmann Ritter Obristen Joann Konrad von Beroldingen.

Diese Informationen habe ich der Familienchronik von Franz Vinzenz Schmid entnommen, wo sie im Detail nachgelesen werden können. (siehe Kap. 5.1 F.V. Schmid, Geschlechts- und Geschichtkunde)

4.2.3 Zum Geburtsjahr von Jost

Dieses wurde von Friedrich Gisler mit 1523 angegeben, und diese Jahreszahl steht ebenfalls im Historischen Lexikon der Schweiz von 2012. Im Vorgänger, dem Historisch-Biographischen Lexikon von 1934 war das Geburtsjahr überhaupt nicht angegeben. Nun ist aber ein Dokument aufgetaucht, das sein Geburtsjahr mit **1518** angibt. Jost hat 1565 in zweiter Ehe **Anna Zollikofer von Altenklingen** (Thurgau) geheiratet. Als Wahl-St. Galler wollte ich natürlich mehr über die Verbindung der Schmid von Uri mit dem in der Ostschweiz berühmten Geschlecht der Zollikofer erfahren. Im

August 2008 nahm ich Kontakt auf mit Professor Christoph Zollikofer, der mir freundlicherweise verschiedene Unterlagen darüber zur Verfügung stellte. Die Familienbücher der Zollikofers befinden sich seit Anfang 16. Jahrhundert in Familienbesitz, und in diesem Dokument wird das Geburtsjahr von Jost mit 1518 angegeben. Seine Gattin Anna Zollikofer wurde 1540 geboren, war also 22 Jahre jünger als Jost. Für mich gibt es gibt keinen Grund, diese Daten anzuzweifeln. Mir liegen Fotokopien der entsprechenden Seiten vor.

Als Jost Schmid und Anna Zollikofer am 14. Februar 1565 geheiratet hatten, war Jost schon eine geachtete Persönlichkeit. 1550 zum Landvogt in den Thurgau berufen, im selben Jahr von Kaiser Karl V. geadelt - eine Verbindung der Schmid von Uri mit dem angesehenen Geschlecht der Zollikofer, die eine dominierende Stellung im Leinwandhandel innehatten, bot sich an. Jost war nun 47 Jahre alt und fest im Sattel seines Lebens. Der Ehe entsprossen zwei Kinder: Jost, der mit 14 Jahren verstarb und Regina. - Informationen und Abbildungen zu dieser Verbindung in Kapitel 5.1 F.V. Schmid's Familiengeschichte, unter: Bemerkungen zu Anna Zollikofer von Altenklingen.

Gestorben ist Jost Dietrich Schmid in Ausübung seines Amtes als Landammmann am 28. Juni 1582. Er war 64 Jahre alt geworden.

4.3 Spuren im Thurgau: Über die Arbeit eines Landvogts

Wie wir schon im letzten Kapitel gesehen haben, hat Jost in seinem abwechslungsreichen Leben als Magistrat viel getan, gesehen und erlebt. Ich fragte mich, ob es weitere, sozusagen handfeste Spuren gab aus seiner zweijährigen Zeit als Landvogt in Frauenfeld.

Die Eidgenossen räumten der Stadt Frauenfeld eine ganz besondere Stellung ein: sie war eine autonome Stadt, die sich nicht als zur Landgrafschaft Thurgau gehörig betrachtete! Nach der Eroberung des Thurgau 1460 bestätigten die Eidgenossen die Freiheitsbriefe, welche die Stadt von österreichischen Fürsten erhalten hatte. Dennoch residierte der Landvogt im Schloss von Frauenfeld.

Jost Schmid war Landvogt im Thurgau von 1550-1551. Ich hoffte, Dokumente aus dieser Periode zu finden und wandte mich deshalb im Juli 2008 ans Staatsarchiv des Kantons Thurgau in Frauenfeld. Im Band *Beständeübersicht* sah ich, dass etliche Bücher und Schachteln aus jenen Zeiten existierten, so unter anderem:

· Mandate   1550 – 1795
· Hoheitliche Akten   14. – 18. Jhdt.
· Lehen & Fallbücher 1475 – 1798
· Kanzleiregister   1540 – 1707

Schloss Frauenfeld, in welchem Jost Schmid von 1550 bis Anfang 1552 als Landvogt residierte.

Ich liess mir verschiedene Bände zeigen, und schon im ersten *Landkanzlei Mandate 1550 – 1753* wurde ich fündig! Etwa in der Mitte des Bandes, der Dutzende von Original Schriftstücken enthielt, stiess ich auf eine Schrift mit der Nr. 1, die wie folgt begann:

»*Ich Josst Schmid des Rats zu Uri, Landtvogt zu ober und under thurgöw, von gewalts wegen miner gnedigen herren und obern der Siben orten der aidtgenossenschaft...*« Datiert war das Blatt mit 1550 Juli 26.

Ich muss zugeben, dass mein Herz höher schlug, als ich dieses über 450-jährige Dokument meines Vorfahren in Händen hielt und las, was er damals an jenem wahrscheinlich heissen Julitag 1550 im Schloss Frauenfeld seinem Schreiber diktiert hatte.

Ein Mandat ist ein Erlass, ja ein Befehl, und in diesem Mandat ging es um den Fischweiher des Klosters (gotshus) Ittingen. Nachstehend meine Transskription des Mandates:

Mönchsgebäude der Kartause Ittingen.

Mandat Jost Schmid
(StaTG 0'01'0)

ICH Jost Schmid des Rats zu Uri, Lanndvogt in ober und under thurgöw, von gewalts wegen miner gnedigen herren und obern der Siben orten der aidtgenossenschaft / Inn den gemainden und Insässen zu Nussbommen, Buch, Ürschhusen, und allen andern / so in der Lanndtgrafschafft thurgöw / Hochen oberkait wonen und sitzen, und in des gotshus Ittingen See, ettwen hainff und wärch gerosset, oder noch zu rossen bemainen möchten, zu vernämmen. Das der Erwürdig und gaistlich her, Her Leonhardus prÿor und vatter des gotshus Sant larentzen zu Ittingen/ Carthuser ordens, sich vorgemälts hainff und wärch rosses, so in sin und des gotshus Ittingen See, als des aigenthumb beschechen, und zu verderbung aller vischen, die darinn sÿen, diene, vor den gemelten minen herren den aidtgenossen, hoch beklagt. § Desshalben sÿ min herren, als schirmmherren und Kastvögt sin und des gotshus Ittingen, sampt allen des gotshus zu gehörenden stucken, und gütern, umb hilff und rat angesucht hat, die Inn und das gotshus vor gewalt und zum Rechten zu schirmmen und zu handthaben willig sind. § Darumb uss Jetzgenanter miner herren bevälch so gebüt ich in From nammen, üch allen, und Jedem insonders, so hoch ich üch von Irtwegen zu gepieten hab, das Ir hinfür vorgedachts rossens abston, und in des Gotshus Ittingen See, nit mer weder hainff noch wärch rossen sonder dem selben gotshus sölichen see, und die visch so darinn sind, suber ouch unverderbt, und sampt denen die daruff und darbÿ, nach des gotshus altharkommen, und Recht, handlen und wandlen, unbelaidiget lassen, und one erlangt Recht, in söllichem dehain gwalt bruchen, noch fürnämmen, Des wil ich mich zu üch gäntzlich vorsächen, Dann wo Jemandt darwider täte, wurde uff für Verachtung gepürende straff nachvolgen. Darnach wüsse sich ain Jeder zu verhüten. Geben und mit minem hie ingetrucktem Insigel, besigelt an Sambstag nach Sant Jacobs des Hailgen Zwölffpotten tag Anno ...

1550 Juli 26

Die beleidigten Fische:

Nun hatte ich also die alte in die moderne Schrift übersetzt - jetzt musste ich nur noch verstehen, was gemeint war... So hat man also vor 450 Jahren gesprochen, bzw. geschrieben! Eine Sprache, altmodisch, umständlich, höflich, aber lustig zu lesen für uns Heutige. Es gab Wörter, die sich mir nach dem zweiten oder dritten Mal Lesen erschlossen, z.B. *bevälch* = Befehl, *hainff* = Hanf. Zwei Begriffe aber blieben mir zunächst unverständlich: *dehain* und *rossen*. *Dehain* (in der fünftuntersten Zeile) übersetzte ich mit kein, da der Satz dann einen Sinn bekam: *dehain gwalt bruchen* = keine Gewalt brauchen. Konnte das stimmen?
Rossen hingegen blieb ganz im Dunklen. Ich fasste mir ein Herz und rief im Staatsarchiv Frauenfeld an, um dort eventuell Hilfe bei der Übersetzung des Mandats zu erhalten. Die Mediävistin Frau Stöckli anerbot sich, mir zu helfen und meinte »vier Augen sehen mehr als zwei.« Noch am selben Nachmittag fuhr ich nach Frauenfeld. Tatsächlich fand die Spezialistin die Lösung! *Dehain* heisse »kein«, und zu *rossen* teilte sie mir folgendes mit: Zufälligerweise habe sie letzte Woche einen Artikel gelesen, wo das Wort *rossen* vorkam. Es sei ein Verb, *rötzen*, und heisse weich, mürb machen (derselbe Stamm kommt im Wort ver-rotten noch vor).

Da hat also jemand Hanf und *wärch* gerosset im Weiher, und da sind die Fische verdorben. Der Weiher müsse der Hasenweiher sein, einer der drei Hüttwiler Weiher. Heute züchten sie wieder Fische in Ittingen, im kleinen Weiher direkt beim Kloster. *Wärch* kenne sie aber nicht und habe auch nichts darüber gefunden.

In Kluge's Etymologischem Wörterbuch fand ich heraus, dass mit *wärch* zwei Begriffe gemeint sein könnten, entweder Abfall bei der Arbeit oder Flachs. Laut Kluge fordert Werg den Zusammenhang mit Werk, also »Arbeitsstoff«. Dann könnte mit wärch ein Abfallprodukt irgendeines bestimmten Rohstoffes gemeint sein. Geht man zurück bis auf das keltische Wort für Werg, so findet man im bretonischen *ko-arh* die Bedeutung für Werg, Hanf, Flachs.

In diesem Falle wären also Pflanzenfasern im Weiher weich gemacht worden: Hanf und Flachs. Hat man dazu einen Wirkstoff benutzt, der den Fischen nicht gut bekommen ist? Jedenfalls sind sie verendet, und der Landvogt Jost Schmid hat auf Ersuchen des Kartäuser-Priors Leonhardus ein Mandat erlassen, dass man *vom rossen abston* (abstehen) *und die visch unbelaidiget lassen* solle. Falls jemand zuwiderhandeln sollte, würde gebührende Strafe nachfolgen.

Dies ist ein Erlass, den wir gut nachvollziehen können und der heute noch Gültigkeit hat oder haben sollte. Auch in unserer Zeit leiden Fische und anderes Seegetier darunter, wenn gewissenlose Menschen Chemikalien in die Gewässer leiten.

Des Weiteren fand Frau Stöckli heraus, dass von Jost Schmid auch eine *»Bettelordnung«* existiere. Diese Bettelordnung hat er am 22. Januar 1552 mit Signatur bestätigt (da Jost von 1550-1551 Landvogt war, kann das nur bedeuten, dass im Januar 1552 der neue Landvogt sein Amt noch nicht angetreten hatte). Diese Bettelordnung befindet sich im Staatsarchiv in Zürich. Ich habe mir eine Kopie davon anfertigen lassen, die ich jedoch nicht im Einzelnen studiert habe. Im Grossen und Ganzen wird sie Ähnliches behandelt haben wie Hasenfratz im Kapitel »Polizeiliches« in ihrem Buch »Die Landgrafschaft Thurgau...« beschreibt (siehe Anhang)

Angespornt von diesen Erfolgen, probierte ich aufs Geratewohl im **Stiftsarchiv St. Gallen**, ob sich auch dort ein Dokument von ihm befinde. Und tatsächlich! Das Archiv war im Besitz eines solchen, und zwar der Urkunde StiASG PPP2 Nr 18. Man händigte mir diese aus; am unteren Rand war das Siegel von Jost Schmid mit den Bären und Lilien angehängt. Dann begann ich zu lesen. In dem Dokument geht es um eine wiederholte (*»schon siben malen«*) Klage wegen Wasserverlust gegen einen Juden Hanns Rügger. Die Klage wurde auf Befehl (*»uf bevälch«*) des hochwürdigen Fürsten und Herrn Diethelm, Abt des Gotteshauses St. Gallen vorgebracht. (Deshalb lagert dieses Dokument im Stiftsarchiv)
Ich verzichte darauf, den ganzen Text anzuführen, aber auszugsweise zitiere ich einige Hauptstellen daraus:

»Ich Jost Schmid des Raths zu Uri, miner gnedigen Herren und obern der Aidtgnossen, Lanndtvogt und Landtrichter in ober und Nider Thurgöw, Bekenn und thun Kund mengklichem mit disem Brief, … uf bevälch des hochwirdigen fürsten und herren, her Diethelm abbte des Gotzhus Sannt Gallen, … mins gnedigen herren, Bläsi huwendobler von Mörnow, und Basti Stäheli, ussem wyden, baid aber geordnet gesandten und Anwält, ains gantzen gerichts zu Bruggen. Als klegere, an ainem unnd Hanns Rügger von Buwÿl, antwurter, an dem andern tail, …

… darumb ich sampt anderen biderben lüten, die kleger fründtlich angesucht, und gebätten, gegen Jude Rügger im rächten wÿter nit fürzufaren, Sonder mir die sach in der gutlichait zu sprächen, ze verthruwen, das sÿ die obernämpten personen, wie sÿ vor mir Im Rechten gestanden sind, …

…So hab ich obgenannter Landtvogt, min aigen Insigel, doch mir und minen Erben, one schaden, offenlich an diser brieffen zuen gehenckt, und Jedem tail uff sin ber gär ainen gäben, an mentag nach dem sontag letare mitfasten, Von Cristi gepurt gezellt fünffzehenhundert fünffzig und ain jare.«

Hier ging es also um eine Klage wegen »Wasserverlust«, d.h. Bläsi Huwendobler und Basti Stäheli verklagten den Juden Hanns Rügger, dass er ihnen Wasser abgezapft habe. Er hatte dies aus Not getan, da er über keine andere Wasserquelle verfügte und vermutlich sonst sein Garten vertrocknet wäre. Die Juden hatten überhaupt einen schweren Stand in der Eidgenossenschaft: *»…Beschwerden ergingen gegen die Juden. Man wollte sie überhaupt nicht im Lande dulden.«* (Thurg. Landbuch, Fol. 118 in: Hasenfratz, S. 179) Abt Diethelm vom Kloster St. Gallen persönlich befahl die Klage! Dies vor Augen, ist es Landvogt Jost Schmid sicher hoch anzurechnen, dass er sich vom Abt nicht einschüchtern liess, sondern sich für den Juden Hanns Rügger einsetzte, indem er die Parteien anwies, die Angelegenheit auf gütliche Weise (*»gutlichait«*) zu regeln.

Ich Jost Ofmid des Rats zu Ury Landtvogt in ober und nider
thurgöw, von gewalts wegen miner gnedigen herren und obern
der Sibnn orten der aidtgnoschaften xc. Tün den gemainden
und underthanen zu Nuffbomen, iren vogtrichtern und
allen andern, so in der Landtgrafschaft thurgöw, liepe,
an oberkait waren und sygen, und zu des gotshus Ittingen
der, etwan hainst und wäre, gewesst, oder noch, zu kossen der
mainen werden, zu verrichten. Das der friwirdig und
gaistlich herr, herr Leonhardus prior unnd vatter des gotshus Sant Lorenzen zu Ittingen, Carthus or orders, site
vorgemelts hainst unnd wäre kosses, so in sin und des
gotshus Ittingen der, als des aigenthumbs besitzeren, unnd
zü verwürkung aller wistern, die darum stond, diene, vor den
gemeten minen herren den aidtgnoschen, hoch beklagt,
Als dann sy min herren, als hauptherren unnd kastvogt
sin und des gotshus Ittingen, sampt allen des gotshus
zu gegewenden stucken, und gütern, unnd tieff und hoch
angeschirbt hat. Die sin und das gotshus vor gewalt
und zwang kesten zu schirmen und zu handthaben willig
sind, Darnach ist folgenanter minen herren bevelch,
so gebürt ire zu from mainen, ire allen und iedem insbesun-
ers, so doch ire iro von kriswegen zü geriten hab, Das ir
einsin vorgedaets kosses abston, Unnd in des gotshus
Ittingen der, nit mer weder hainst nore, wäre, kossen
Sonder dem freben gotshus schirchen der und die wise, so
darinn sind, Leben ouch vnnrowort unnd sampt deren
die daruff vnnd darby, nach des gotshus altenkommen vnnd
kost handen und wandern, unbelaidiget lassen, und an
erlangt kost in söllichem dehain gwalt brüchen, nore
fürnämen. Das wie ire mire zu vns gantzlich verfahen,
vnd Dann wer iemandt darwider tätte, werde vff sin

verachtung gepürende straff nachvolgen. Darnach
wüsse sich ain ieder zu verrichten. Beben und nit mine,
vur aigtsgewonem insigel, besiget an Dunrstag nach
Sanuct Iacobs des hailigen zwölffpotten tag Anno xc.

1550 Juli 26

Mandat von Landvogt Jost Schmid zugunsten der „beleidigten
Fische" im Weiher der Kartause Ittingen. (ausgestellt am
26. Juli 1550; Staatsarchiv Frauenfeld)

Dieses gerechte Urteil des Landvogts Jost Schmid fügt seinem Charakter-
bild eine weitere Facette hinzu, die so bis anhin nicht bekannt gewesen,
bzw. Jahrhunderte lang vergessen war.
Geschrieben und besiegelt wurde es am Montag nach dem Sonntag Laetare
Mittfasten (dem 4. Fastensonntag), etwa Mitte März 1551.

Josts Spuren führen also auch in den Stift, das »Gotzhus« von St. Gallen!

Mit dieser weiteren Information über den Magist-
raten und Ritter Jost
Schmid beginnt sich sein
Bild allmählich abzurun-
den. - Im folgenden Kapi-
tel möchte ich noch kurz
auf einige Zeitgenossen
von Jost eingehen, mit denen er zu tun hatte. Daran
anschliessend folgen die
Kurzbiografien zweier
Männer, die für jene Zeit
wegweisend waren: Hul-
drych Zwingli und Kaiser
Karl V. Auf diese Weise
können wir jene Zeit et-
was streifen, in der Jost
lebte: es war sowohl die
Zeit der Reformation als
auch jene von Humanis-
mus und Renaissance.

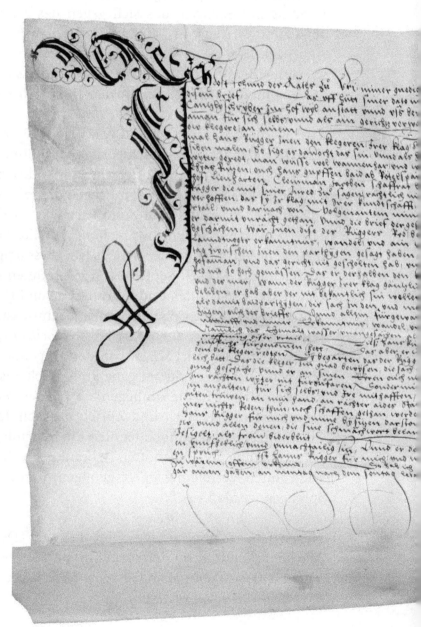

Gerichtsurteil von Landvogt
Jost Schmid zugunsten des
Juden Hanns Rügger wegen
einer Wasserklage (Mitte März
1551; Stiftsarchiv St. Gallen)

4.4 Zeitgenossen von Jost Schmid

Jost lebte im Zeitalter der Glaubensspaltung. Als Urner gehörte er den inneren 5 Orten an, die katholisch waren, und so handelte er auf dem Boden seiner katholischen Überzeugung. Die Eidgenossenschaft war erstmals seit langem in ihrem Zusammenhalt bedroht. Auf der einen Seite Alt-, auf der anderen Seite Neugläubige. 1560 schlossen die 5 inneren Orte ein ewiges Bündnis mit Savoyen, das sich gegen das reformierte Bern richtete und 1564 zum Vertrag von Lausanne (zwischen Bern und Savoyen) führte. In Appenzell kam es zur Trennung in die beiden Rhoden: um Blutvergiessen zu vermeiden, beschloss man, auseinander zu gehen. Am 8. September 1595 nahm die Landsgemeinde den Teilungsbrief an.

1565 wurde Ritter Jost Schmid von Uri an den französischen Hof zu König Karl IX. gesandt, zur Beschwörung des Bündnisses mit Frankreich. In Frankreich tobte seit 1562 der Hugenottenkrieg. Karl IX. warb Schweizer Reisläufer an, die ihn im Kampf gegen die reformierten Hugenotten unterstützen sollten. Josts Freund und Parteigänger **Oberst Ludwig Pfyffer** von Luzern (genannt der »*Schweizerkönig*«) stellte Frankreichs König ein Regiment zur Verfügung, das sich durch grossartige militärische Leistungen auszeichnete. Am 29. September 1567 retteten sie König Karl IX. aus der Gewalt der Hugenotten und führten ihn von Meaux nach Paris zurück. Von seiner Mutter, Katharina von Medici, beeinflusst, gab der König schliesslich sein Einverständnis zur »*Pariser Bluthochzeit*«, oder der Bartholomäusnacht am 24. August 1572, wo an den Hugenotten ein Massaker veranstaltet wurde, das sich bald auf ganz Frankreich ausweitete. Tausende von Hugenotten flohen in die umliegenden Länder, so auch in die Schweiz. Die reformierten Orte Bern und Zürich nahmen Tausende von französischen Flüchtlingen auf. Dennoch lehnten die reformierten Orte eine militärische Unterstützung der Hugenotten in Frankreich ab. (Dieser kurze Hinweis zur Hugenotten-Verfolgung möge genügen, da es den Rahmen dieser Arbeit sprengen würde.)

Neben dem »*Schweizerkönig*« Oberst Pfyffer (Der Name hat übrigens nichts mit Pfeifer zu tun, sondern kommt von Pfeffer, denn seine Vorfahren haben mit Gewürzen gehandelt. Quelle: Schärer, 2012, S. 40) gab es einen weiteren bedeutenden Führer der Innerschweizer Aussenpolitik jener Jahre: **Ritter Melchior Lussy** aus Stans. Auch er frommer Katholik, neigte er aber der päpstlichen und spanischen Seite zu und pflegte freundschaftliche Beziehungen zum Erzbischof von Mailand, Kardinal **Carl Borromeo**. Dieser war eine treibende Kraft der Gegenreformation und setzte sich für eine Erneuerung der römisch-katholischen Kirche ein. Auch Lussy engagierte sich für die katholische Reform. (Mehr zum Thema unter Huldrych Zwingli)

Pfyffer, Lussy und Schmid – diese drei bildeten meiner Ansicht nach so etwas wie ein **Triumvirat** der damaligen Waldstätte. Ich meine deshalb, dass man den Namen des Urner Politikers Jost Schmid ohne Weiteres zusammen mit Ludwig Pfyffer (Luzern) und Melchior Lussy (Stans, Nidwalden) nennen darf. Zum einen bildeten die Waldstätte von Anfang an eine Einheit, wobei jedes Land neben der eidgenössischen auch eine kantonale Politik betrieb. Zum andern aber war Jost Schmid ein Staatsführer, der nicht nur in seiner Heimat Uri, sondern auch in den europäischen Umlanden Deutschland, Frankreich, Savoyen ein hohes Ansehen genoss. Im Gegensatz zu Oberst Pfyffer, der vor allem ein hervorragender Heerführer war, und Lussy, der militärische und politische Missionen für die Päpste nach Florenz und Savoyen unternahm, trat Jost Schmid in späteren Jahren eher als Staatsmann und Gesandter in Erscheinung denn als Truppenführer. Da er über beträchtliches diplomatisches Geschick verfügte, wurde er immer wieder als Vermittler oder Schiedsrichter an Königshöfe und andere Orte in und ausserhalb der Eidgenossenschaft entsandt, wie wir schon gehört haben.

Huldrych Zwingli (1484-1531)

Der Zürcher Reformator wurde am 1. Januar 1484 in Wildhaus im Toggenburg als drittes von mindestens zehn Kindern geboren. Sein Vater war Bauer und Ammann. Schon im Alter von sechs Jahren musste Ulrich, so sein Taufname, die Familie verlassen, um bei seinem Onkel, dem Dekan Bartholomäus Zwingli in Weesen unterrichtet zu werden. Dies war der Beginn der Ausbildung des blitzgescheiten und musikalischen Knaben. An einer humanistischen Schule in Bern, gegründet vom Gelehrten Heinrich Wölflin

Der Reformator Huldrych Zwingli (1484-1531)
(Abb. Frobenius, Basel 1917)

(der uns bekannt ist durch seine Biographie von Bruder Klaus), wurde er erstmals eingeführt in das neue Gedankengut des Humanismus, wo er statt der verknöcherten mittelalterlichen Scholastik die Morgenluft der Renaissance witterte und die lebensfrohe Welt der alten griechischen und römischen Autoren mit ihrem Sinn für das Schöne, die Kunst, die Poesie kennenlernte.

1498, mit fünfzehn Jahren, immatrikulierte er sich unter dem Namen *Udalricus Zwinglij de Glaris* in Wien. Von 1502 bis 1506 studierte er an der Universität Basel und unterrichtete dort gleichzeitig Latein. Jost Schmids Vater (Jost der Zweite, gemäss Schmid'scher Familienchronik) war dort Schüler von Ulrich Zwingli und schien ihn sehr verehrt zu haben. Auf jeden Fall standen sie jahrelang in Briefkontakt: Am 12. August 1519 schrieb Schmid seinem geliebten früheren Meister, um bei ihm Rat über den Bildungsgang seines Sohnes (also den späteren Jost »den Grossen«) zu erbitten.

1506 schloss Zwingli an der Universität Basel mit dem Titel *Magister artium* (Magister der freien Künste) ab. Kurz darauf wurde er zum Priester geweiht und sogleich als Pfarrherr nach Glarus gewählt. Um diese Zeit begann er, sich *Huldrych* (Huldreich) zu nennen. Er war volksverbunden und sehr beliebt in seiner Pfarrei. Auch war damals noch keine Feindlichkeit gegenüber der Kirche zu erkennen. Im Gegenteil: er bezog noch bis 1520 vom Papst ein Jahrgeld von 50 Gulden, die er zur Anschaffung von Büchern verwendete. Er lernte Griechisch, um das Neue Testament in der Ursprache zu lesen.

In Glarus kämpfte Zwingli gegen einen anderen Feind: das *Reislaufen* (das Wort kommt von Reisen - Reisen in den Krieg...), wie die Söldnerdienste in der Fremde genannt wurden. Die Eidgenossen galten zu jener Zeit als die besten Kämpfer und waren gefürchtet und begehrt von allen Kriegsherren. Zwingli konnte in Glarus beobachten, wie die jungen Schweizer angeworben wurden von Gesandten des Papstes wie des Kaisers, vom König von Frankreich, sowie Anwerbern von Mailand, Venedig und Savoyen. Um des Geldes willen, vielleicht auch aus Abenteuerlust, wurde viel Blut vergossen auf fremden Schlachtfeldern. – Zwingli selbst war zweimal als Feldprediger und wohl auch Kämpfer auf den italienischen Zügen, wo er den Fluch des Reislaufens kennenlernte (1515). Er stand damals auf Seiten des Papstes, votierte sogar nach der Niederlage bei Marignano noch für den Papst. Er wurde deshalb 1516 von den Glarnern für drei Jahre beurlaubt. In dieser Zeit war der Mönch **Martin Luther** in Deutschland schon aktiv: am 31. Oktober 1517 schlug er seine Thesen an die Kirchentüre von Wittenberg. Zwingli war Leutpriester im Kloster Einsiedeln. Ihn interessierte brennend, was Luther, was die Humanisten schrieben und liess sich deren Bücher schicken. Durch die Erfindung des Buchdrucks Mitte des 15. Jahrhunderts war dieses Gedankengut frei zugänglich, und es sollte Zwinglis Denken für immer verändern.

Über ein halbes Jahrtausend alt: das Geburtshaus von Huldrych Zwingli (geb. 1484) in Wildhaus.

Am 1. Januar 1519 trat Zwingli das einflussreiche Amt des Leutpriesters am Grossmünster in Zürich an. Schon bald sollte er Luther an Härte und Radikalität übertreffen, was den Kampf gegen die kirchlichen Missbräuche, gegen die alte Religion anging. 1522 veröffentlichte er seine erste reformatorische Schrift. Die Dominikaner warfen ihm Ketzerei vor, worauf der Grosse Rat von Zürich die Zürcher Disputationen (1523-1524) ins Leben rief. Zwinglis Predigt gegen die Heiligen- und Bilderverehrung hatte den «Bildersturm» zur Folge, dem viele Reliquien, Gemälde und anderer Kirchenschmuck im ganzen Land zum Opfer fielen. 1525 gab er seine Schrift »Von der wahren und falschen Religion« heraus, die er auch dem französischen König Franz I. schickte, dem Gegenspieler von Papst und Karl V. – Den Papst Hadrian VI. nannte er den »Antichristen« (im Januar 1523 zum Gesandten des Papstes).

Zwischen 1524 und 1529 übersetzte Zwingli die Bibel neu, in der ihm eigenen Sprache, einem schweizerisch gefärbten Deutsch. Bekannt als die »Zürcher Bibel«, ist sie die älteste protestantische Übersetzung, da sie einige Jahre vor Luthers Bibel erschien.

Immer grösser wurde die Spaltung in der Eidgenossenschaft, und anfangs Juni 1529 brach der Erste Kappelerkrieg aus, indem die Zürcher auf die Zuger Grenze vorrückten. Zwingli selbst entwarf den Feldzugsplan und zog zu Pferd als Feldprediger mit, eine Hellebarde auf der Schulter. Doch aufgrund einer bewegenden Rede des Glarner Landammanns Hans Aebli, doch kein brüderlich Blut zu vergiessen, endete dieser Kriegszug, bevor er begann. Es kam ein Vertrag zustande, der die fremden Bündnisse verbot und Freiheit in Glaubenssachen gewährte. Ein paar katholische Eidgenossen stellten darauf eine Brente mit Milch direkt auf die Grenze, und die Zürcher lieferten das Brot dazu. So assen die verfeindeten Lager, anstatt zu kämpfen, zusammen die Kappeler Milchsuppe. Der Strassburger Bürgermeister Jakob Sturm, der als Schiedsrichter anwesend war, staunte und sprach: »Ihr Eidgenossen seid doch wunderliche Leute, bei aller Zwietracht seid ihr einig und vergesst der alten Freundschaft nicht!« Dies geschah zu Kappel am 9. Juni 1529.

Doch Zwingli war mit dem Frieden nicht einverstanden. Er hatte ehrgeizige Pläne: zusammen mit dem Landgrafen Philipp I. von Hessen plante er ein Bündnis zwischen den Protestanten Deutschlands und der Schweiz, in welches sie sogar Frankreich, Dänemark und Venedig einbeziehen wollten. Ganz Europa wollten sie »aus der Umklammerung des Habsburgers« retten, des »*Pfaffenkaisers*«, wie Zwingli Karl V. nannte. Inzwischen war nicht mehr das ganze Zürchervolk mit Zwinglis Vorgehen einverstanden, und er hatte auch viele Gegner im Grossen Rat. Doch obsiegte Zwingli letztendlich, obwohl ihn düstere Vorahnungen plagten.

So gewann die neue Religion unter Zürichs, bzw. Zwinglis gewalttätigem Druck immer mehr an Boden, und Bern schnitt den fünf katholischen Orten die Zufuhr von Korn, Wein, Salz und Eisen ab. Aufs Äusserste gereizt, schlugen nun die Katholischen zurück, und es kam zum Zweiten Kappelerkrieg, zwischen Zürich und den katholischen Kantonen Uri, Schwyz, Unterwalden, Luzern und Zug. Doch das Glück war den Reformierten nicht hold: am 11. Oktober 1531 wurden die Zürcher in der Schlacht in Albis am Kappel vernichtend geschlagen, und Zwingli verlor sein Leben auf dem Schlachtfeld.

Obwohl nun ein gewisses Gleichgewicht herrschte zwischen den Kantonen der alten und der neuen Religion, war damit der Prozess der Reformation in der Schweiz war noch lange nicht abgeschlossen. Die Zeit war mehr als reif für die kirchliche Erneuerungsbewegung, denn die katholische Kirche war erstarrt in Ritualen und missbrauchte ihre Macht. Erst mit der Gegenreformation sollte der alte Glaube wieder an Terrain gewinnen. Mutige und radikale Männer wie Luther und Zwingli nahmen den Kampf auf gegen die Verkrustungen und Verfehlungen der Kirche, und die neue Bewegung war nicht mehr aufzuhalten. Auch in anderen Kantonen der Schweiz wirkten Reformatoren, so **Vadian** (Joachim Watt) und **Johannes Kessler** in St. Gallen, **Johannes Oekolampad** in Basel, **Johannes Calvin** in Genf und viele andere.

Der Humanismus hatte die Studenten für ein neues Denken geöffnet, eine »Re-naissance« war im Gange, ein Rückbesinnen auf das Denken und die Ideale der Antike. Dies schlug sich vor allem in der Kunst nieder - Malerei, Bildhauerei, Dichtkunst - die sich endlich wieder wagte, sinnlich zu sein. Sinnesfreuden allerdings waren gar nicht im Sinne der Reformatoren - aber dies ist wieder ein anderes Kapitel.

Kaiser Karl V. (1500-1558)

Karl V. war jener Kaiser, der Jost Schmid am 17. August 1550 in den Ritterstand erhob und ihm und seinen Erben einen Adelsbrief ausstellte. Aus diesem Grund wurden in der Familie auch immer wieder Söhne auf den Namen Karl getauft, so auch mein 1916 geborener Vater.

Karl von Österreich, später Karl V., wurde am 25. Februar 1500 in Gent (bei
Brüssel) geboren. Sinnigerweise bei Brüssel: das passt zum Bild des ersten
grossen Europäers, wie ihn manche nennen. Seine Eltern waren Philipp I.
»der Schöne«, König von Kastilien, und Johanna *die Wahnsinnige«* von
Spanien. Sein Grossvater war der habsburgische Kaiser Maximilian I., der
mit Maria von Burgund (der Tochter von Karl dem Kühnen) verheiratet
war.
Karl führte ein ganz ausserordentliches Leben, wurde mit sechs Jahren
schon König der Niederlande. Mit 26 Jahren heiratete er Isabella von Por-
tugal. Gedacht als Heirat aus politischen Gründen, stellte sich diese Verbindung als die grosse Liebe heraus. Als Isabella bei der Geburt ihres sieb-
ten Kindes am 1. Mai 1539 starb, war Karl untröstlich und trauerte ein
Leben lang um sie. Er heiratete nie wieder.

Unter seiner Regentschaft sollte das habsburgische Reich die grösste Aus-
dehnung erreichen. Wollte man all seine Herrscherfunktionen aufzählen,
so wären mehr als 70 Titel notwendig (Im Adelsbrief werden all diese Titel
angeführt; siehe Kap. 4.0). *»In seinem Reich ging die Sonne nicht unter«* - so
gross war sein Weltreich auf drei Kontinenten. Als er 1535 zum ersten Mal
sein Königreich Sizilien besuchte, tauchte die Huldigungsformel auf, der
Kaiser glänze »vom Aufgang der Sonne bis zu ihrem Niedergang.« Ermöglicht wurde dies durch die Conquista, die spanischen Eroberungen in Südamerika, die ihm Reichtum, Gold und Ruhm einbrachten. Die andere Seite
dieser güldenen Medaille glänzte allerdings nicht: darauf war die Ermor-
dung und Versklavung der indianischen Eingeborenen, der Untergang gan-
zer Reiche eingeprägt.

In Europa war Franz I. ein Leben lang sein grosser Gegenspieler, der vom
Ehrgeiz besessene König Frankreichs. Vier Kriege führten sie gegeneinander,

mit wechselndem Schlachtenglück. So bringt z.B. die Schlacht von Marignano am 13./14. September 1515 Frankreich in eine dominierende Stellung, wogegen der Habsburger Karl V. in der Schlacht von Pavia am 24. Februar 1525 Frankreich schlägt und Franz I. gefangen nimmt. Nach dem Sacco di Roma, mit dem Habsburger Söldner 1527 Papst Klemens VII. aufs Schlimmste bestrafen, erleidet die französische Armee eine neuerliche Niederlage, welche im August 1529 zum Frieden von Cambrai führt. Italien gehörte nun auch zu Habsburg. In Europa war jetzt ein Gleichgewicht erreicht, mit dem die beiden Souveräne sich mehr oder weniger abfanden. Ein Jahr später, 1530, krönte Papst Klemens VII. Karl V. in Bologna zum Kaiser.

Jugendbildnis von Kaiser Karl V., Tonbüste von Conrad Meit um 1520. Um den Hals trägt Karl die goldene Kette des Ordens vom Goldenen Vlies, dessen Oberhaupt er war. (Abb. Bruckmann, München 1941)

Karl V. lebte in einer traditionellen altmodischen Welt. Während seines Lebens brachten ausserordentliche gesellschaftliche Veränderungen die bis dahin bekannte Welt durcheinander: 1492 (acht Jahre vor seiner Geburt) wurde Amerika entdeckt, das ja zunächst für Indien gehalten wurde. Mit der Renaissance wurde die Antike, ihre Kunst und Philosophie wiederentdeckt. Der Humanismus hielt Einzug im europäischen Denken. Die mittelalterliche Scholastik hatte ausgespielt, und so wurde, 1517, die Reformation eingeläutet, welcher bald darauf die Religionskriege folgen sollten. Eine neue Zeit war angebrochen: die Frühe Neuzeit, so sollte sie später genannt werden. Karl V. und die Habsburger blieben stets dem alten Glauben treu und damit dem Papst in Rom.

Karl V. war aber nicht nur Regent und Kriegsherr, sondern seit frühester Kindheit der Musik sehr zugetan. Im Schloss Mecheln bei Brüssel »wurden tagelange Feste gefeiert, der Lebensstil war ritterlich-rustikal, aber man las auch Caesar und Augustinus, pflegte die neue Tafelmalerei, liebte Ritterromane und die Musik.« (Der Spiegel Geschichte Nr. 6 »Die Habsburger«). Später unterhielt Karl V. eine Hofkapelle, die Capilla Flamenca. Dies war die berühmteste Hofkapelle des 16. Jahrhunderts, welche Karl auf all seinen Reisen begleitete. Das Orchester zählte oft an die zwanzig Musiker. Thomas Crecquillon (1490-1557), einer von Karls Hofkomponisten komponierte für ihn die Staatsmotette *Carolus magnus erat*, nach den Worten des humanistischen Dichters Nicolaus Grudius, welcher sagte, dass es der höchste Wunsch Karls V. sei, ein frommes Leben zu führen. Er wird es gewusst haben, denn er war der Sekretär des **Ordens vom Goldenen Vlies**, dessen Haupt Karl V. war. *)

Unter diesem Aspekt - seinem Wunsch, ein frommes Leben zu führen - wird es verständlicher, dass Karl sich als letzte Wohnstatt einen Ort am Ende der europäischen Welt aussucht: das Kloster Yuste in der portugiesischen Estremadura. Er dankt ab und entsagt dem politischen und gesellschaftlichen Leben. Am 16. Januar 1556 schifft er sich im holländischen Hafen Vlissingen ein, um seine letzte Reise anzutreten. Karl sagt dieses Leben in der Einöde zu, wo er auf alles verzichtet - ausser auf die Freuden der Tafel. Fernand Braudel beschreibt die Masslosigkeit des Kaisers beim Essen, zum Schaden seiner Gesundheit. Karl V. litt unter Gicht. Dennoch missfiel ihm dieses Leben in Einsamkeit und Kargheit nicht. Und an diesem verlassenen Ort stirbt der grosse Krieger und Herrscher, kaum zwei Jahre später, mit 58 Jahren am 21. September 1558. »Nichts Schöneres als dieses Ende, das er gewollt, vorbereitet und angenommen hat, mit Mut, Schlichtheit und Seelengrösse.« (Braudel, 1990, S. 64, 86)

*) Dieser Ritterorden wurde 1430 von Philipp dem Guten, Herzog von Burgund, gegründet. Ihre Mitglieder trugen um den Hals eine goldene Kette, an der ein goldenes Widderfell hing.

4.5 Die Musik – Spiegel der Gesellschaft

Welcher Art war die Musik, die Ritter Jost damals, Mitte des 16. Jahrhunderts, gehört haben mochte? Am französischen Hof; am deutschen Kaiserhof; in seiner Heimat Uri, in Zürich und Luzern? Laie und Musikliebhaber, der ich bin, machte ich mich auf die Suche. Ich erstand mir einen kleinen Grundstock an CD's, den ich nach und nach erweiterte, je nach historischem Hintergrund und Kapitel, an dem ich gerade schrieb. Die passende Musik hören beim Schreiben: das brachte mich in die richtige Stimmung. Ich wage zu sagen, dass ich auch dank dieser Musik in jene fernen Zeiten versetzt wurde, in der sie komponiert, gespielt und gesungen wurde. Bei den alten Liedern war es allein schon die altertümliche Sprache, die auf mich wie eine Rückführung wirkte. Ob der weitgereiste Diplomat und Ritter Jost Schmid diese Musik nun gekannt hat oder nicht, spielt gar keine Rolle – aber gelebt hat er in jener Zeit. Nachstehend stelle ich nun diese CD's vor, nicht geordnet nach Epochen, sondern - meiner eigenen Chronologie folgend - den Kapiteln des Buches entsprechend.

Beginnen wir da, wo Jost lebte, in der alten Eidgenossenschaft.

Jost und seine Kumpanen kannten gewiss »*das alte Murten-Lied*«. Das war kein Lied, zu dem man fröhlich tanzte, sondern es war ein Propaganda- oder Streitlied, das den Sieg der Eidgenossen in der Schlacht bei Murten 1476 feierte.
In dieselbe Kategorie fällt das Lied »*Potz Marter, Kyeri, Velte*«, das vom Feldschreiber, Maler und Dichter Niklaus Manuel stammt. Hier geht es um die bittere Niederlage der Eidgenossen 1522 bei Bicocca, nördlich von Mailand. Nur sieben Jahre nach der vernichtenden Niederlage von Marignano am 13/14. September 1515 standen die Eidgenossen wieder bei Mailand, diesmal bei Bicocca. In dieser Schlacht verlor Josts Vater, Jost der Zweite, sein Leben. Die Eidgenossen kämpften mit den Heeren des französischen Königs gegen jene von Kaiser Karl V. und verloren die Schlacht. Sie liessen dreitausend Tote auf dem Schlachtfeld zurück, da sie der Schützengraben-Strategie und der neuen Art der Kriegsführung des Gegners nicht gewachsen waren: »*ir durftend üch nit rüeren und blibtend in dem nest*«. Der singende Historiker Hanspeter Treichler hat das Lied vertont. (die Angaben dazu siehe weiter unten)

Man beachte: rund dreissig Jahre, nachdem Josts Vater in der Schlacht gegen Kaiser Karl V. gefallen war, erhält Sohn Jost von eben diesem Kaiser den Adelsbrief. Die Eidgenossen waren in ganz Europa gefragte Kämpfer damals – von jeder Seite. Was auf den Schlachtfeldern oft zu diesen furchtbaren Bruder-gegen-Bruder-Kämpfen führte.

Mit der Niederlage der Eidgenossen in der Schlacht von Marignano am 13./14. September 1515 endeten deren Expansionsgelüste, aber nicht das eidgenössische Söldnertum. (Bild aus: Gaullieur 1856)

Am deutschen Kaiserhof – spanische Renaissance-Musik:

CD: *Musik für Kaiser Karl V.* von Capella de la Torre. COV 20701.

Karl wuchs schon als Kind mit Musik auf und war sein Leben lang von Musikern umgeben. Er unterhielt zwei Kapellen, die flämischen Musiker »Capella Flamenca«, und die spanische Hofkapelle, die ihm der verstorbene Ferdinand hinterlassen hatte. Sein Hof wurde zum Treffpunkt der grössten Künstler des ganzen Reiches.

Die CD präsentiert zeremonielle Bläsermusik, wie sie zu Lebzeiten Kaiser Karls V. erklungen ist, im »Goldenen Zeitalter« spanischer Renaissancemusik. Farbenfroh und vielfältig, stellte diese CD für mich einen wunderbaren Einstieg in jene Zeiten dar.

Nr. 1 Anonym/Petrucci aus »Odhecaton« (1503) - *Dit le Bourgignon*: als Entrée geeignet
Nr. 2 Cancionero de Uppsala – *Verbum caro factum est* (Das Wort ist Fleisch geworden): schönes spanisches Lied über Jesu Geburt
Nr. 9 Thoinot Arbeau (1520-1595) – *Belle qui tiens ma vie* : schönes Liebeslied

CD: TOTA VITA. Music for Charles V, by Canis & Payen, vom Egidius Kwartet.
Motetten und Chansons, von Cornelius Canis (1506-1562) und Nicolas Payen (1512-1559)
KTC 1239.

Die Sinnenfreuden der Renaissance besingt ein frivoles Chanson des jungen Payen:
Nr. 18: Nicolas Payen – *Hau de par dieu ma mye*:

> « *Hau de par dieu ma mye*
> *leves vo pan par de devant.*
> *Je croy qu nen morray mye.*
> *Japette vo con, vo compaignie*
> *Pour jouer du pouseavant.* »

Hoch, um der Liebe Gottes, mein Schatz,
heb hoch dein Röcklein vorn.
Ich werd nicht sterben dran, mein Lieb,
sondern freu mich an deiner con, deiner compagnie,
will mit dir Schaukelpferdchen spielen.

(*con* ist das weibliche Geschlechtsteil; ich belasse es auf Französisch, da ich keine passende Übersetzung für dieses Wortspiel habe finden können.)

CD: KARL der KÜHNE (1433-1477) und die burgundische Hofmusik. RK 2801.

Karl der Kühne lebte hundert Jahre vor Karl V. An seinem Hofe wurde ein reiches Musikleben gepflegt. Unter Karl dem Kühnen und bereits vorher seinem Vater Philipp dem Guten wurde der Übergang vom Spätmittelalter zur Renaissance vollzogen, was sich auch in der Musik niederschlug. Ausgezeichnete Zusammenstellung - eine CD, die ich immer wieder gern höre.

Nr. 4 Guillaume Dufay »*Magnanimae gentis laudes*«: schöne dreistimmige Motette zum Vertrag der beiden Städte Bern und Fribourg am 3. Mai 1438 Obige CD enthält eine Beilagen-CD (RK 2802) zur Sendung »Parlando« vom 27.04.2008. Darauf zu hören:
Nr. 2 »*Das alte Murten-Lied*« (wie zu Anfang des Kapitels besprochen).

Doppel-CD: ***dLüüt säged ich heig e kein Stärn***, die schönsten Liebes-, Söldner- und Trinklieder aus der alten Schweiz, von Hans Peter Treichler. GOLD Records 004-2.

Die Lieder des Zürcher Bänkelsängers und Historikers fangen die alten Zeiten auf eine unnachahmliche Art ein. Verdankenswerter Weise hat Bernard Henrion von Gold Records die Doppel-MC von 1977 neu aufgelegt!

CD 1:
Nr. 7 »*Dr Buecher Fridli*« (trad.):
Lied über den Helden des mittelländischen **Bauernaufstandes** von 1653,

Fridolin Bucher. Hundert Jahre früher, zu Lebzeiten Josts, hatte es schon einmal einen Bauernaufstand gegeben. Auch dieser wurde von den Städtern (Luzern) niedergeschlagen. Was den Freiheitswillen der Bauern angeht, schien Jost hier keine rühmliche Rolle gespielt zu haben. Er war auf Seiten der Stadt Luzern und erhielt von ihr 1578 das vererbliche Stadt- und Burgerrecht für die geleisteten Dienste.

Passage aus dem Text (passt für jedes Jahrhundert):
Die Stadtherren boten Fridolin Bucher an, zu widerrufen, was dieser jedoch ablehnte. Obwohl Frau und Kinder daheim um ihn weinten.
»I gibe de Herre ken andere Bscheid,
Bi miner Wahrheit do blibe-n-i stoh«, beschied der Buecher Fridli den Herren, und kam für seine Wahrheit an den Galgen. Die Richtstätte allerdings wurde für die pilgernden Bauern zum Wallfahrtsort, von dem sie sich Trost und politische Einigkeit erhofften. Dies auch der Sinn der Worte von Witwe Marie Bucher: *»Und isch de Galge keis Gotteshuus, tuet's doch der Luzernere d'Augen-n-uuf.«*
Nr. 6 *»Es wollt ein Mähderli wandlen«* (trad.)
Emmentaler Ballade vor dem Hintergrund der **Reisläuferei**, erstmals 1620 aufgezeichnet
Nr. 13 *»Frisch fröhlich wend wir singen«* (H.R. Manuel, 1548): Zechlied

CD 2:
Nr. 3 *»Heilige Sankt Florian«* (trad.): Klagelied eines abgebrannten **Landsknechtes**
Nr. 4 *»Mis Büeli gaat über Sapünerstäg ie«* (trad.): altes Bündnerlied eines abgewiesenen Liebhabers
Nr. 7 *»Potz Marter, Kyeri, Velte«* (zu Anfang des Kapitels besprochen)
Nr. 9 *»Und zu dir bin-i-ggange«* (trad.): Spottverse aus dem Mittelland und der Zentralschweiz, zu einem Potpourri zusammengestellt. Viele der Texte sind ein Beispiel von **männlichem Chauvinismus** in der Folklore und wären einer näheren Untersuchung wert, schreibt der Historiker und Liedersänger Treichler.
Nr. 10 *»'s isch nanig lang«* (*»i ha-n-emal äs Schätzeli gha, i wett i hettis no«* – trad.): trauriges Lied, erinnert in seiner Einfachheit an Lieder aus den ältesten deutschen Liederbüchern (um 1440).

Nr. 15 »*Einst hät mir mis Schätzli*«, altes Kiltlied (Kilten oder Fensterln) aus dem Aargau. Zu einem Kiltlied gehört, dass Vater oder Mutter zur falschen Zeit erwachen…

CD: *The Triumphs of Maximilian* (16. Jahrhundert)
Ludwig Senfl (1489-1543), Heinrich Isaac (1450-1517). Musica Antiqua of London.
SIGCD 004.
Die CD ist in erster Linie Senfls säkularem Werk gewidmet. Für meine Ohren etwas gleichtönig, wie viele der vokalen Renaissance-Musikstücke.

CD: VAET, *Missa Ego flos campi*. CINQUECENTO.
Jacobus Vaet (1529-1567). Renaissance Vokal. CDA 67733.

CD: *Palestrina*, Great Choral Classics.
Giovanni Pierluigi da Palestrina (1525-1594). Magdala. CCL CDG 1251.
Grossartige, sublime Kirchenmusik eines der grössten Komponisten der Renaissance.

CD: *Gabrieli*, Venezianische Chormusik des 16. Jahrhunderts.
Giovanni Gabrieli (1553-1612). »*La Fenice*«. LC 06868.
Erhebende Aufnahme des mehrchorigen Werkes, aufgenommen in San Marco in Venedig.

CD: *La Bella Mandorla*. Madrigale vom Codex Squarcialupi (um 1415).
Musik verschiedenster Komponisten aus dem Trecento aus Nord- und Mittelitalien, nach der Musikhandschrift Squarcialupi. palatino 87. cpo 777 623-2.

Nach diesem musikhistorischen Glanzstück wenden wir uns nun den mittelalterlichen **Troubadouren** zu, den **Minnesängern**, wie sie im deutschsprachigen Raum genannt wurden. Den Anlass dazu lieferte mir Arnold Claudio Schärer, der bei seinen Nachforschungen zu unserem Familienstammbaum auf mögliche Vorfahren von Jost Schmid gestossen ist, die Ritter und Minnesänger gewesen waren. Zwei davon werden auch in der Manesse-Liederhandschrift erwähnt: **Rudolf von Rotenburg** (+1315) und

Heinrich der Regenbogen (erwähnt 1310, 1347). Ich wurde davon so inspiriert, dass ich mir gleich mehrere CD's erstand. Hier eine Auswahl:

CD: *a chantar*. Mittelalterliche Frauen-Minne. (12. und 13. Jahrhundert)
Vom Ensemble Estampie. CHR 77290.

Abwechslungsreiche Kompilation. Eines meiner Lieblingslieder ist das erste Stück: Nr. 1 Walther von der Vogelweide, *Under der linden*. Nach einer zarten, innigen Melodie eines wahrscheinlich französischen Troubadours lässt der berühmte deutsche Minnesänger eine Frau von einem glücklichen Stelldichein im Wald erzählen. Ihre Lippen sind noch ganz rot von den Küssen, und sie entsinnt sich des Gesangs einer Nachtigall, welche die einzige Zeugin war (»*tandaradei*«).

CD: *frühling Minnesangs*. ich zôch mir einen falken. (11.-13. Jahrhundert)
Minnelieder aus den verschiedensten Gegenden (Languedoc, Spanien, Deutschland, England, Nordafrika).
www.minne-saenger.de CD 1407.

CD: AMOR VINCIT OMNIA. Medieval Love Songs. (12.-14. Jahrhundert)
Ensemble a chantar. CHR 77349.
Gefühlvolle Lieder von Oswald von Wolkenstein bis Bernart de Ventadorn. Die Aufnahme wirkt auf mich etwas eintönig; bis auf ein Stück werden alle von einer einzigen Frauenstimme gesungen.

Damit verlassen wir die südlich angestammten Troubadoure und wenden uns dem nördlichen Frankreich, seiner Hauptstadt Paris zu, um Perotinus den Grossen kennen zu lernen:

CD: *Perotin*. The Hilliard Ensemble (um 1200)
Mehrstimmiges Vokalwerk von Pérotin, auch magister Perotinus (1150/1165-1200/1225), bedeutendster Komponist der sogenannten Notre-Dame-Schule von Paris. ECM 1385.
Auf dieses wunderbare Werk hat mich mein Freund, der Violonist und Komponist Paul Giger aufmerksam gemacht, der mir auch schon beim Musikkapitel meines ersten Buches »Gallusland« behilflich gewesen war.

CD: Vita S. ELISABETH. (13. Jahrhundert)
Ioculatores/Ars Choralis Coeln. RK 2605.
Das Leben der heiligen Elisabeth von Thüringen (1207-1231), erzählt in mittelalterlichen Liedern und Texten. Ein kurzweiliges Singspiel um den erstaunlichen Lebensweg dieser »Mutter Theresa des Mittelalters«.

Nun könnte es ja fast endlos weitergehen, bis wir bei den heutigen Generationen angelangt sind! Dies will ich Ihnen nicht antun. Beschliessen will ich dieses Kapitel mit einem Musikbeispiel aus meiner, der sogenannten 68er Generation. Beim Schreiben über die neuere Zeit hörte ich manchmal Pink Floyd:

CD: PINK FLOYD, *The Dark Side of the Moon*.
Ein Meilenstein der Pop-Rock-Musikgeschichte. 1973 das erste Mal erschienen, 2011 neu aufgelegt. Zeitlos schön! 50999 028955 2 9

CD: PINK FLOYD, *Meddle*.
1971 veröffentlicht, stellt *Meddle* den Übergang von Pink Floyd's psychedelischem Rock zu einem richtungweisenden Artrock dar. Wunderschön fliessende Klänge, ungewöhnliche Akkorde. CDP 0777 7 46034 2 3.

Neben der Musik gäbe es weitere Herz und Augen erfreuende Themen aus den schönen Künsten: **Malerei, Bildhauerei, Dichtkunst**. Zu Ritter Josts Zeit erlebte die **Renaissance** ihre Blüte. Denken wir nur an so grossartige Maler wie Botticelli und Michelangelo (die die »*Himmlischen*« genannt wurden), an Leonardo da Vinci und Tizian; im deutschen Raum Dürer, Holbein oder Hieronymus Bosch. Hier kann nicht der Ort sein, um all diese Künstler zu beschreiben; aber vielleicht leihen Sie sich einmal einen Bildband aus oder gehen im Internet auf die Suche?

5.0 *Franz Vinzenz Schmid, Land-schreiber und Chronist (1758-1799)*

Er gehört zum zweiten Zweig der Familie Schmid von Uri (»ob der Kirchen«) und ist ein Nachfahre von Jost dem Grossen (1518-1582). Er war u.a. Landschreiber (1784) und verfasste die zweibändige *»Allgemeine Geschichte des Freystaates Uri«* (1788 und 1790), die sich durch einen heute noch benutzten Urkundenanhang auszeichnet (HLS, Bd 11). Neben seinen militärischen Fähigkeiten (er war Oberstlandeswachtmeister und mit der Ausbildung des Urner Militärs betraut), hatte er unzweifelhaft eine künstlerische Ader. Er war auch der Verfasser und Illustrator der reich illustrierten Schmid'schen Familiengeschichte, die mit seinem Tod 1799 endet. Aus seinem Leben werden wir später mehr erfahren, und zwar aus seiner eigenen Feder, den autobiografischen Aufzeichnungen am Schluss der Geschlechts- und Geschichtkunde der Familie Schmid ab Ury. Aus dieser Familiengeschichte werde ich anschliessend im Originaltext die mir am wichtigsten erscheinenden Biografien und Stammtafeln zitieren.

Der Schreibstil von Franz Vinzenz Schmid mutet uns Heutige etwas seltsam an: in enthusiastischen, überhöhenden Worten beschreibt er die Vorfahren seiner Familie, seinen geliebten Kanton Uri, sowie im Kontext die Eidgenossenschaft. Obwohl mir der Lobpreisungen manchmal zu viel war, musste ich beim Lesen doch oft schmunzeln über seine patriotisch-liebevollen Beschreibungen. Ich sah ihn dann vor meinem geistigen Auge: einen glühenden Verfechter der alten Eidgenossenschaft, der der Helvetik und der französischen Besatzung nicht viel Gutes abgewinnen konnte. Dank dieser Lektüre begann ich ihn plötzlich mit anderen Augen zu sehen, verstand, warum er sich im April und Mai 1799 zum Führer eines Volksaufstands aufschwang, der aber völlig chancenlos war. Am 9. Mai 1799 wurde er in Flüelen von einer feindlichen Kugel »todgeschossen« – wie jemand am Schluss seiner Autobiografie nachgetragen hat.

Was ich jedoch hervorheben möchte, sind zwei, drei Gedanken aus der Vorrede, welche seine Arbeit einleitet. Diese Sätze sprachen mich direkt in meinem Herzen an und zeigen mir meinen Vorfahren und Berufskollegen nicht nur als einen begeisterten, leidenschaftlichen, sondern auch als einen sympathischen und warmherzigen Menschen: Er ist sich – bei allem Stolz auf seine Vorfahren – bewusst, dass »*jeder Schmid seinen Ruhm sich selbst schmieden*« muss. Er schreibt, er suche nicht das Lob der Welt, sondern wolle einfach ein »*nützliches Geschöpf*« sein. Und der Lohn am Ende seiner Tage solle sein, wenn seine Seele zu ihm sagt: »*Was solltest, hast gethan.*«

Hinweise zu: Franz Vinzenz Schmid's Familiengeschichte der Schmid von Uri

Nun folgt in Auszügen die Familiengeschichte, wie sie unser Vorfahre, der Landschreiber und Chronist Franz Vinzenz Schmid um 1780 aufgeschrieben hat. Eine Abschrift derselben befindet sich im Staatsarchiv Altdorf, und daraus zitiere ich im Folgenden. Wo nicht anders vermerkt, handelt es sich um den Originaltext von Franz Vinzenz Schmid, was man schon an seinem enthusiastischen Stil merkt. Ich würde vorschlagen, diese Familiengeschichte einfach mal zu lesen, ohne sich über die zahlreichen Personen allzu viele Gedanken zu machen. Einiges wird sich im Laufe der Lektüre wiederholen und damit erhellen – und manches ist vielleicht gar nicht so wichtig.

Lassen Sie sich also nicht abschrecken und lesen Sie einfach darüber hinweg, wenn es zu kompliziert wird! Wenn mir etwas unklar schien beim Chronisten, habe ich dazu einen klärenden Hinweis notiert; und zu der einen oder anderen Persönlichkeit habe ich weiterführende Informationen und eigene Gedanken beigefügt (jeweils am Schluss der betreffenden Person).

Die Familiengeschichte wurde zwei Mal abgeschrieben; das erste Mal 1821 von seinem Sohn Landschreiber Karl Fr. Schmid. Die Kopie, die mir vorliegt und 200 Seiten umfasst, ist nochmals eine Abschrift, und zwar in der alten deutschen Schrift, wie sie ja auch in der Schweiz von alten Leuten noch bis in die 1930er Jahre geschrieben wurde. Sie stammt vermutlich von Frau Ing. H. Epp. (Auf der ersten Seite ist mit Bleistift vermerkt: Abschrift von Frau Ing. H. Epp?)

Die Seiten 41 bis 183 des Originaltextes habe ich ganz weggelassen; eine Aufzählung all der Schmids, die sich im *»im Rollen der Jahrhunderte«* (Originalton Franz Vinzenz Schmid) folgten, erschien mir sinnlos. Den Faden habe ich erst wieder mit der Autobiografie von Franz Vinzenz aufgenommen sowie dem bereits erwähnten Anhang.

Hinweis:
Der besseren Unterscheidung wegen ist der Originaltext von Franz Vinzenz Schmid in kursiver Schrift.
Zu einzelnen mir wichtig erscheinenden Personen fügte ich eigene Bemerkungen an.

„Geschlechts- und Geschichtkunde: Das weltberühmte uralt adelich…"
(Titel von Franz Vinzenz Schmid's Familiengeschichte, geschrieben um 1790)

V. Schmid, Geschlechts- und Geschichtkunde
(1. Teil)

Das weltberühmte uralt adelich um das Vaterland höchst ver-
dienten helvetischen Hauses der hochwohlgebornen Herren

Schmid ab Urÿ

Geborne Landleut des Freÿstaats Urÿ, Junker, Patrizier und Bur-
ger der Stadt und des Freÿstaats Luzern, Landleut zu Disentiss in
Graubündten, Ritter des heilig Römischen Reichs, Turniersgenos-
sen, Banner-Herren, Stift- und Regimentfähige Leut im Römi-
schen Reich.

Sapientes non abscondunt Patres Suos
(Die Weisen entziehen sich nicht ihren Vorvätern)

Verfasset von Hrn: Landschreiber und Landsmajor Franz Vinz:
Schmid.
Abgeschrieben von seinem Sohn Landschreiber Karl Fr: Schmid
Anno 1821

Vorrede

Ich glaube der Sach nicht zuviel zu thun, wenn ich schon das Lob
meiner grossen Ahnen bis zu denen Sternen erhebe, lese man die
Geschicht, die Jahrbücher meines Vaterlandes und, so wird man
sehen, dass meine Feder nur jene häufige Lobsprüch copiert, so
ihnen gantze Völkerschaften gegeben.

Der hoffärtige Gedanken ist auch dabeÿ ferne von mir, dass ich in
meiner Väter Grösse auch die meinige glauben sollte. Nein! ich
weiss wohl dass jeder Schmid sein Ruhm sich selbst schmieden

muss, und dass durch eigene Kräften ich zu jenem Mann werden muss, den ich mich, nicht um das Lobwort der Welt, sonder um die süsse Selbstzufriedenheit ein nützliches Geschöpf zu seyn, zu sehen wünsche und bearbeite.

Es schweige Fama nur! wenn ich was gutes thu', mich führt dazu Beruf, nicht die Geschichte an.
Ich finde meinen Lohn in eignen Herzensruf', wenn meine Seel mir sagt: Was solltest, hast gethan.

Franz Vinzent
Edler Schmid ab Urÿ
Der Verfasser.

Schmid ab Urÿ

Eines der ältest- angesehenst- und fürnehmsten Geschlechtern des Freÿstaats Urÿ, sucht seinen Ursprung in den entferntsten Jahrhunderten.

Das Haus Schmid ist eines uralten hohen Adels, und seit 1550 des heilig Römischen Reichs Stift, Ritter, Turniergenössig etc.etc.

In Helvetiens alt und neuen, eisenen und göldnen Zeiten hat es sich im Priesterkleid, Staatsgewand, Küras, und Gelehrtenrock auf die rühmlichste Art bekannt gemacht und sich in der vaterländischen Geschichte einen Namen gestiftet, der trotz den fortrollenden Jahrhunderten, unauslöschlich, ewig, und jedem Patriot ehrwürdig seyn und bleiben wird.

In den alten Geschlechterbüchern, und denen vielen so alt als neuen zu Erlangung des Maltheser, Deutsch, und anderer Ritter Orden Zeichen von verschiedenen Edelleuten ausgewiesenen Ahnen, hat dieses Geschlecht Schmid den ehrwürdigen Zunamen **Ab-Urÿ.**

Der ehrwürdige f. Gabriel Bucelini im 4 tom: seines Germaniae topo-chrono-Stemmatograficae Sacrae et profanae Blatt 246 fangt mit diesen Worten vom Geschlecht Schmid an: »Praenobilis et generosissimae familiae, multisque titulis Spectatissimae Schmidionum ex Ury Helvetiae fragmentum Stemmatographicum usw. usw.«

In der St. Martins Pfarr- und Landshauptkirchen zu Altorf haben die Herren Schmid den vordersten langen Mannsstuhl, eine eigene Kappell und selbst besetzenden Kappellanen, eine Begräbnuss, und ausser der Kirchen mehrere, und in der Pfarr Bürglen eine eigene Waldung.

Die Herren Schmid sind meist wohlgewachsene schön gebildete Männer, breit geschultert, mit hochgewölbter Brust, diken Gliedern, heiterer Gesichtsfarb, mit rothen Wangen, stark gebartet, schwarzen Haars, heroischer, doch mit Freundlichkeit vermischter Miene, und ungemeiner Leibesstärke, sonderbar die aus Jostischer Linien, so selbe gleichsam zu ererben scheinen.

Ihre Favoritneigung ist der dem hohen Adel so gut angemessene Waffenstand, nicht Gold und Beute, sonder Lob und Ruhm zu sammeln sieht man sie bald alle, einige ihrer Jünglingsjahren dem Waffendienst grosser Fürsten wiedmen. Frankreich ist die gewöhnliche Ehrenbühne, wo sie ihre Kronenwürdige schöne Krieger- und Heldenrolle allbewundert spielen. Seit dem fünfzehenten Jahrhundert bis heut zu Tag haben die allerkristlichste Könige fast ununterbrochen Offizier und zwar meistens Hauptleut aus dem heldenreichen Geschlecht Schmid unter ihren eidgenössischen und die Zieren ihrer Heeren machenden Fähnen gehabt. Der Schmiden muthiger unaufhaltbarer Schritt nach Lorber- und Rautenkränzen gieng auch für andere Monarchen und Staaten die blutige Schlachtbahn triumphierend durch. Spanien, Sardinien, Sizilien, Venedig und Piemont wurd ihre Heldenbrust geliehen.

Erden und Meere trugen Schmids Helden zu Ruhm und Triumph, Deutsch-, Nider-, Welsch- und Griechenland sahen ihren munteren Waffengang, ihre Herkulswerk, Heldenmuth und Witz sind bewundert und gerühmt.

Es sind wenige Geschlechter des Freÿstaats Urÿ, die sich einer solch Menge grosser hocherfahrner Offizier rühmen können, wie der Herren Schmid ihres.

Aus dem Küras kommen die Herren Schmid gemeinlich in Staatsrok, und man kann sagen, Geschichte und Erfahrnuss haben es längst bewiesen, dass gleich gross, gleich wunderthig mit dem Degen und Richterstab, sie gleichsam alle in die Sturm- und Staatshaube bestimmt scheinen.

Dieses fürnehme, grossgewordene Staats- und Kriegsgeschlecht zählt fast eben soviel Helden und Ratsglieder, als Mannspersonen, wenige, die nicht das eint und andere, und nicht in eint und anderem gross sind.

Es hat dem Freÿstaat Urÿ 13 Landammänner, und eben so viele Väter des Vaterlands, 12 Landsstatthalter, 2 Landshauptleut, 2 Landsfähndrich, 9 Säkelmeister, 4 Zeugherren, viele Rathsherren, Landschreibe, Vorsprech, dem Hauptfleken Altorf 11 Dorfvögt, der Landarmee viele Landsobristwachtmeister, Rottenhauptleut, Lieutenant, Artillerie Offizier usw. usw. gegeben.

Die Herren Schmid sind nicht nur im Vaterland immer in den wichtigsten Geschäften gebraucht worden, sie verrichteten auch ausser Lands hohe Gesandtschaften, an die römische Kaiser, Könige in Frankreich, Herzogen von Savoyen usw. usw.

Dieses erzvaterländische, allberühmte Geschlecht ist in alle Völle des Ruhms erwachsen, der Allmächtige wolle es gnädigst darin bis an das End aller Zeiten erhalten.

Amen.

Höre Schmid! eigne, nicht die Werk deiner Ahnen,
werden dir den Weg zu Ruhm und Kronen bahnen.

Peter, edler Schmid ab Urÿ (1386)

Held, und Blutzeug wärmster Vaterlandsliebe, Mitbe-
sieger des stolzen Oesterreichs, Retter und Hilfmann
Helvetiens Freÿheit.

Fochte mit Löwenmuth und Stärke für Freÿheit, Va-
terland, wirklich und künftiges Geschlecht in der har-
ten Riesenschlacht vor Sempach in 1386, pflükte blu-
tigschöne Lorber, verspritzte all sein edles Blut, und
starb als Rettungsheld auf der blutigen Schlachtbahn.
Froh sah sein sterbendes Aug das schöne warme Blut
in vollen Strömen aus weit aufgerissenen Wunden
über den behaupteten Boden rieseln, weil es zu Erkau-
fung eines Siegs floss, der Oesterreich einen Fürsten,
hohzähligen Adel, den Kern seines Volks und mithin
die Macht wider unsern Freÿheit zu fechten, rafte, den
Eidgenossen hingegen ihr gölden Freÿheit zusicherte,
und einen grössten Namen gab.

Urania hat seinen Namen mit Goldbuchstaben im Ge-
dächtnisstempel angeschrieben, und da laufe jeder
Schmid hin, betrachte seinen Helden und Patrioten,
drüke dessen schönes Bildnis tief ins redliche Herz,
und fasse oder vielmehr erneuere du von Muth und
Vaterlandsliebe beseelt, den Schluss für's Vaterland
immer wie ein harter Fels wider Wind und Stürme
unbeugsam zu stehen. Der Tod für's Vaterland zeigt
sich dem Held in Engelgestalt, man sieht die Himmel
offen, und bleibt der Welt im Mund.

Pro Patria, Libertate, et bona Re, fortissimé pugnans,

Der Autor in der Schlachtkapelle von Sempach, vor
den Namen der am 9. Juli
1386 gefallenen Eidgenossen
darunter Peter Schmidt
von Uri.

Werni Oyster

Heini Busi

Jänni am Ebnet

Peter Claus

Walther Himm

Jänni Käni

Rüdolf vo Bern

Wernher Küpfferschmid

Petermañ Jütlo

Peter Schmidt

Rüdi Cüntz

gloriosissimé abiens non obiens Petrus Schmid ipsa de morte triumphare Scivit.

Bemerkungen zu Peter Schmid ab Ury (1386)

Meine ältere Tochter Rahel wohnte eine Zeitlang auf dem Düderhof in Neudorf LU. Das Dorf liegt unweit des Sempachersees. Als wir sie im Frühjahr 2011 dort besuchten, erzählte sie uns, dass die älteste Bausubstanz des Düderhofs zurück bis in die Zeit des Sempacherkriegs reichte, also 1386. Sie zeigte uns einen über 600 Jahre alten Balken, geschwärzt vom Rauch des damals offenen Kamins. Welche Koinzidenz! dachte ich. Meine Tochter wohnt in einem Haus, unweit des Schlachtfelds, wo 1386 einer unserer Vorfahren sein Leben gelassen hatte. Wo genau er seinen Platz in der Familie hat, ist nicht bekannt. Er war sicher kein Vorfahre von Jost I., da er gleichzeitig mit ihm gelebt hat. Er könnte sein Bruder gewesen sein.

Der über 600 Jahre alte Balken im Düderhof (Neudorf LU) aus der Zeit des Sempacherkriegs (1386).

Nach einem zünftigen Mittagessen in der »Wirtschaft zur Schlacht« besichtigten wir die Kapelle und das Schlachtfeld, wo am 9. Juli 1386 jener Kampf stattgefunden hatte, bei der die Eidgenossen einen denkwürdigen Sieg über die Habsburger errangen. Das Innere der Kapelle ist ausgemalt mit Bildern von der Schlacht und den Namen der Gefallenen, sowohl von Freund als auch Feind. Viele Namen der gefallenen österreichischen Ritter, darunter jener von Herzog Leopold III. von Habsburg, sowie unzählige Namen der eidgenössischen Toten sind an die Wand geschrieben. Ich fand den Namen von Peter Schmid als zweitletzten der gefallenen Urner: **Peter Schmidt**. Wer den Urner Dialekt kennt, weiss, dass der Name Schmid in Uri mit einem harten t (Schmidt) ausgesprochen wird.

Das war schon ein seltsamer Moment. Hier kam mir der Brief meines Grossvaters wieder in den Sinn, wo ich das erste Mal von diesem so weit entfernten Ahnen erfahren hatte.

1
Jost edler Schmid ab Urÿ (1390)
dies Namens der Erste.

War in hohem Ruhm und Ansehen um das Jahr 1390. Er ist der erste von dem man die Geschlechtsreihe in ununterbrochener Kette hat. Bucelini meldet von ihm »Jodocus Schmid, primus de cujus continua nepotum Serie constat, claruit sub Annum Christi 1390. Uxor Apollonia de Ramstein.«

Aus dem uralten hochberühmten Geschlecht von Ramstein, waren einige Freÿherren, und die andern Edle, sie besassen das Schloss gleichen Namens in der Pfarr Brezweil, in der stadt-baselischen Obervogteÿ Waldenburg, dieses Geschlecht hat das Erb-Kammeramt des Bischthums Basel gehabt. Daraus finden sich, in 1185 Thuring, Zeug in einem Lehenbrief.
Walther in 1263 Domherr zu Basel, Rum oder Rumold 1273, und Heinrich 1300 von einigen zum Abt von St.- Gallen erwählet, um

welch letstern Zeit auch Albrecht Konventherr zu St.-Gallen Abt der Reichenau worden, und auch Domdecan zu Konstanz gewesen und Bertold ein Ritter gelebt.

Rudolph Werner war 1314 und Burkard Werner 1330, und Henemann 1358, Burgermeister der Stadt Basel.

2
Joann edler Schmid ab Urÿ (1427)
Der Erste, zugenant der Alt,

war berühmt in 1427.

Gattin Barbara aus dem alt berühmten Hause Zum-berg.

Mit dieser hat er erzeuget
1. Heinrich, wurde zum Priester geweihet.
2. Anton, von dem Seite 13. (siehe unten)
3. Ludwig, war vermählet mit Frauen Katharina Vonmentlen, hatte kein Nachkommenschaft. 1) Anmerkung von Professor Abegg: Laut Stammbuch des Geschlechtes Schmid v. Uri war aus dieser Ehe entsprossen eine Tochter Dorothea. Sie vermählte sich 1. mit Hptm. Jost Jauch fl. des Hptm. Jost und Barbara Bessler; 2. mit Jakob der Frowen; 3. mit Fähndrich Anton Buntsching.

3
Anton edler Schmid ab Urÿ (keine Jahreszahl überliefert)
Dies Namens der Erste.

Joanns Sohn, war Hauptmann, hatte zur Gattin Frau Margareth Wohlleb, aus dem berühmten Geschlecht der Edeln oder Freÿherren von Hospenthal, und hat mit ihr erzeuget 5 Kinder.

1. *Elisabeth.*

2. *Apollonia.*

3. *Joann Anton, starb ledigen Stands.*

4. *Jost, von dem weitere Meldung geschieht.*

5. *Barbara, Gattin Ludwigs, edlen von Erlach, Freÿherr von Spietz, Herr zu Jegistorf, und Balm, Obrister in französischen Diensten, Ritter der heilig Römischen Kirche, des Raths der Stadt Bern, ein Muth- und Witzvöllster Held, wurd in der Schlacht zu Marignan verwundet. Seine Abkunft siehe Seite 14.* (siehe unten)

Stammtafel Ludwigs, edlen von Erlach:

1.

Huldric Udalric edler von Erlach, zugenannt le Chevalier sans peur /: der Ritter ohne Furcht :/ war in 1270 des Staatsraths und 1298 der Bernern Heerführer und General.

2.

Wernhard, claruit 1320.

3.

Huldric, Ritter.

Seine Gattin, Anna edle von Strätlingen, von diesem Haus ist Rudolph, oder sein Vater Konrad deren der erste in 888 das neue Königreich Burgund errichtet, von einigen Graf von Strätlingen genannt. Sie verbanden sich durch Heÿrath den Grafen von Rapperschweil, Gruÿere usw. usw.

4.

Burkard. – Gattin N. Freÿfrau von Utzingen.

5.

Huldric, Herr zu Richenbach. – Gattin Anna von Oltingen.

6.

Joann, Herr zu Richenbach. – Gattin Margareth, Freÿfrau von Grassburg.

7.

Petermann, Herr zu Richenbach. – Gattin Adelheid von Courtlarin, eine Tochter Udalrichs von Courtlarin und Anna von Luonge.

8.

Joann Rudolph, Herr in Richenbach, Landvogt zu Nidau und des Raths zu Bern. – Gattinnen 1te Cordula von Buttikon, 2te Cunegond, Freÿfrau von Balmoos.
Ludwig aus zweÿter Ehe gebohren. – Gattinnen 1te Verena Freÿfrau von Mülinen, 2te Barbara edle Schmid ab Urÿ, 3te Magdalena edle Blarer. Sulpitius von Erlach war sein Bruder.

4

Jost edler Schmid ab Urÿ
Dies Namens der Zweÿte.

Hauptmann Antons und der Frauen Margareth Wohlleb Sohn, war Hauptmann in Königlich französischen Kriegsdiensten, wurde Landschreiber zu Urÿ in 1520, starb und liegt begraben in der Stadt Troÿes in Champagne. Von ihm hat Herr Thaddä Schmid ein in 1497 gemahlte Abbildung. – Er hatte zur Gattin Frau Barbara Christen von Andermatt, eine Tochter Melchiors, Ammann zu Ursern in 1477 und Margaretha Bennet, hat mit ihro erzeuget Jost, von dem weitere Meldung geschieht.
Besagte Barbara Christen war vorhero vermählet dem unvergleichlichen Helden und Heerführer Walther edeln Imhof von Blumenfeld, Landammann, der in 1513 als Landshauptmann den herrlichen Sieg beÿ Novarra über die Franzosen erfochten und in 1515 in der Riesenschlacht zu Marignano sein edeles Leben verlohren. – Barbara starb im Xbre 1539. – Mit dem ersten Gatten hat sie erzeuget
1. Balthasar – Gattin Magdalena Käser.

2. Eva, Gattin Statthalters, edeln Püntener von Brunnberg.

3. Barbara.

4. Kaspar, Landammann usw. usw. Gattin 1te Anna edle Gisler, 2te Dorothea edle von Hassfurt, 3te Regula edle Murer. –

Ist also Barbara Christen eines Ammanns Tochter, eines Ammanns Gattin und zweener Ammänner Mutter gewesen.

Jost edler Schmid ab Urÿ, dies Namens der Zweÿte. Er war der Vater von Jost, genannt der Grosse. Text auf dem posthum angefertigten Gemälde: 1497. H: Jost Schmid ligt zuo Trois in Champagne begraben. (Foto: Staatsarchiv Uri, Gemälde- und Kulturgutsammlung)

Das Hotel Le Marigny in Troyes, der Heimatstadt des Chrétien de Troyes, dem Verfasser der ersten Gralsgeschichte. Welche Verbindung besteht zwischen Jost II. Schmid von Uri und Troyes?

Bemerkungen zu Jost Schmid der Zweÿte

Von Jost Schmid II. – dem Vater von Jost dem Grossen – existiert ein Gemälde, von dem ich schon in Kapitel 4.1 Bär und Lilie berichtet habe. Auf
dem Bild steht geschrieben, dass er in Troyes in der Champagne begraben
liege, obwohl er 1522 in der grossen Schlacht von Bicocca gefallen ist (diese
Verwechslung habe ich in jenem Kapitel 4.1 abgehandelt).

Wie dem auch sei, im Mai 1995 befand ich mich auf einer kleinen Tour de
France, die mich am ersten Abend bis nach Troyes geführt hat. Damals hatte
ich noch keine Ahnung, dass einer meiner Vorfahren hier begraben liegen
soll. Doch mir war Chrétien de Troyes bekannt, der Verfasser einer der frü-
hesten Gralsgeschichten. Dieser Chrétien/Christian wurde 1140 in Troyes
geboren und starb 1190. Das Grals-Thema fasziniert mich schon seit länge-
rem. Ich suchte mir in der Altstadt ein passendes Hotel und fand das Le
Marigny, ein altes Fachwerkhaus. Eine altertümliche Inschrift am Haus wies
dieses zwar nur als Ein-Stern-Hotel auf - dafür waren ihm noch drei kunst-
volle Rauten beigegeben! (was kein Fünfstern-Hotel von sich behaupten
kann) - Die Inschrift habe ich abgezeichnet:

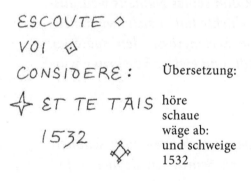

Übersetzung:

höre
schaue
wäge ab:
und schweige
1532

1532, als der Sinnspruch ange-
bracht oder das Haus erbaut
wurde, war Jost Dietrich Schmid,
der später einmal der Grosse genannt werden sollte, vierzehn
Jahre alt. Was mag Zwingli wohl
geantwortet haben, als Jost II.
ihn damals um Rat gefragt hatte,
auf welche Schule er seinen Sohn
schicken solle?

P.S.
Auch spätere telefonische und schriftliche Anfragen in verschiedenen Äm-
tern der Stadt Troyes haben keinerlei Resultate ergeben, dass ein Jost
Schmid in Troyes gestorben und begraben sei.

5
Jost edler Schmid ab Urÿ
Der Grosse.

Dies Namens der Dritte.
Seine Abbildung siehe im zweÿten Theil.

Des berühmten Landschreiber Josten, und der Frauen Barbaren
Christen grosser! Würdiger Sohn, seiner unsterblich verdienten
Ahnen wahrer Tugenderb, ein edeler liebster Sprosse eines theu-
ren vaterländischen Heldengeschlechts, auf denen einzig dessel-
ben Fortpflanzung beruhete, und der auch als ein zweenter Ahn-
vater dem izt blühenden so hoch ansehenlichen Schmidischen
Hause wieder das Leben gegeben.

Jost war Hauptmann in welches Staats Diensten weiss ich nit.

Im Staatskleid hat ihn Helvetien mit dem starren Auge völlster
Verwunderung gesehen die trefliche Kunststüke seines Verstands!
seine Verdienste um das allgemeine werthste Vaterland, seine un-
vergleichliche Thaten haben den Ruhm seines Namens weit aus-
gebreitet und verewiget, in der Geschichte hat er sich ewig reden-
de Denkmäler gestiftet, die seine Seelengrösse den spätesten
Enkeln in vollem Glanz der Majestät, und ewiger Verehrung wür-
dig zeigen. -

Wenn dem Namen eines Vaters des Vaterlandes noch schönere
Leÿwörter könnten beygefüget werden, würde ich sie alle zu Jos-
tens unsterblichem Ruhm in meinem Familien Gedächtnisstem-
pel ansetzen, doch es lässt sich nit mit Stillschweigen übergehen,
dass der Geschlechtbeschreiber Bucelini dem grossen Josten diese
allerschönste Nämen giebt: »Jodocus Schmid Vir Spectatissimus
Helvetiorum! Jost Schmid der helvetischen Nation gröster Mann!

Jost edler Schmid ab Urÿ. Der Grosse, dies Namens der Dritte. Text auf dem Gemälde: LANDAMMAN
IOST SCHMID DES HEIL: RÖM: REIC: RITTER. WAR VON DEN EIDGENOSSEN ZUO CARL: V. RÖM:
KEIS: UM BESTÄTTIGUNG IHRER FRYHEIT GESENDT 1550. – Landammann Jost Schmid trägt um den
Brustpanzer eine goldene Kette mit einem Medaillon, auf dem der Lorbeer bekränzte Kaiser Karl V.
abgebildet ist; die Umschrift auf der Goldmedaille lautet: IMPERATOR*CARLUS V.
(Foto: Staatsarchiv Uri, Gemälde- und Kulturgutsammlung)

Welch! Königlichen Tituln weit höheres! Allergröster Nam! Man nennet Jost Schmid den Grösten einer Nation, die es all andern Nationen in allem dem, was den Namen Gross verdienet, bevorthut. – Nit umsonst ist der Name Jost des Schmidischen Geschlechts Lieblingsnamen geworden.

Jost, der eben so zierlichst benennte! War Landvogt der Landgrafschaft Thurgau in 1550, 1551. Gesandter von Urÿ an Kaiser Karl V auf den Reichstag zu Augsburg in 1550 und wurde bei dieser hohen Feÿerlichkeit von besagtem grossen Monarchen mit all seinen Nachkommen zur ritterlichen Würde erhoben, und mit dem Ritter- und Adelsbrief, und anderen hohen Ehrenzeichen begabet. *A

In 1553 war er Kirchenvogt der Haupt- und Mutterkirchen des heiligen Martins zu Altorf. – In 1559, 1560, 1561 Dorfvogt des Hauptflekens Altdorf. – 1562, 1563, 1564 Landsstatthalter. – 1564 einer der Schiedrichtern des Thurgaus regierenden Orten in dem Vertrag mit dem Stift zu St. Gallen. –
*1565, 1566, 1573, 1574, 1581, 1582 Landammann. – 1565 Gesandter zu Beschwörung des Bündnisses mit König Karl dem neunten von Frankreich. – 1566 verrichtete er Namens der Herren Eidsgenossen eine hohe Gesandschaft an Kaiser Maximilian den II auf den Reichstag zu Augspurg. – 1576 war er Gesandter auf Luzern zu Beschwörung der VII katholischen Orten Bund mit dem Freÿstaat Wallis. – In 1566, 1573, 1574, 1581 Gesandter auf die allgemeine eidgenössische Jahrrechnungen zu Baden, in 1570 söhnte er die Stadt Luzern mit den Rothenburgern aus, in 1578 verehrte die Stadt Luzern dem um sie wohlverdienten Jost Schmid und all seinen Nachkommen ihr Stadt- und Burgerrecht /: welche Urkunde *B in der Schmidischen **Familienlad** liegt :/ Josten und seinen Nachkommen wurde auch das Landrecht im Hochgericht Disentis gegeben *C, wofür ebenfalls eine Schrift in der Schmidischen Lade ist.* (siehe Abbildung)

Familienlade, in der die Familiendokumente aufbewahrt wurden. Auf der Frontseite zwei Familienwappen: Die Jahreszahl 1608 zeigt den Bären nach rechts schauend, 1677 nach links. Bemerkenswert an den Wappen scheint mir, dass hier der Helm durch einen Kelch über einer goldenen Krone ersetzt wurde. Der Kelch erinnert mich an den hl. Gral, über den Chrétien de Troyes in seiner Gralserzählung um 1180 berichtete.
(Staatsarchiv Uri, P-7)

Jost starb den 28ten Brachmonat 1582, da er wirklich den Richter-
stab seines Freÿstaats führte, sein unsterblich grosser Namen ei-
nes Vaters des Vaterlands, eines Friedenstifters, eines allergrösten
Manns, wird immer in segnendem Gedächtnis schweben! Wie
hoch ihn auch Monarchen schätzten ist Zeugnis, die ihm wider-
fahrene Ehrbezeigung von Kaiser Karl V, die an ihn geschriebe-
nen Briefe von König Karl IX von Frankreich usw. usw.
Sein Gemählde wird bald in allen Schmidischen Häusern als ein
vorstahendes, Vaterlandsliebe aufwekendes Bild mit gerechter
Verehrung aufbehalten.

Er hatte zu Gattinnen

1. *Euphemia edle von Erlach von Richenbach /: dero Abkunft Seite 20 :/* (folgt anschliessend)
2. *Anna edle Zollikofer von Altenklingen /: dero Abkunft Seite 21 :/* (siehe weiter unten)
3. *Elisabeth Mutschlin /: dero Abkunft Seite 22 :/* (weiter unten)

Virtus post funera! Magnus Jodocus post Saecula!

A Im 2ten Theil Sub Litt.a A
B Im 2ten Theil Sub Litt.a B
C Im 2ten Theil Sub Litt.a C

Bemerkungen zu Jost dem Grossen erübrigen sich, da über ihn schon in separaten Kapiteln geschrieben wurde.

Stammtafel der Euphemia edle von Erlach in Richenbach.

1. Huldricus von Erlach, Hr. in Rÿchenbach claruit Anno 1270. Seine Gattin ist unbekannt.
2. Wernhard von Erlach, clar: 1320. Seine Gemahlin ist unbekannt.
3. Huld.s von Erlach, Ritter clar: 1360. Gattin Anna von Strättlingen.
4. Burkart von Erlach, clar: 1380. Gattin N. von Utzingen.
5. Huld.s von Erlach, Herr in Rychenbach, claruit Anno 1400. Gattin Anna von Oltingen.

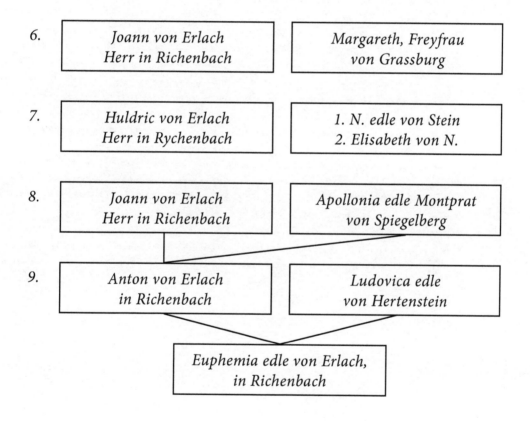

6.
| Joann von Erlach
Herr in Richenbach | Margareth, Freyfrau
von Grassburg |

7.
| Huldric von Erlach
Herr in Rychenbach | 1. N. edle von Stein
2. Elisabeth von N. |

8.
| Joann von Erlach
Herr in Richenbach | Apollonia edle Montprat
von Spiegelberg |

9.
| Anton von Erlach
in Richenbach | Ludovica edle
von Hertenstein |

Euphemia edle von Erlach,
in Richenbach

NB. Ich finde nit, dass Landammann Jost mit dieser Gattin Kinder erzeuget habe

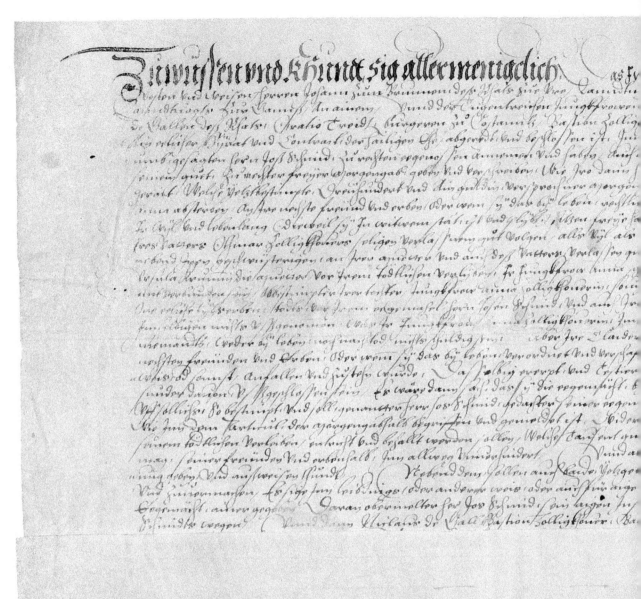

„Ehevertrag zwischen Ritter Jose Schmid, Statthalter in Uri, und Anna Zollikofer, Tochter des Othmar sel. und der Ursula Krum, von St. Gallen, abgeschlossen in Konstanz, 14. Februar 1565; Pergamenturkunde, ohne Siegel." (StaU P-7/7)

Stammtafel der Anna edle Zollikofer von Alten Klingen.
(Seite 21 im Original)

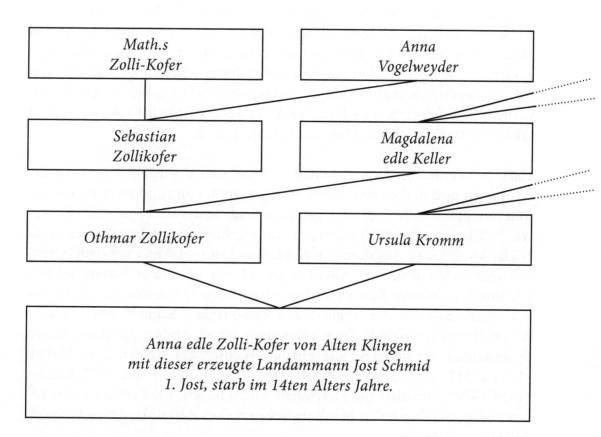

1. *Joann, war Hauptmann.*
2. *Susanna.*
3. *Heinrich, dessen Gattin 1te Anna Anna, 2te Anna edle Orelli, hat erzeuget Maria Magdalena.*
4. *Helena.*
5. *Joann Ludwig, von dem der 4te Absatz.*

Waren alle Landammann Jost Schmids Kinder, ich weiss nit, mit welcher Gattin er sie erzeuget.

NB. An einem andern Ort finde ich, dass Heinrich ledig gestorben, von der Susanna aber gar nichts.

Bemerkungen zu Anna Zollikofer von Altenklingen

Im August 2008 nahm ich Kontakt zum Fideikommiss der Familie Zollikofer auf Schloss Altenklingen auf, um mehr über die Verbindung der beiden Häuser Schmid von Uri und Zollikofer zu erfahren. Professor Christoph Zollikofer, der gerade ferienhalber auf Schloss Altenklingen weilte, rief mich daraufhin an und konnte mir schon am Telefon einige Fragen beantworten. So erfuhr ich, dass Jost und Anna Zollikofer nebst Jost, der mit 14 Jahren verstarb, noch ein Mädchen hatten: Regina.

Nach Auskunft von Herrn Zollikofer hatte sich die Familie einst in die schwarzen und in die roten Zollikofers getrennt, aufgrund ihrer schwarzen und roten Haarfarbe. Der 1450 geborene Ludwig der rot begründete die roten Zollikofers. Die 1540 geborene Anna gehörte der schwarzen Linie an (siehe Abbildung). Aus dem Umstand, dass Jost und Anna vor dem gegenwärtigen Schlossbau von Altenklingen (1586) geheiratet hatten, schloss Christoph Zollikofer, dass sie katholisch gewesen sein müsse (Ich kann mir vorstellen, dass für die altgläubigen katholischen Schmid von Uri eine Misch-Heirat gar nicht in Frage gekommen wäre). Andere Zollikofer waren Protestanten: so heiratete die einzige Tochter des Reformators Vadian (1484-1551), Dorothea von Watt (1523-1603) den Laurenz Zollikofer (1519-1577), Mitstifter der Herrschaft Altenklingen. 1578 erlangten die roten Zollikofers durch den habsburgischen Kaiser Rudolf II. den Adelsbrief, 1594 die schwarzen.

Bald nach unserem Gespräch schickte mir Herr Zollikofer Fotokopien aus der Genealogie, die sich in der Bibliothek von Altenklingen findet, sowie Abbildungen der Wappen der schwarzen und der roten Zollikofer; des weiteren Kopien einer Tafel mit den Landvögten der Landgrafschaft Thurgau, wo auch Jost Schmid von Uri verzeichnet ist, und zwar mit dem Wappen Bär und Stern anstatt der Lilie. (siehe Abbildung)

Auf Seite 38 der Genealogie steht:

1540 Anna, Tochter
15.. Joss Schmid Landtamman von Urÿ (Geburtsjahr von Jost noch unbekannt)

Familienbuch der Zollikofer von Altenklingen aus dem 16. Jh. Die Seite 85 zeigt den Eintrag der Heirat von Jost Schmid und Anna Zollikofer; das Geburtsjahr von Joss Schmid von Urÿ ist mit 1518 angegeben und darf als authentisch angesehen werden. Bislang galt das Geburtsdatum als ungewiss und wurde meist mit 1523 angegeben. (Foto: Zollikofer PA)

Auf Seite 85 der Genealogie (siehe Abbildung) ist das Geburtsjahr von Jost angegeben. (da kannte man ihn schon besser!):

1540 Anna Zollikoferin
1518 Joss Schmid von Urÿ
erzeugten

15..	1. Joss	*starb als er vierzehn jahr alt wahr.*
15..	2. Regina	*1582 Alwine von dem Brun von Urÿ, one Kind.*

1586 Hr. Conradt von Beroldingen von Uri, Land- *tammann und oberster auf Reiter von Berlingen, und des Landtshautpmann, ist zum 5. mahl Oberster über 1. Regiment Eydtgenossen in Ihr Königl. Mayl. (Mailändisch) zu Hispanien diruss gewesen, mit dieser Fr. Regina hat er er- zeugt Hr. Sebastian von Beroldingen, Landtschriber & Hauptmann zu Lowiss (Lauis) hernacher Hauptman über 1. Fähnli Eÿdtgenossen.*

Wappen von Zollikofer die Schwartz, des Familienzweigs der Anna Zollikofer aus dem Jahre 1594. (Foto: Zollikofer PA)

Wappen von Jost Schmid von Ury, 1550, auf der Landvögte-Tafel in Schloss Altenklingen. Bemerkenswert, dass hier auf Josts Wappen anstelle der Lilien zwei Sterne dargestellt sind. (Foto: Zollikofer PA)

Jost und Anna haben am 14. Februar 1565 geheiratet, da könnte Regina im Jahr 1582 sechzehn Jahre alt gewesen sein, und 1586 zwanzig Jahre. Die erste Ehe blieb kinderlos; der Mann ist wahrscheinlich verstorben. 1586 hat sie ein zweites Mal geheiratet, und zwar nach Uri, einen *Conradt von Beroldingen*, welcher Ehe ein Sebastian entsprossen ist. Auf das Geschlecht der Beroldinger, die auf dem Schlösschen Beroldingen in Seelisberg residierten und mit welchen die Schmid von Uri über Jahrhunderte in einem Verwandtschaftsverhältnis standen, werde ich in einem späteren Kapitel ausführlicher zurückkommen.

Die Seite 85 der Genealogie wird beschlossen mit einer Aufzählung der verschiedenen Ämter, die Jost Schmid von Ury innegehabt hatte:

> *Diser obgenannte Hr. Joss Schmidt war Landvogt im Thurgöw Anno 1550, 1551. Hernach landtamman zu Urÿ Anno 1565, 1566. Widerumb Anno 1573, 1574. Widerumb 1581, 1582. Dess Jahrs er auch starb den 20. Junÿ. Diser im Namen der Eÿdgenossen ist neben anderen ein Gesandter gewest naher auf den Reichstag, Anno 15.. gehalten, und damahlen von Kaÿ. Maximiliano Secondo, mit gaaben begaabet, auch geadelt worden, darvon der Adelsbrief und dis gaab Anno 1639 noch vorhanden war.*

Das Datum des Reichstags von Kaiser Maximilian II., das dem Zollikofer'schen Chronisten im Jahre 1639 nicht mehr bekannt war, konnte ich nun, nach fast 400 Jahren, endlich einsetzen! Es war 1566, als Jost auf den Reichstag zu Augsburg gesandt wurde.

Nun folgt die Stammtafel von Josts dritter Ehefrau, jener für die Erbfolge wichtigste:

Stammtafel der Elisabeth Mutschlin von Bremgarten
(Seite 22 im Original)

```
┌─────────────────────────┐      ┌─────────────────────────┐
│    Bernard Mutschlin     │      │                         │
│    Schultheiss der Stadt │      │   Verena edle Bodmer    │
│       Bremgarten         │      │    von Waldenburg       │
└─────────────────────────┘      └─────────────────────────┘
              \                          /
               \                        /
          ┌──────────────────────────────────────┐
          │          Elisabeth Mutschlin          │
          │  Gattin  1. Landammanns Jost Schmid    │
          │          2. Säkelmeisters Heinrichs    │
          │             edlen Kuon                 │
          └──────────────────────────────────────┘
```

1. Kaspar
2. Margareth
3. Joann
4. Dorothea
5. Anna
6. Euphemia.
Waren der Frau Elisabeth Mutschlin Geschwisterte.

1. Anton, von dem der 1ste Absatz. (Seite 107)
2. Jost, von dem der 2te Absatz.   (Seite 108)
3. Bernard, von dem der 3te Absatz.(Seite 109)

Diese 3 Söhne theilten das Schmidische Haus in 3 Hauptlinien,
als die Anton- Jost- und Bernardische.

4. *Theodoric starb unmündig.*
5. *Barbara, Gattin Landammanns Pannerherr Ritter Emanuel edlen Bessler*
   von Wattingen, dessen Abkunft Seite 24. (siehe S. 103)
6. *Katharina, Gattin Landammanns Ritter Joann Peter edeln von Roll, dessen*
   Abkunft Seite 25/26. (siehe S. 103)
7. *Magdalena, Gattin Landammann Hauptmanns Rudolph edeln Reding von*
   Biberegg, dessen Abkunft Seite 26/27. (siehe S. 104)
8. *Regina, Gattin 1. Hauptmanns Ritter Ascan, edeln à-Pro von Vinascia, des-*
   sen Abkunft Seite 27/28/29. 2. Landammanns, Landshauptmann Ritter
   Obristens Joann Konrad edeln von Beroldingen, dessen Abkunft Seite 29/30.
   (siehe S. 105)
Waren der Frau Elisabeth Mutschlin Kinder von Herrn Landamman Jost
Schmid.

1. *Sebastian Heinrich, Landvogt in denen freÿen Ämtern, Gattin Dorothea*
   edle Imhof von Blumenfeld.
2. *Margareth, Gattin Hauptmans Sebastian edeln von Beroldingen, Herr zu*
   Sonnenberg, Landshauptmann und Landschreiber zu Lugano.
Waren der Frau Elisabeth Mutschlin Kinder von Herrn Säkelmeister Kuon.

Bemerkungen zu den Töchtern von Jost Schmid und Elisabeth Mutschlin

Über die drei Söhne, welche das Geschlecht der Schmid von Uri in drei Hauptlinien teilten, wird – wie oben erwähnt – weiter unten separat berichtet.

In welche Familien die vier Töchter geheiratet haben, wurde oben von Franz Vinzenz Schmid beschrieben, und anschliessend würden jetzt die Stammtafeln ihrer Ehemänner folgen. Diese ganz zu zitieren, scheint mir unnötig, ja verwirrend. Doch fand ich es interessant, die Abkunft dieser Männer zu erfahren, z.B. woher ein Vorfahre gekommen ist und wann er nach Uri kam. Alle Töchter wurden standesgemäss verheiratet – was Usus war. Drei dieser Geschlechter existieren noch heute in der Schweiz; nur die A-Pro sind längst ausgestorben (schon 1588).

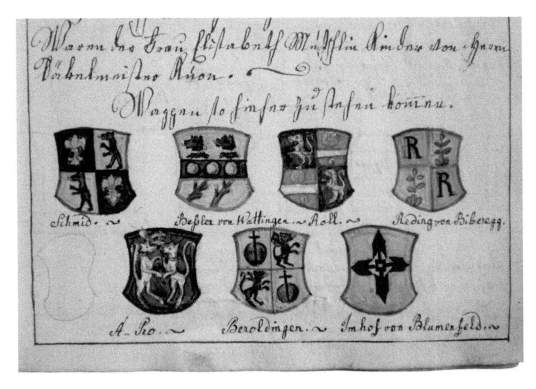

Der Chronist Franz Vinzenz Schmid hat die Wappen der Ehemänner gemalt, mit denen sich die Töchter von Ritter Jost Schmid und Elisabeth Mutschlin verheiratet haben (um 1600): Bessler von Wattingen, von Roll, Reding von Biberegg, A-Pro, Beroldingen.

102

Nun folgen in Kurzform die Stammtafeln der Ehemänner der vier Schmid-Töchter:

Stammtafel des Emanuel edler Bessler von Wattingen.
(Seite 24 im Original) **Ehemann der Barbara Schmid von Uri.**

Sein Urgrossvater, »Joann Bessler zoge von Bahtellen einem Ort nahe der Stadt Frankfurt an der Oder ins Land Urÿ in 1400. Er erhielt das Landrecht zu Urÿ.«
Warum er von Deutschland nach Uri zog, wissen wir nicht. Vielleicht war er Händler? Sein Sohn Kaspar Bessler jedenfalls war schon Landschreiber, und der Vater von Emanuel war Landvogt zu Lifenen (Leventinatal im Kanton Tessin). Emanuel selber war Landammann und Pannerherr.
Zu Bessler gibt es 21 Einträge im Telefonbuch.

Stammtafel des Joan Peter edeln von Roll.
(Seite 25 im Original) **Ehemann der Katharina Schmid von Uri.**

Othmar, edler Zollikofer und Ursula Kromm waren die Grosseltern von Joan Peter von Roll. Deren Tochter Ursula edle Zollikofer von Altenklingen heiratete Walther von Roll, des Raths zu Urÿ, Eq. Aurat, Obrister in spanischen Diensten. Ein Führer der Kapuziner in der Schweiz, ihr Maccenas, - ein grosser Held. Sie hatten einen Sohn:

Joan Peter edl. von Roll
Ein hochangesehener, wohlverdienter Mann, Landammann zu Urÿ, päbstlicher Ritter und nebst seinen Brüdern Herr zu Bötstein, Mammern, Bernau, Gansingen, Golten, Büren, Schwaderloch und Leibstatt. – Gattin 1. Katharina, edle Schmid ab Urÿ 2. Anna Maria edle Trösch von Urburg.

Standesgemässe Heiraten waren damals Pflicht. Aber vielleicht war ja auch Liebe mit im Spiel, als Landammann zu Uri Joan Peter edler von Roll in

erster Ehe Katharina edle Schmid ab Ury heiratete? Was auffällt: die erneute Verbindung mit dem Geschlecht der Zollikofer. Denn Ursula Zolliko-
fer-Kromm, die Grossmutter des Ehemanns von Katharina edler Schmid,
war die Schwester von Anna Zollikofer, der zweiten Frau von Katharinas
Vater Jost dem Grossen! (kompliziert, aber erwähnenswert…)

Im Telefonbuch finden sich über 900 Einträge des Urner Geschlechtes der
von Roll. Mir als Knabe war dieser Name schon sehr geläufig: ich sah ihn
auf jedem Schachtdeckel. Allerdings hatte ich keine Ahnung, dass dies ein
Familienname war. Und dass er zudem noch in einem Zusammenhang mit
unserer Familie stand, schon gar nicht!

Abkunft Rudolphs edlen Reding von Biberegg.
(Seiten 26/27 im Original) *Ehemann der Magdalena Schmid*
von Uri; er war Gardehauptmann in Frankreich.

Als Urahnen nennt Franz Vinzenz Schmid:
1. Heinrich edler Reding von Stein, Verwalter der Grafen von
Lenzburg Gerichten in den höfen Stein & Art. Stifter der Kirch
am Sattel. – Gattin unbekannt.
(Die Grafen von Lenzburg wurden 1077 erstmals erwähnt und
waren 1173 ausgestorben.)

Diesen Urahnen erwähne ich, weil seine Wurzeln so weit zurückreichen,
alle folgenden lasse ich weg, bis auf die Eltern von Magdalenas Ehemann:

Rudolph, Landammann und Pannerherr, Ritter, Obrister in
Frankreich. – Gattin Elisabeth edle In-der-Halten.

Die Heirat Rudolphs edler Reding von Biberegg mit Magdalena Schmid
von Uri könnte **um 1600** stattgefunden haben. Das ist reine Spekulation
meinerseits, die ich wie folgt begründe: Jost Schmid und Anna Zollikofer
haben 1565 geheiratet. Anna ist wahrscheinlich bei der Geburt des zweiten
Kindes gestorben. Dann könnte Jost um 1570 seine dritte Ehe mit Elisabeth
Mutschlin eingegangen sein. Die beiden hatten acht Kinder, und Vater Jost

starb 1582. Wenn Magdalena, ihr zweitletztes Mädchen, um 1580 geboren wäre, so hätte sie sich um 1600 mit ungefähr zwanzig Jahren verheiraten können.

(Dies lediglich als ungefähren Anhaltspunkt, da in Franz Vinzenz Schmids Familiengeschichte sehr wenige Jahreszahlen vorkommen.)

Die **von Reding** waren die wichtigste Familie des Urkantons Schwyz. Auch dieses Geschlecht existiert heute noch, es gibt rund 240 Einträge im Telefonbuch.

Die von Redings und die Schmid von Uri stehen auch heute noch in einer Beziehung: Reichmuth von Reding aus Seewen SZ importiert exquisite Tees aus dem fernen Osten, und die Gebrüder Walter und Christian Schmid als passionierte Teetrinker beziehen regelmässig Tee von RvR.

Stammtafel des Ascan A-Pro.
(Seite 27-29 im Original) *Regina Schmid von Uri war in erster Ehe verheiratet mit Hauptmann Ritter Ascan, edler A-Pro von Vinascia. Ritter des H.R. Reichs, Hauptmann in französischen Diensten.*
Seine Vorfahren kamen aus Lifenen, das ist die Leventina, ein Tal im Kanton Tessin:

1. Albrecht kam in Mitte des XV Saeculi von Lifenen auf Urÿ. – Gattin Apolonnia Brunner.
Alle weiteren Namen lasse ich weg bis auf Ascans Vater und Mutter:
- Peter edler A-Pro von Vinascia, Ritter des H.R. Reichs, Landammann, Landshauptmann, Obrister in Frankreich, Königlicher Kammerherr der Burg Pro. War Ascans Vater.
* - Dorothea edle Zumbrunnen, war Ascans Mutter.*

Der Sohn eines Landammanns: Ascan edler A-Pro, heiratet die Tochter eines Landammans: Regina edle Schmid von Uri. Man blieb also unter sich. Das Geschlecht der A-Pro war aber schon bald darauf ausgestorben. Ihr Schloss in Seedorf existiert noch. Es wurde schön renoviert, und ein Teil kann besichtigt werden. Auch den Besuch im dazugehörigen Schlossrestaurant kann ich empfehlen!

Stammtafel des Joan Konrad von Beroldingen.
(Seite 29 im Original) ***Regina Schmid von Uri*** *war in zweiter Ehe verheiratet mit Joan Konrad edler von Beroldingen. Er war Herr zu Sonnenberg, Landammann und Landshauptmann des Freÿstaats Urÿ, Ritter, Obrister siebener Regimenter in Königlich Spanischen Diensten, ein weltberühmter Mann, Held und Feldherr, der Soldaten Vater genannt. – Gattin 1te Regina edle Schmid ab Urÿ, 2te Elisabeth edle Bodmer.*

Seine Eltern waren: Joan Peregrin, Herr zu Steineg, Obervogt zu Bischofszell, Obrister Hauptmann der Garde zu Bologna etc.etc. – Gattin Ursula edle von Liebenfels.

Wie wir sehen, ist Reginas erster Gatte vor ihr gestorben; hingegen hat ihr zweiter Gatte sie überlebt und nochmals geheiratet.

Das Geschlecht derer von Beroldingen ist in Uri 1801 ausgestorben, jedoch besteht die reichsgräfliche Linie in Deutschland noch. Darüber berichte ich ausführlich in Kapitel 9.2.

Erster Absatz.
(Seite 31 im Original)

Schmidisch-Antonsche-Linie.

6.
Anton edler Schmid ab Urÿ
Dies Namens der Zweÿte.

Landammann Josten und der Frauen Elisabeth Mutschlin Sohn, war Hauptmann, Zeugherr, und in 1599 Landssäkelmeister des Freÿstaats Urÿ, Gesandter auf die gemeine eidgenössische Jahrrechnung zu Baden in 1604, Gesandter auf das Sÿndikat zu Lugano, regierte als Landvogt die Landgrafschaft Thurgau in 1606, 1607, starb an starkem Nasenbluten in der Stadt Frauenfeld in 1608 und liegt im Gotteshaus zu Denikon begraben. – Wie sehr diese Landschaft den Todesfall dieses ihren liebsten Landvogts in tiefste Trauer versenkte, ist in dem Brief zu ersehen, so sie diessfalls an löblichen Stand Urÿ schrieb.
…
Anton war verheiratet mit Maria Magdalena, edler Reding von Biberegg, mit welcher er sechs Kinder hatte.
…
Amor Subditorum melle dulcior.
(die Liebe unterwirft des Honigtranks Süsse)

(Danach folgen die Stammtafeln von Frau und Kindern, die ich alle weglasse)

Näheres zu diesem ausgewanderten Zweig in Kapitel 7.5: Der Thurgauer Zweig von Anton Maria Schmid in Fischingen TG.

Zweyter Absatz
(Seite 37 im Original)

Schmidisch-Jostsche-Linie

6.
Jost edler Schmid Ab-Urÿ
dies ehrwürdigen, theuren Namens der Vierte.

Landammann Josten, und der Frauen Elisabeth Mutschlin Sohn,
- war Gardehauptmann in Frankreich, des Landraths zu Urÿ,
starb in jungen Mannsjahren, hatte zur Gattin Barbara edle von
Beroldingen, dero Stammtafel Seite 38, und hat mit ihro erzeuget.
· *1. Jost Theodorik, von dem der Absatz 7.*
· *2. Sebastian Heinrich war Hauptmann.*
· *3. Regina, Gattin Karls Emanuel edeln von Roll, Landam-*
  mann, Pannerherr, päbstlicher Ritter usw.
· *4. Einige Kinder so in der Wiegen und frühzeitig starben.*

Pietas Jodoci fatô Major!
(die Frömmigkeit des Jost ist stärker als sein Schicksal!)

Auf der nächsten Seite (S. 38 im Original) würde die Stammtafel seiner
Gattin, der Barbara Edlen von Beroldingen folgen, welche ich aber hier
nicht anführe. (Nach dem Tod von Jost hat diese ein zweites Mal geheiratet,
und zwar Hautpmann Josua edeln Zumbrunnen)

**Von dieser Jost-Linie, später »Schmid ob der Kirchen« genannt, stammt
meine Familie ab. Dazu siehe die weiter unten folgenden Notizen.**

Driter Absatz
(Seite 40 im Original)

Schmidisch-Bernardsche-Linie

7.
Bernard edler Schmid ab-Urÿ.

Landammann Josten und der Frau Elisabeth Mutschlin Sohn,
war Hauptmann und des Raths zu Urÿ, hatte zur Gattin Frau
Barbara De-Florin, dero Stammtafel Seite 41 und hat mit ihro
erzeuget:
Joan Jakob, von dem der Absatz 8.

Avitae virtutis Bernardus pius Consectator!
(Bernhard, frommer Anhänger ererbter Tugend!)

Auf den Seiten 41 bis 183 im Original folgen nun unzählige Stammtafeln,
deren Aufzählung niemandem etwas nützen würde. Interessant wird es erst
wieder, als der Autor dieser Familiengeschichte, Franz Vinzenz Schmid,
über sein eigenes Leben erzählt! Von diesem werde ich im nächsten Kapitel in seinen eigenen Worten (ab Seite 184 des Originals) berichten.

Doch vorher möchte ich - zum besseren Verständnis der drei oben erwähnten Schmid-Linien - einen Einschub machen. Die drei Hauptlinien wurden
in der Familie später wie folgt benannt:

a. Anton Schmid »*Guardihauptmann*«
b. Jost Schmid »*Schmid ob der Kirchen*«
c. Bernhard Schmid »*Schmid auf der Schiesshütten*«

Im 2012 erschienenen Band 11 des Historischen Lexikons der Schweiz
kann man dazu folgende detaillierteren Informationen erhalten:

Schmid (von Uri). Die aus dem nordital. Pomat (Val Formazza) stammenden S. liessen sich in der 2. Hälfte des 15. Jh. in Altdorf nieder und erhielten 1471 das Urner Landrecht. Den Zunamen von Uri führte der Historiker Franz Vinzenz Schmid in der 2. Hälfte des 18. Jh. ein, um seine Fam. Von den S. von Bellikon zu unterscheiden. Zwischen 1565 und 1906 stellten die S. 19 Landammänner, eine Zahl, die von keinem anderen Urner Geschlecht erreicht wurde. Die S. hatten vorab im 18. Jh. eine unbestrittene Führungsrolle auf polit. und wirtschaftl. Gebiet inne. Stammvater aller Linien des Geschlechts ist Jost Dietrich. Bereits in der 1. Hälfte des 18. Jh. bürgerten sich Bezeichnungen für die drei Hauptlinien des verzweigten Geschlechts ein.

Die auf Hauptmann Jost S.-von Beroldingen zurückgehende und politisch erfolgreichste **Linie »Ob der Kirche«** *zählte 1667-1905 in ununterbrochener Generationenfolge zehn Landammänner. Macht und Reichtum dieser Linie basierten wesentlich auf ihrer Stellung als einflussreichste Parteigänger der franz. Krone in Uri. Ihre Mitglieder besassen über Generationen hinweg die Kontrolle über die franz. Pensionsgelder und über die erblichen Eigentumskompanien im franz. Dienst.*

Die sog. **Gardehauptmann-Linie** *wurde von Anton S.-von Reding (ca. 1567-1608), Landvogt im Thurgau, begründet. ...Eine im Thurgau eingebürgerte Nebenlinie geht zurück auf Anton Maria (1689-1766), der sich um 1725 als Kammerdiener des Abts Franz Troger in Fischingen niederliess, wo zahlreiche Nachkommen auf kommunaler und regionaler Ebene bedeutende Ämter bekleideten.*

Die dritte Hauptlinie der S. war die sog. **Schiesshüttenlinie**, *die von Hauptmann und Ratsherr Bernhard S.-de Florin (+ ca. 1598) begründet wurde.*

(Dies ist ein gekürzter Auszug aus dem HLS Bd 11)

Bemerkungen dazu:

Dieser Eintrag steht im Widerspruch zur Schmid'schen Familiengeschichte, die schon 1390 in Uri beginnt, bzw. schon 1386, als Peter Schmid in der Schlacht von Sempach fiel. Auf diese Ungereimtheiten und Fragen werde ich in späteren Kapiteln detailliert eingehen. (Kap. 7.0 Stammbäume sowie Kap. 7.6 Über die Herkunft der Schmid von Uri)

5.2 *Autobiographie F.V.Schmid*
(2. Teil der Familiengeschichte, auf Seite 184 im Original)

1774. Wurde ich in Fort-Louis beÿ der Generalmusterung vor dem ganzen zweÿten Bataillon dem General Lieutenant Graf von Stainville als Unterlieutenant vorgestellt. ...

1776. Im Frühjahr kehrte ich zum Regimente auf Verdun zurück, mich wandelte die Lust in königlich Englische Dienste zu tretten, und den Feldzug in Amerika mitzumachen, allein meines dringlichsten Bittens ungeachtet mochte ich hierzu die Bewilligung von meinem Herrn Vater nicht auswirken.

...

(Seite 185)

...

1779. Formierte ich auch aus jungen Knaben ein freÿwilliges schönes Cadetten Corps.
Ich vermählte mich mit der Fräulein Maria Anna Josepha Magdalena Aloÿsia von Schmid, Landammanns Ritters etc. Karle Franzen und Helena Franziska Bessler von Wattingen jüngsten Tochter.

...

1786 Wurde ich Schreiber im siebner Landgericht, begleitete als Edelherr unsere Bottschaft an die Legitimations Tagsatzung des französischen Bottschafters zu Solothurn.

...

1788 Wurde ich des geheimen Raths Säkelmeister und Schreiber des XV. Landgerichts.

Ich gab den ersten Theil des Freÿstaats Urÿ allgemeinen Geschichte in Druk, eignete sie der Gemeinde. –

Wurde Archivar.

1789 Wurde ich Aktuar aller Staatskommissionen.

...

1792. ...Patriotische Wallfahrt nach Sankt Jakob 21ten Novembris. ...

1794 ... Die helvetische Gesellschaft dankt wegen eingesandten Wallfahrts Erzählung und fordert mich auf ein Mitglied zu werden. - ...

1795 Stuhnd ich für Basel mit der 9ten 10ten 11ten Rott auch Mannschaft von Urseren und Lifenen auf dem getreuen Aufsehen.

Ich wurd in die helvetische Gesellschaft erfordert. Ich stuhnd Zürich wider ihre Unterthanen zu Hilf auf dem getreuen Aufsehen mit der 9ten 10ten und 11ten Rott 25 Mann von Urseren und 150 von Lifenen.

Nachtrag

(Seite 190 im Original)

*Obiger Franz Vinzenz Schmid ward **Anno 1799** im Winkel zu Flüelen, da er als Anführer des urnerischen Volkes für die Freÿheit und die gerechte Sache seines Vaterlandes heldenmässig gegen das Eindringen der Franzosen kämpfte, von einer feindlichen Kartetschenkugel todgeschossen.*

Mit seiner Gattin Magdalena Schmid hat er erzeuget:

1. Karl Franz, Landschreiber.

2. Jungfrau Magdalena, starb ledigen Stands.

3. Joseph Leopold

4. Moritz

5. Jungfrau Vinzentia } *starben in den Kindsjahren.*

6. Alphons

7. Jungfrau Viktoria Josepha Waldburga

Bemerkungen zu Franz Vinzenz Schmid

Ein St. Galler Freund, der 90jährige Josef Eigenmann, sandte einem Urner Verwandten mein Buch »Gallusland« zum Lesen. Da ihm das Buch gefallen hat, ergab sich ein Kontakt zu jenem Urner, Alois Gisler, ein 83-jähriger pensionierter Lehrer, welcher sich sehr für Geschichte interessierte. Wir begannen zu korrespondieren und telefonieren, und ich erzählte ihm, dass ich zur Zeit an einer Geschichte der Familie Schmid von Uri schreibe. Da erzählte er mir, dass er einen meiner Vorfahren sehr verehre, und zwar Franz Vinzenz Schmid. Er hatte Informationen über jenen Franz Vinzenz, die mir unbekannt waren. Als er mir weiter mitteilte, dass von jenem Schmid in einer Kapelle im Riedertal ein grosses Bild hänge und dazu noch einige Kanonenkugeln, da war mein Interesse definitiv geweckt! Alois Gisler war gerne bereit, mir diese Kapelle und noch einiges andere zu zeigen.

Wir vereinbarten einen Termin, und am 1. Dezember 2012 fuhren Mona und ich für ein verlängertes Wochenende nach Altdorf. Wir quartierten uns im altehrwürdigen und gemütlichen Hotel Goldener Schlüssel ein. Es hatte schon den ganzen Tag geschneit, und es schneite auch die ganze Nacht. Am nächsten Morgen waren Altdorf und

Besuch der Wallfahrtskapelle im Riedertal mit Alois Gisler aus Bürglen.

ganz Uri unter einer dicken Schneedecke zugedeckt. Alois Gisler wohnte in Bürglen, wo ich mich mit ihm am frühen Nachmittag verabredet hatte. Alois begann die Führung mit der Loretokapelle am alten Klausenweg, und danach machten wir uns an den Aufstieg ins Riedertal. Das Auto musste ich des Schnees wegen auf halber Strecke stehen lassen, dann ging es zu Fuss weiter. Alois – der übrigens seinen Stock in der Loretokapelle vergessen hatte – schritt munter bergauf, und ich hatte alle Mühe, ihm zu folgen… Als wir aus dem Wald herauskamen, holte uns des Sigristen Hund ab, und dann sah ich sie, die Wallfahrtskapelle, die erstmals im Jahr 1535 erwähnt wurde. Das Innere der Kapelle ist vollständig mit Renaissancemalereien ausgemalt, und in der linken Ecke des Schiffs hing das grosse Gemälde, das von der wunderbaren Errettung Franz Vinzenz Schmids vor feindlichen Kanonenkugeln erzählt.

Seine Autobiografie endet mit dem Jahr 1795, als er mit der 9., 10. und 11. Rotte von Urseren und Lifenen in Basel stand, um die Stadt gegen französische Angriffe zu verteidigen. Das Gemälde in der Kapelle nun erzählt eine Geschichte vom Anfang des Jahres 1797. Ich las den Text am unteren Bildrand und erfuhr Folgendes:

Obristwachtmeister Ritter Franz Vinzenz Schmid war während der ersten Monate des Jahres 1797 der Anführer der Helvetisch bewaffneten Neutralität und der Landwehr am Rhein. Täglich »schnurrten« Kanonenkugeln um ihre Köpfe, und die Gefahr von ihnen zerschmettert zu werden, war gross. Franz Vinzenz gelobte der Gnadenmutter im Riedertal eine Wallfahrt, wenn er aus der Gefahr errettet würde. Mutter Maria erhörte seine Gebete, und auf der Dankesfahrt führte er sieben Kanonenkugeln mit, die ihm um den Kopf geflogen waren, und liess sie hoch oben im Kirchenschiff aufhängen. Dort hängen sie noch heute.

Franz Vinzenz blieben noch zwei Jahre, bis eine französische Kartätschenkugel an Flüelens Gestaden sein Lebenslicht ausblies.

Auf dem Rückweg ins Tal bedankte ich mich ganz herzlich bei Alois Gisler, der mir eine so eindrückliche Lektion in Schmid'scher Geschichte vermittelt hatte! Leider war auch ihm nicht mehr viel Zeit auf Erden vergönnt:

Mitte September 2013 rief mich Josef Eigenmann an und teilte mir mit, dass Alois in Bürglen auf dem Fussgängerstreifen von einem Fahrrad umgefahren und tödlich verletzt wurde.

Text auf dem Votivbild von Franz Vinzenz Schmid in der Wallfahrtskapelle:

Da das unter Anführung des Obristwachtmeisters Ritters Franz Vinzenz Schmid wärend den ersten Monden des 1797 Jahrs
an der Helvetisch bewafneter Neutralität und der Landwehr am Rhein gestandene Löbliche Kontingent Hohen Standes bey gan.
sichtbar durch der Gnaden Mutter im Riederthal Fürbitt aus der täglich augenscheinlichen Gefahr in stücker zerschmettert zu
werden gerettet worden. So hat selbiger in einer am Sontag Reminiscere feyerlich gethanen danckfahrt diese Gedächtnis Tafel und von der erstaunlichen menge Kugeln, die hart an unsren köpfen vorbey schnurrten, die siben hier aufhangende zum ewig Frommen Bekenntnis Zeichen an diese Stange aufgehangen.

Ave Maria

Votivbild von Franz Vinzenz Schmid von 1797 über die Verschonung vor feindlichen Kanonenkugeln („die hart an unsren köpfen vorbey schnurrten"), während seiner Landwehr am Rhein.

Die sieben Kanonenkugeln an der Decke der Kapelle. Zum Dank für die Errettung aus der Gefahr hat Franz Vinzenz Schmid diese Kugeln auf seiner Wallfahrt von Basel bis ins Riedertal mitgeführt und hoch oben im Kirchenschiff aufhängen lassen.

5.3 Franz Vinzenz Schmid, Familiengeschichte
(3. Teil: Anhang)

Am Schluss der Familiengeschichte hat der Chronist einen Anhang beigefügt, welcher Kurzbiographien von Männern und Frauen der Schmid von Ury aus den Jahren 1047 bis 1515 enthält. Ab hier folgt erneut der Originaltext von Franz Vinzenz Schmid (Seiten 191-196 im Original):

Anhang

Anno 1047
Lebt Walther Schmid von Urÿ, unter Taurisziens Grossen berühmt, ein gross angesehener reich begüterter Edelmann, wohnte auf seiner Burg zu Seedorf.

Anno 1107
Ist Hemma Schmid von Urÿ, Walthers Tochter Stiftsdame im Frauenstift zu Seedorf, und eine grosse Gutthäterin desselben, durch gemachte reiche Vergabungen.

Anno 1120
Lebt Werner Schmid von Urÿ, wohnhaft zu Brugg, ein angesehener Edelmann.

Anno 1140
Lebt Ulrich Schmid von Urÿ, wohnt zu Flüelen, ein Edelmann grossen Ansehens.

Anno 1131
Lebt Ulrik Schmid von Urÿ, ein berühmter Edelmann, wohnt auf Seelisberg, seine Gattin war Richenza eines uns unbekannten Geschlechts.

Anno 1185

Lebt der im fernen Asien unsterblich berühmt wordene grosse Held Werner Schmid von Urÿ, sonsten wohnhaft auf seiner Burg im Isenthal, er war Ritter des königlichen Krieg-Ritterordens vom heiligen Lazar, stehend in Kriegsdiensten des Königs von Jerusalem, welche Stadt er schützen, und Saladin Soldan von Egÿpten und Sÿrien in der Hauptschlacht den 25ten Heumonds 1177 besiegen half. Ein Schreken der Sarazenen und Ungläubigen war dieser siegesgewaltige Soldat Jesu Christi und kristliche Rittersmann, und der Orient und Occident sangen sein Lob.

Anno 1186

War Mechthild Schmid von Urÿ Ordensdame des königlichen St. Lazar Ordens und Stiftsdame im Münster der Frauen zu Seedorf.

Anno 1220

Lebte Ulrik Schmid von Urÿ, ein Grosser unter dem alten helvetischen Adel, fürnehm und angesehen, auch reich an zeitlichen Gütern und schönen Besitzungen, eines tugendhaften seinem Gott und Vaterland getreuen Gemüths, im Land Urÿ unter desselben Regimentsgenossen.

Anno 1261

Arnold Schmid von Urÿ des alt helvetischen Adels ein angesehener reich begüterter Mann frömmster Sitten.

Anno 1295

Ulrik Schmid von Urÿ des alt helvetischen Adels ein Mann von Ruhm und Ansehen auch gross in Tugendwerken.

Anno 1354

Lebt Anton Schmid von Urÿ Sankt Lazar Ordens Ritter und Katharina seine Tochter.

Anno 1358

Lebt Hemma Schmid von Urÿ Sankt Lazar Ordensdame.

Anno 1359

Lebt Walther Schmid von Urÿ Sankt Lazar Ordens Ritter und Margareth seine Gattin.

Anno 1364

Lebt Cuno Schmid von Urÿ Sankt Lazar Ordens Ritter Antonia seine Gattin und Elisabeth seine Tochter.

1415

Anonÿmus Schmid von Urÿ machte 1415 den Konziliumskrieg mit und fochte beÿ Belagerung und Einnahme der Städten Mellingen, Bremgarten und Baden.

1422

Jakob Schmid von Urÿ ein hochgemuther wunderthümlicher Krieger küsste in der grossen Feldschlacht zu Arbedo vor Bellenz den reizvollen süssen Heldentod 1422.

1422

Anton Schmid von Urÿ der Held hat sich im Feldzug wider das Haus Maÿland 1422 rühmlichst zu Tode gefochten.

Heinrich Schmid von Urÿ der Held der Helden streitet vor Zürich und Farenspurg und verblutet sich zu Tode im Wundergefecht bei Sankt Jakob vor Basel.

Anno 1474

Lebt Joan Schmid von Urÿ.

Ulrik Schmid von Urÿ Freÿherr und Herr zu Utzingen ein edeler und mächtiger Burgher glanzenden Ansehens reich an grossen und schönen Besitzungen lebte in 1474.

1484

Werner Schmid von Urÿ Zeug in 1484.

1487

Joan Schmid von Urÿ kam um im Oscella Thal in 1487.

Anno 1513

Ist Ambros Schmid von Urÿ in der Schlacht zu Novarra umkommen.

Anno 1515

Bleib Joan Schmid von Urÿ in der Riesenschlacht zu Marignano.

Anno 1515

Fochte sich Heinrich Schmid von Urÿ in der Riesenschlacht zu Marignano zu Tode.

Geschlechts- und Geschichts-Kunde

Des Wohledeln Alt-Helvetischen Hauses der Herren

Schmid ab Urÿ

Verfasst von Herrn Landschreiber und Landsmajor Franz Vinzenz Schmid, dem ältesten Abstämmling der zwölften Generation der Schmidisch Jostischen Hauptlinie, und abgeschrieben von seinem Sohn Landschreiber Karl Franz Schmid.
Anno 1822

(Ende des Originaltextes)

5.4 Bemerkungen zum Anhang der Familiengeschichte

Zum Anhang möchte ich noch einiges anfügen. Er beginnt mit der sehr fernen Jahreszahl 1047, als ein Walther Schmid von Urÿ auf seiner Burg zu Seedorf gewohnt haben solle. Nachprüfen kann man die meisten dieser Daten nicht. Sie stammen aus der Familientradition, und falls Franz Vinzenz damals noch Unterlagen gehabt haben sollte, so sind diese nicht mehr auffindbar. Im Staatsarchiv jedenfalls habe ich nichts Derartiges gefunden. Den einen oder anderen Namen samt Datum mag man noch in Rödeln und in anderen alten Dokumenten finden, doch wollte ich mir diese Arbeit nicht antun.

Wer mich allerdings brennend interessierte, war jener **Werner Schmid von Urÿ**, Anno 1185, Ritter des königlichen Kriegs-Ritterordens vom heiligen Lazar, der in den Kriegsdiensten des Königs von Jerusalem gestanden haben soll. Den Spuren dieses Vorfahren nachzugehen, war mir eine freudige Aufgabe, hatten mich doch die Tempelritter seit meinen Jugendjahren wie magisch angezogen. Sie waren für mich mit einem geheimnisvollen Nimbus umgeben, weshalb ich alles las, was ich dazu erhalten konnte.

Als ersten Schritt beschloss ich, im **Kloster St. Lazarus** in Seedorf UR anzurufen, um eventuellen Spuren dort nachzugehen. Es ist das älteste Kloster in Uri und das einzige, dessen Ursprünge ins Mittelalter zurückgehen. Der Legende nach soll der Gründer Ritter Arnold von Brienz gewesen sein, der um 1097/99 ins Heilige Land gezogen sei und nach seiner glücklichen Rückkehr 1107 das Kloster in Seedorf gegründet habe. Am Telefon verband man mich mit der damaligen Äbtissin Sr. Maria Ulrich, mit der ich ein interessantes Gespräch führte. Sie erzählte mir, dass sie die Faksimile Ausgabe vom Lazarus Orden besitze: *das Statutenbuch von 1418, das Regelbuch von 1314 sowie das Nekrologium von 1225.* Und hier horchte ich auf! Ein derart altes Nekrologium konnte ungeahnte Schätze an Informationen bergen. Sr. Maria lud mich ein, sie in Seedorf zu besuchen, da wolle sie mir die Dokumente gerne zeigen. Und so machte ich mich im August 2008 auf, um auf einer kleinen Uri-Reise zu recherchieren. Ich hatte auch vor, den Genealogen Toni Arnold in Bürglen zu besuchen, der von sämtlichen Urnerfamilien Stammbäume angefertigt hatte, so auch von der Familie Schmid von Uri.

Mehr zum Lazarus-Orden in den folgenden Kapiteln 5.5 Lazarusritter Werner Schmid von Ury, 5.6 die alten Dokumente des Klosters St. Lazarus Seedorf; und über den Stammbaum von Toni Arnold im entsprechenden Kapitel.

Für drei Namen aus dem Anhang hingegen habe ich eine Bestätigung gefunden im »Geschichtsfreund« (Register 1.-20. Band), und zwar beruft sich der Autor auf das *Jahrzeitbuch St. Lazarus Seedorf*:

»Swester Mechthilt smidina ob«
»Soror Hemma filia fabri de Sedorf domus nostre ab. »
« Waltherus faber de Sedorf ob«

Diese drei Namen erscheinen im Anhang der Familiengeschichte mit Jahreszahlen, wie wir weiter oben gesehen haben:

> *Anno 1047*
> *Walther Schmid von Urÿ, unter Taursziens Grossen berühmt, ein gross angesehener reich begütertes Edelmann, wohnte auf seiner Burg zu Seedorf.*
> *Anno 1107*
> *Hemma Schmid von Urÿ, Walthers Tochter Stiftsdame im Frauenstift zu Seedorf, und eine grosse Gutthäterin desselben, durch gemachte reiche Vergabungen.*
> *Anno 1186*
> *Mechthild Schmid von Urÿ, Ordensdame des königlichen St. Lazar Ordens und Stiftsdame im Münster der Frauen zu Seedorf.*

Die sachliche Beschreibung dieser drei Personen zusammen mit den Jahreszahlen lassen für mich diese drei Menschen aus dem Dunkel der Zeit sehr lebendig vor mein geistiges Auge treten! Ich sehe keinen Grund, die Namen und Angaben im Anhang von Franz Vinzenz Schmid anzuzweifeln. Weshalb sollte er so etwas erfunden haben?

Dazu möchte ich bemerken, dass ich mündlichen Überlieferungen ebenso viel Wichtigkeit beimesse wie schriftlichen. Die Kelten z.B. kannten nur die mündliche Überlieferung. Zum Glück für uns haben die frühen irischen Mönche jene Mythen und Sagen aufgeschrieben, welche die Barden jahrhundertelang unverändert weitergegeben haben. Und so wie ein Volk können auch Familien ihnen Wichtiges zunächst mündlich überliefern, bis einer von ihnen, »ein Chronist«, es aufschreibt. Ich denke deshalb, dass viele, wenn nicht die meisten der im Anhang erwähnten Männer und Frauen der Familie Schmid von Uri tatsächlich zu jener Zeit gelebt haben, auf die die jeweiligen Jahreszahlen verweisen.

5.5 Lazarusritter Werner Schmid von Ury
1177 im heiligen Land: Schlacht gegen Saladin

F. V. Schmid nennt in der Familiengeschichte zwei Daten für Werner Schmid: 1177 und 1185, wobei im Jahr 1177 eine siegreiche Hauptschlacht über die Sarazenen unter Saladin geschlagen worden sei. In der Tat erfochten die Kreuzfahrer am 25. November 1177 in *Montgisard bei Ramla* einen Sieg über Saladin. Ramla war der Sitz einer Seigneurie des Königreichs Jerusalem. Zu jener Zeit war Balduin IV. König von Jerusalem.

In dieser Schlacht scheint unser Lazarusritter Werner Schmid, »*der Schreken der Sarazenen und Ungläubigen*« mitgefochten zu haben. Obwohl die Familiengeschichte als Datum den 25ten Heumond (= Juli) anstatt den 25. November, nennt, stimmt doch die Jahreszahl 1177. Eine andere Schlacht ist nicht wahrscheinlich: am 4. Juli 1187 erlitten die Kreuzritter eine vernichtende Niederlage in Hattin (zwischen Akkon und dem See Genezareth), die nur König Guido von Lusignan und etwa 20 Kreuzritter überlebten. Nach dieser Schlacht verloren die Christen grosse Teile von Outremer und des Königreichs Jerusalem. Werner Schmid scheint 1187 nicht mehr dabei gewesen zu sein.

Die Jahreszahl 1185 in der Familiengeschichte deutet eher darauf hin, dass er zu jener Zeit schon zurückgekehrt war nach Helvetien, auf seine Burg im Isenthal. Als Lazarusritter war er natürlich verbunden mit dem Kloster St.

Lazarus in Seedorf. Bestand dieses Kloster damals schon oder wurde es erst um 1184 gegründet? Nach der einen Legende soll der Gründer des Klosters der Ritter Arnold von Brienz gewesen sein, der um 1097/99 ins Heilige Land gezogen sei und nach seiner Rückkehr 1107 das Kloster in Seedorf gegründet habe. Nach einer zweiten Legende fällt die Gründung auf ein genaues Datum: den 12. Mai 1184. Der pestkranke König Balduin IV. soll in einem Traum die Aufforderung erhalten haben, ins Abendland zu reisen. Dort, wo sein Pferd in die Knie gehe, würde er gesund. Am 12. Mai 1184 sei er nach Seedorf gelangt. Er soll das bereits vorhandene Kloster reich begabt und einige Ritter zurückgelassen haben. Unter diesen könnte sich auch unser Werner Schmid befunden haben.

Die eine Legende schliesst die andere nicht aus. Wenn wir die beiden Geschichten zusammen nehmen, hätte Arnold von Brienz das Kloster 1107 gegründet, und der König von Jerusalem, Balduin IV. hätte 1184 das Haus offiziell als Lazaruskloster geweiht und einige seiner Ritter dort eingesetzt.

Aus dem Morgenland brachten die Kreuzritter, vor allem die Tempelritter, aber nicht nur Kunde von Kämpfen, sondern auch Wissen, wie es damals im Abendland noch nicht verbreitet war: Mathematik, Heilkunde, Astronomie, aber auch Alchemie und andere Geheimwissenschaften.
Was mochten diese Morgenlandfahrer nicht alles im Gepäck gehabt haben!

5.6 Die alten Dokumente des Klosters St. Lazarus in Seedorf

Das Necrologium von 1225

Das Necrologium wurde im Jahre 1225 angelegt; es ist ein Verzeichnis von Verstorbenen für die jährliche Gedächtnisfeier in der Kirche. Neben Namen von Brüdern und Schwestern (*frater, soror, swester*) finden sich auch Namen von weltlichen Fürbittestiftern. Auf der 6. Seite ist der Name des Klosterstifters verzeichnet: der Edle Arnold von Brienz. Er gründete 1197 das Kloster St. Lazarus in Seedorf. Der starke Bezug des Ordens zu Jerusalem weist darauf hin, dass der Stifter eine Jerusalem-Fahrt unternommen oder gar als Kreuzritter im Heiligen Land gekämpft hat.

Das Necrologium (Totenverzeichnis) des Klosters St. Lazarus von Seedorf aus dem Jahre 1225.

Ich suchte jedoch nach Spuren Schmidischer Vorfahren, die mit dem St. Lazarus Kloster in Seedorf zu tun hatten. Laut Familiengeschichte waren im Laufe der Jahrhunderte einige Männer und Frauen in dieses Kloster eingetreten, die Frauen als Ordensdamen, die Männer als Ordensritter. Der berühmteste unter ihnen war **Werner Schmid von Ury**, Ritter vom heiligen Lazar unter Jerusalems König Balduin IV., sonst aber wohnhaft auf seiner Burg im Isenthal. Aufmerksam, Zeile für Zeile, las ich das Dokument durch. Auf Werner Schmid war ich nicht gestossen. Am nächsten Tag fing ich nochmals von vorne an, und da sah ich plötzlich den gesuchten Namen!

Auf der zweiten Seite des Necrologiums, auf der ersten Zeile Ianuarius, stiess ich auf den Eintrag »*Wenher d Scmid d iseltal.o*»! (d = dicto: Werner genannt Schmid von Iseltal) - Dieser Eintrag würde die mündliche und schriftliche Überlieferung der Schmid von Ury bestätigen, wie sie im Anhang der Familiengeschichte von Franz Vinzenz Schmid notiert ist. Landschreiber Schmid muss, als er um 1780 die »Geschlechts- und Geschichtkunde« schrieb, auf alte Quellen zurückgegriffen haben, die heute nicht mehr auffindbar sind.

In diesem Reliquiar in der Klosterkirche von Seedorf ruhen die Gebeine der Ritter und Priester vom Orden des hl. Lazarus, darunter auch jene des Klosterstifters Arnold von Brienz. (Klostergründung 1185)

Hier nochmals der Text über Werner Schmid, wie er im Anhang steht:

> *»Anno 1185*
> *Lebt der im fernen Asien unsterblich berühmt wordene grosse*
> *Held Werner Schmid von Urÿ, sonsten wohnhaft auf seiner Burg*
> *im Isenthal, er war Ritter des königlichen Krieg-Ritterordens vom*
> *heiligen Lazar, stehend in Kriegsdiensten des Königs von Jerusa-*
> *lem, welche Stadt er schützen, und Saladin Soldan von Egÿpten*
> *und Sÿrien in der Hauptschlacht den 25ten Heumonds 1177 be-*
> *siegen half. Ein Schreken der Sarazenen und Ungläubigen war*
> *dieser siegesgewaltige Soldat Jesu Christi und kristliche Ritters-*
> *mann, und der Orient und Occident sangen sein Lob.«*

Über jene Schlacht habe ich ja im vorherigen Kapitel schon berichtet. Unter den Kreuzrittern befand sich auch ein kleines Kontingent des Lazarus-Ordens, deren Mitglieder auch die Leibgarde von König Balduin IV. von Jerusalem sowie die berühmte Einheit der »**Lebenden Toten**« stellten. Letztere waren an Aussatz erkrankte Tempelritter oder Ritter des Johanniter Ordens, die an den Orden des Heiligen Lazarus überstellt worden waren. Ihrer Tapferkeit wegen waren sie besonders gefürchtet. König Balduin selbst litt seit früher Jugend an Lepra, lebte aber 20 Jahre mit dieser Krankheit. Obwohl ein eher glückloser König, war es ihm vergönnt, Saladin in der Schlacht von Montgisard die schwerste Niederlage zuzufügen, die dieser je erlitt. Der Erfolg in dieser Schlacht mehrte das Ansehen der Lazarus-Ritter gewaltig, hatte doch die kleine Schar von nur etwa 50 Rittern die über 1000 Mann umfassende persönliche Garde von Saladin geschlagen. Saladin musste fliehen. Dies vor Augen, können wir den enthusiastischen Text über Kreuzritter Werner Schmid besser nachvollziehen (»ein Schreken der Sarazenen«).

Etwa acht Jahre später, 1185, wurde das Kloster des Lazarusordens in Seedorf Uri gegründet. Dass Werner Schmid mit dabei war, dürfen wir annehmen, handelte es sich ja um seine Heimat. Der Überlieferung nach war der von Aussatz befallene König Balduin IV. von Jerusalem an der Gründung beteiligt. Dies ist aber nicht gesichert, da die Legende erst im frühen 17. Jahrhundert auftauchte. Indirekt hatte er sicher mit der Gründung zu tun,

Der Löwen-Schild des Klostergründers Arnold von Brienz wurde zusammen mit seinem Siegelring und alten Dokumenten in einem Gewölbekeller des Klosters gefunden. Es ist eines der ältesten heraldischen Dokumente der Eidgenossenschaft, um 1180. (Replik: Historisches Museum Altdorf)

kämpften doch einige eidgenössische Lazarus-Ritter unter ihm. Da die Situation im Heiligen Land für den Orden immer prekärer wurde, drängten sich Ordensgründungen andernorts auf. Balduin IV. starb 1185.

1187 erobert Sultan Saladin Jerusalem. Der Lazarusorden verliert seinen gesamten Besitz in Jerusalem und zieht sich nach Akko zurück (in der Nähe der heutigen Stadt Haifa am Meer).

1188 belagert Saladin die Festung **Crac des Chevaliers** in Syrien einen Monat lang vergeblich. Die Festung steht auf einem Ausläufer des Alawitengebirges und beherrscht das Tal zwischen diesem und dem Libanongebirge.

König Balduin IV. der Aussätzige, König von Jerusalem von 1174-1183. In der Schlacht von Montgisard im Jahre 1177, in der auch Werner Schmid von Ury mitgekämpft haben soll, fügte er mit seinen Kreuzrittern den Muselmanen unter Saladin eine schwere Niederlage zu. (Gemälde im Gästesaal des Klosters St. Lazarus in Seedorf)

Kampf zwischen Kreuzfah-
rern und Muslimen.
Abbildung aus einem
mittelalterlichen Buch.
(Codex 2623, ÖNB, Wien)

Der Krak des Chevaliers,
eine Kreuzritterfestung in
Syrien (Foto: H. Holzer)

1191 besiegt König Richard I. Löwenherz von England mit seinem Kreuzfahrerheer das Heer von Sultan Saladin bei Arsuf. Der Lazarusorden etabliert sich in **Akkon**, errichtet dort ein Spital, ein Konventsgebäude und eine Kirche.

Das Regelbuch von 1314

Im Kloster St. Lazarus befand sich auch das Regelbuch von 1314, das für die Geschichte des Ordens von grösster Bedeutung ist. Es sind dies **Lazariterstatuten**, die uns aus der Kreuzzugszeit erhalten geblieben sind. Der Autor des Buches, Siegfried von Schlatt, war Provinzialkomtur der Häuser Schlatt, Gfenn und Seedorf und schien selbst noch Ritter gekannt zu haben, die im Heiligen Land gedient hatten. Es ist anzunehmen, dass ihm Handschriften vorlagen, die nach dem Fall von Akko ins Abendland gekommen waren. Die ältesten Satzungen (18 Gesetze) stammen aus der Zeit vor 1187, als das Haus St. Lazarus in Jerusalem erst eine Gemeinschaft von Aussätzigen und Gesunden im Siechenhause vor den Mauern der Stadt war. Dann enthält das Buch zwei Disziplinarbestimmungen, die sehr wahrscheinlich in Akko entstanden sind (1187 bis etwa 1250).

Diese alten Handschriften sind mit den überlebenden **Lazarusrittern** nach Europa gekommen. Ritter Arnold von Brienz war einer von ihnen, Werner Schmid von Ury zählte vielleicht auch dazu. Dazu zahlreiche andere, von denen wir die Namen nicht wissen, denn im alten Kloster liegen die Gebeine von 40 Lazaritern begraben.

5.7 Das wunderbare Auffinden der Dokumente des Klosters St. Lazarus

Im Jahre 1606 hatte eine Klosterfrau Visionen: vor ihrem geistigen Auge sah sie ein verborgenes Gewölbe und alte Dokumente. Darauf begann man im Fundamentbereich zu graben und stiess tatsächlich auf ein Gewölbe, das vor Jahrhunderten zugemauert worden war.

Darin fand man Gebeine und alte Schriften: es waren die alten Lazariterschriften, sowie die Gebeine der Kreuzritter! Der Fund war eine Sensation, denn er gab direktes Zeugnis über jenen Orden, der im 12. Jahrhundert im

Königreich Jerusalem gelebt und gekämpft hatte. Dass es wirklich die Gebeine der Lazarusritter waren, dürfen wir aus zwei Gründen annehmen:

· 1. waren jene des Klosterstifters Arnold von Brienz darunter. Man erkannte ihn am Siegelring mit dem Löwen.
· 2. befand sich unter den Dokumenten das Regelbuch des Lazariterordens von 1314, das auf originalen Handschriften basierte, die Ende des 12. Jahrhunderts noch in Akko entstanden und nach der Niederlage ins Abendland gekommen waren.

In einer kleinen Seitenkapelle des Lazarusklosters sind heute die Überreste der Ritter vom grünen Kreuz in einem Reliquienschrein ausgestellt. Als ich so vor diesen alten Gebeinen stand, überrieselte es mich doch recht seltsam: da lagen die Überreste von Männern, die vor tausend Jahren dafür gekämpft hatten, ein christliches Königreich mitten in muselmanischem Gebiet einzurichten und zu erhalten. Sie haben zwar in »gutem Glauben« gehandelt, aber sie haben Blutbäder angerichtet, die wir heute weder verstehen noch gutheissen können. Unter den Folgen dieser grausamen Kämpfe darum, welche Religion denn nun die wahre sei, wer die Rechtgläubigen und wer die Ungläubigen - darunter leidet das »Heilige Land«, und damit wir alle, noch heute.

Ich fühle mich nicht befugt zu richten über diese alten Ereignisse. Aber als ich in mich hinein horchte, wurde mir bewusst, dass ein Teil von dieser alten Geschichte verborgen auch in mir noch lebt. Dass ein winzig kleiner Teil dieses Kreuzritters Werner Schmid von Uri, dessen Knochen ich vor mir zu sehen glaubte, auch in seinem (indirekten) Nachfahren Christian Schmid von Uri seine Spuren hinterlassen hat. Sehr nachdenklich verliess ich nach einer langen Weile diesen Ort.

Biographien einiger Vorfahren und Ahninnen

Im Folgenden werde ich Bericht geben von einigen weiteren Angehörigen der Familie Schmid von Uri. In den patrilinearen Stammbäumen werden nur die Männer und ihre Söhne aufgelistet. Wir erfahren zwar, welche Frauen sie geheiratet haben und wieviele Kinder sie hatten – aber vom Leben der Frauen wissen wir nicht viel. Daher war es mir wichtig, in diesem Kapitel auch von Frauenleben zu erzählen. Der Bogen spannt sich von Anfang 16. bis ins 20. Jahrhundert; da spielen dann auch meine engeren Verwandten eine Rolle.

6.1 Barbara Schmid von Ury: davon gelaufen
(Heirat 1519)

Barbara war das fünfte Kind von Hauptmann Anton Schmid, dieser hatte zur Gattin Margareth Wohlleb, aus dem Geschlecht der Edlen von Hospenthal. Im Jahre 1519 heiratete sie Ludwig, Edlen von Erlach, Freiherr von Spiez im Berner Oberland. Von dieser Verbindung zeugt noch heute ein Glasgemälde mit dem Allianzwappen von Erlach und Schmid. Eduard Wymann berichtet in den Urner Neujahrsblättern von 1925 folgendes:

>*Im alten unscheinbaren Kirchlein zu Einigen bei Spiez erblickt der Besucher in den Chorfenstern zwei wertvolle Glasgemälde, die mit einem gewissen Rechte als urnerische Stücke bezeichnet werden dürfen. ... Die zwei beschriebenen Glasgemälde sind eine Stiftung des Junkers Ludwig von Erlach, der mit einer Frau Barbara Schmid von Uri im ehelichen Bunde lebte. Er wurde 1470 geboren und starb den 29. März 1522. Das ungebundene militärische Berufsleben dieses Reisläufers machte sich auch im engsten häuslichen Kreise ungünstig bemerkbar. Die Frau hatte Grund, sich über ihren Gatten zu beklagen; dass sie ihn aber in schwerer*

Krankheit verliess und bei Nacht und Nebel aus dem Hause floh, vergass er nicht in seinem Testamente vorwurfsvoll zu erwähnen. Die allzu sehr auf ihren eigenen Vorteil bedachte Gemahlin des vornehmen Berners nahm überdies bei ihrem Weggang verschiedene Kostbarkeiten mit, die sie später teilweise wieder zurückerstatten musste. Der grosse Reichtum, welchen der Junker in fremdem Solddienst zusammengerafft hatte, ermöglichte es ihm, 1516 die Freiherrschaft Spiez anzukaufen, zu welcher der Kirchensatz von Einigen gehörte. Dadurch ist der Standort der zwei Glasgemälde ohne weiteres erklärt.

Die Figur des Apostels Jakob erinnert vielleicht an eine Wallfahrt, die den Stifter gemäss einer beliebten Sitte jener Zeit einst nach Compostella geführt hat.

Die geschilderte Familienverbindung gab vermutlich Anlass zu einer spätern Allianz, indem Landammann Jost Schmid (gest. 1582) sich eine Frau aus dem hohen Berner Aristokratengeschlecht von Erlach holte.«

Im Artikel »Zwei urnerische Glasgemälde im Berner Oberland« beschreibt E. Wymann die beiden Wappen:

»Das Allianzwappen ist geviertet. Der steigende schwarze Bär im weissen Feld oder in Silber stellt das Frauenwappen dar. Es handelt sich hier ohne Zweifel um das älteste noch erhaltene Schmidische Familienabzeichen. Nach dem Adelsbrief vom 17. August 1550 besteht das gevierte Wappen der Familie Schmid aus einem aufrechten schwarzen Bären in Gold und aus einer goldenen Lilie in Blau. Die Lilie scheint also 1519 noch nicht einen Bestandteil oder wenigstens noch keinen festen Bestandteil des Schmidischen Wappens ausgemacht zu haben.«

(Siehe dazu auch das Kapitel 4.1 Bär und Lilie)

Noch vor der Schlacht von Marignano 1515 verliessen einige Berner Hauptleute mit ihren Truppen die Lombardei: der französische König Franz I. versuchte immer wieder, mit Golddukaten Schweizer Söldner zu »kaufen«, damit sie nicht gegen ihn in die Schlacht zögen. Er hatte gar kein Interesse daran, die allseits gefürchteten Eidgenossen ins Jenseits zu schicken. Viel lieber hätte er sie in seinem Heer gesehen. So verliessen einige Berner Hauptleute, darunter Hautpmann Albrecht von Stein und Ludwig von Erlach, die Taschen voller Dukaten, das Heer und zogen über die *Alpen* heimwärts. Albrecht von Stein gab schon unterwegs das Geld mit vollen Händen aus, und **Ludwig der Edle von Erlach** kaufte von dem Geld 1516 die Herrschaft Spiez. (Quelle: Hilty, S. 184)

Besuch in Einigen bei Spiez

Mein Bruder Walter nimmt regen Anteil an der Entwicklung dieser Familiengeschichte. So beschlossen wir, der Kirche in Einigen bei Spiez einen Besuch abzustatten, um die Allianzscheibe aus dem Jahre 1519 mit eigenen Augen zu sehen. Das ehemalige Wallfahrtskirchlein liegt direkt am Thunersee und wurde 900-950 auf dem Fundament der Urkirche erbaut. Diese stammt aus dem 7. Jahrhundert (650-750) und war dem hl. Michael geweiht. Nach Blanche Merz ist es ein Kraftort, der schon von den Kelten als energiespendender Ort genutzt wurde, denn man hat Mauerreste aus jener Zeit gefunden. Auf jeden Fall ist es ein Ort der

Allianz-Wappenscheibe Schmid-Erlach im Kirchlein zu Einigen aus dem Jahre 1519. Bei dem Frauenwappen mit dem Bär handelt es sich um das älteste noch erhaltene Schmidische Familienabzeichen.

Stille und des Friedens. Lag es nur daran, dass wir die einzigen Menschen im Kirchlein waren?

Die Kirche zu Einigen bei Spiez am Thunersee, erbaut auf den Fundamenten eines ehemaligen Wallfahrtskirchleins aus dem 7. Jh. – ein schon von den Kelten benutzter Kraftort.

Abschliessend noch ein paar eigene Gedanken:

Ich denke, ein schlechtes Gewissen musste sich Barbara Schmid, verheiratete Erlach wegen der Vorwürfe ihres Gatten nicht machen. Ihr Mann, der Söldnerführer, hat auf seinen Feldzügen wahrlich genug Geld verdient, um sich wegen ein »paar Kostbarkeiten«, die seine Frau mitlaufen liess, keine Sorgen zu machen. Sie hat ihm den Haushalt besorgt in seiner Herrschaft Spiez, während der Haudegen dauernd auf ausländischen Schlachtfeldern weilte. Sie verliess ihn bei Nacht und Nebel, wie Ludwig von Erlach schreibt, was ihn verletzt hat. Vermutlich ging sie weg, als er wieder einmal während langen Monaten abwesend war. Ich würde eher sagen: sie hatte den Mut gehabt, ihn zu verlassen. Eine Scheidung war damals nicht so ohne weiteres möglich, so lief sie ihm einfach davon und kehrte zurück in ihre Heimat Altdorf, Uri. Eine frühe Emanzipierte? Sicher eine Frau, die wusste, was sie nicht mehr wollte.

Den folgenden Lebenslauf zitiere ich mit freundlicher Genehmigung von Frau Dr. Helmi Gasser, einer profunden Kennerin der Familie Schmid von Uri. Er stammt aus dem Büchlein »Zwei Altdorfer Herrensitze: Die Häuser ehm. der Familie Epp Gotthardstr. 14/ Herrengasse 10«.

6.2 Josepha Magdalena Schmid von Ury: eine verschwenderische Schönheit (1778-1821)

Als einziges Kind von Landammann **Joseph Maria Schmid von Ury** (1740-1813) war sie eine sogenannte Erbtochter. Ihr fiel das gesamte väterliche und mütterliche Erbe zu. »*Sie war im übrigen die Letzte dieses Zweigs der Familie. Als umschwärmte Beauté stellte sie eine der begehrenswertesten Partien dar im damals vom Dorfbrand und militärischen Besetzungen am schwersten betroffenen Hauptort.*

Ihr Auserwählter, **Dominik Epp,** *hatte wie sein Vater, Landschreiber Carl Anton Epp, als Hauptmann in spanischen Diensten gestanden. ... So sehr die Tochter für Dominik Feuer gefangen hatte, so wenig erfreut darüber war ihr Vater, Landammann Schmid, fand sich doch die Familie Epp noch nicht einmal hundert Jahre im Kreis des gehobenen Altdorfer Patriziats. Zudem hatte die »Gültentrucke« des Bewerbers gar geringen Umfang. Der Eigensinn der Tochter, und die Kühnheit ihres Liebhabers fanden einen Ausweg: in Uri gab es einen einzigen Ort, wo man ohne Einwilligung der Eltern heiraten konnte, in der Pfarrkirche Bürglen, »unter dem Herd« (unter der Erde) – einer düsteren, unwirtlichen ehemaligen Stollenkrypta. Hier gaben sich Josepha Magdalena Schmid von Ury und Dominik Epp am 8.9.1802 das Jawort und flüchteten hernach zu Pferd über den Klausenpass nach Wien. Inzwischen glättete die Geistlichkeit beider Familien die Zorneswogen des Brautvaters. Der erstgeborene Sohn Joseph Maria Dominik (mit den Namen des Brautvaters und des Gemahls) kam jedenfalls am 10.5.1803 bereits wieder in Altdorf zur Welt.*«

Josepha gebar ihrem Gemahl neun Kinder. »Den aufwändigen Lebensstil ihrer Herkunft behielt sie bei. Sie sei »*brüüchig*« (viel brauchend, verschwenderisch) gewesen, hiess es. Als leidenschaftliche Reiterin sah man sie kaum zu Fuss, und in ihren Landsitz Spiss oberhalb Bürglens, liess sie auf eigene Kosten eine reitbare Strasse anlegen. Um stets nach der auserlesensten und neuesten Mode gekleidet zu sein, versetzte sie auch – ohne ihren Gemahl zu fragen – unbekümmert altes Silberzeug. So bescherte sie diesem ab und zu auch einen Verdruss. Sie hinterliess ihm das Anwesen beim Oberen Hl. Kreuz, den Landsitz Spiss oberhalb von Bürglen, ansehnlichen Gültenbestand, aber auch 20'000 Gulden verheimlichte Schulden.«

Ihr erstgeborener Sohn, **Joseph Maria Epp** (1803-1862), wählte den geistlichen Stand und wurde Pfarrer. Als 1859 sein Vater Dominik I starb, erbte Josephs Bruder **Dominik II** das Epp'sche Anwesen.

Ein paar eigene Gedanken:

Aus der Schilderung könnte man entnehmen, dass Josepha Magdalena ein reiches und verwöhntes Einzelkind gewesen sei: eigensinnig, verschwenderisch und gern im Luxus lebend. Den Eigensinn - den haben wir schon bei einigen Vertretern und Vertreterinnen der Schmid von Uri feststellen können. Er scheint eines der Charaktermerkmale der Schmids von Uri zu sein. Vielleicht braucht es ihn, um ein grosses Ziel zu erreichen?

Josepha Magdalena hat ihrem Gemahl neun Kinder geboren und beträchtliche Güter hinterlassen (die Häuser an der Gotthardstrasse in Altdorf und jenes in Bürglen), dazu den Haufen Schulden. Wägt man dies gegeneinander ab, so wird es sich die Waage halten. Dieser Meinung ist übrigens auch Frau Gasser. - Vergessen wir nicht: in früheren Zeiten fiel dem Mann alles zu, was die Frau in die Ehe einbrachte. Starb sie, gehörte alles ihm. Ein Mann hatte damals viel mehr Rechte als die Frau. Ohne genauer auf diesen Punkt eingehen zu wollen, würde ich meinen: sie war eine selbstbewusste Frau, die gut für sich schaute. In ihre Liebes- und anderen privaten Angelegenheiten liess sie sich von niemandem dreinreden. Recht so! Es scheint, als ob sie eine Balance gefunden hätte zwischen Pflicht und Vergnügen... Und so dürfen wir mit einem milden und einem belustigten Auge auf Josepha Magdalena Epp-Schmid von Ury schauen. Auch sie war eine Frau, die wusste, was sie wollte.

Im September 2013 unternahm ich eine weitere Reise in die Innerschweiz, die mich u.a. wieder einmal nach Bürglen führte. Ich wollte die Stollen-Krypta sehen, wo Josepha Magdalena und Dominik am 8. September 1802 ohne Einwilligung der Eltern geheiratet hatten. Ich hatte ein Treffen mit dem Sakristan Toni Stadler vereinbart, der mich in die unterirdische Kapelle führte. (Der Sigrist heisse in Bürglen noch Sakristan, und »nicht Sigrist, wie es 1962 eingeführt wurde«, wie Herr Stadler mir erklärte) Die Krypta war kürzlich renoviert worden und sah heute anders aus wie vor über 200 Jahren. Damals zierte noch ein Totenschädel den Altar, wie auf einer alten Fotografie zu sehen ist (Gasser, 2006, S. 22).

6.3 General Anton Maria Schmid: der »Schlächter« von Perugia (1792-1880)

Landammann Anton Schmid von Altdorf hatte als junger Offizier in Frankreich gedient und im Sonderbundskrieg (November 1847) eine Brigade geführt. Mittlerweile waren in der Schweiz die militärischen Fremddienste in Ungnade gefallen. Aus diesem Grund lösten sich Anfang 1849 auch die zwei päpstlichen Fremdenregimenter (»Schweizerregimenter«) auf, so dass im April 1849 viele abgedankte päpstliche Soldaten in Uri durchpassierten. Als Papst Pius IX. an Neujahr 1852 zum Schutz der römischen Republik wieder zwei Fremdenregimenter errichten will, strömten die Söldner nicht mehr in Scharen herbei. Diese Zeiten waren vorbei. *»Die päpstliche Regierung glaubte diesen Schwierigkeiten am wirksamsten zu begegnen, wenn sie für das ledig werdende Kommando beim ersten Fremdenregiment einen angesehenen katholischen Magistraten der Urschweiz gewinne. Ihre Wahl fiel auf alt Landammann und Landshauptmann Anton Schmid von Altdorf.«*

General Anton Schmid

General Anton Maria Schmid, der am 20. Juni 1859 für den Papst die Stadt Perugia stürmte und unterwarf. (Abbildung im Historischen Neujahrsblatt Uri von 1924)

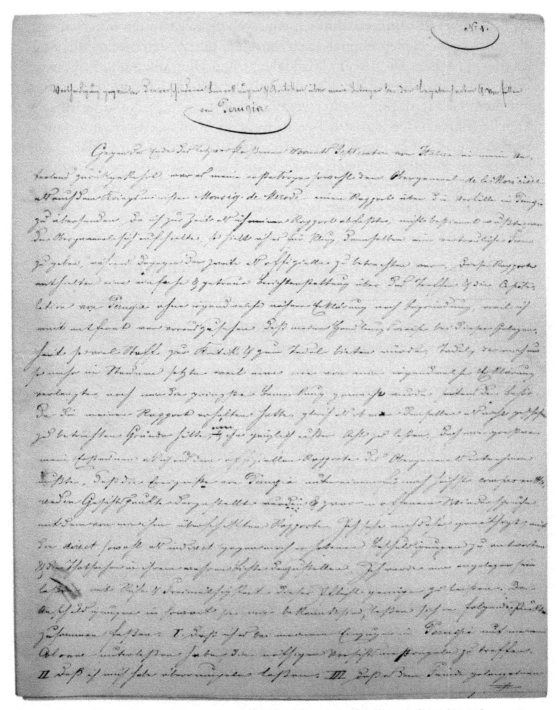

Mehrseitige „Vertheidigung" General Anton Schmids wegen der Vorwürfe und Kritik an seinem brutalen Vorgehen bei der Unterwerfung von Perugia. 1860. (StaU P-7/186)

Am 19. Januar 1855 reiste Anton Schmid von Altdorf zu seinem Regiment in Italien ab. Mit frohem Herzen ist der dem päpstlichen Ruf sicher nicht gefolgt, denn drei volle Jahre hat er gezögert, sich Zeit gelassen, um diesen Dienst anzutreten. Ich denke, dass am Schluss der gute Katholik in ihm gesiegt hat: aus Angst, eine Sünde zu begehen, wenn er dem Papst nicht gehorchen würde...

Dieses »erste Fremdenregiment wurde 1855 dauernd nach Rom verlegt, wo es Mitte Juni 1859 den historisch gewordenen Auftrag erhielt, die rebellische Stadt Perugia wieder zur Untertanenpflicht zurück zu bringen. Der rasche und energische Vollzug dieses Befehls, der den übrigen abgefallenen Städten des Kirchenstaates den Mut zum Widerstande benahm, brachte dem Obersten schon am andern Tage den Titel und Rang eines Brigadegenerals.«

Diese trockenen Zeilen stammen aus einem Beitrag von Eduard Wymann im Historischen Neujahrsblatt Uri, 1924 *(Ein Offiziersverzeichnis der zwei päpstlichen Fremdenregimenter vom Juli 1859.)*
Was aber hinter diesem »raschen und energischen Vollzug des Befehls« sich alles verbirgt, wie viel vergossenes Blut und Leid, darüber hat Eduard Wymann in seinem Artikel nichts geschrieben. Da es grosse Verluste unter der Zivilbevölkerung von Perugia gab, bezeichneten böse Zungen General Schmid auch als »Schlächter von Perugia«. Ich habe einige Dokumente zu dieser Angelegenheit im Staatsarchiv Uri gesichtet, so u.a. die Befehle von General Anton Schmid von 1860, einen Artikel in der Schwyzer-Zeitung vom 29. September 1860, sowie ein Blatt mit der Verteidigung des Generals gegen die Kritik an seinem Verhalten. Auch in unserer Familie sind sich einige Personen dieses unrühmlichen Zunamens von General Schmid durchaus bewusst, wenn auch niemand Details dazu beisteuern konnte.

Weiterführendes zitiere ich – gekürzt - aus einem Abschnitt (S. 57) von Hans Muheims Chronik »150 Jahre Offiziersgesellschaft Uri« von 1994:

Brigadier Anton Maria Schmid, General in päpstlichen Diensten
»Eine der ältesten Urner Familien ist jene der Schmid, die zu den Stiftern der Pfarrkirche von Spiringen im Jahre 1290 gehört (Dazu siehe Näheres in Kap.

7.6 über die Herkunft der Schmid von Uri). *Diese Familie hat dem Lande Uri sehr viele bedeutende Persönlichkeiten geschenkt, so u.a. mit 21 Landammännern die weitaus grösste Zahl dieser Urner Magistraten. ...*

In diese bedeutende Urner Adelsfamilie hinein wurde am 8. November 1792 als Sohn des Säckelmeisters Josef Maria Schmid und der Katharina Gerig auf der Schiesshütte zu Altdorf Anton Maria Schmid geboren. ... Anton Maria Schmid III. verehelichte sich am 6. Mai 1837 mit Carolina Curti. ... Als Offizier seit 1815 im Dienste des französischen Königs Ludwig XVIII. stehend, machte Schmid 1823 den Feldzug nach Spanien mit und kehrte als Oberstleutnant, dekoriert mit dem Ludwigskreuz, nach der Abdankung der Schweizertruppen 1830 in die Heimat zurück. ...

Im Januar 1855 übernahm Anton Maria Schmid das Kommando des I. Fremden-Regiments im Kirchenstaat. Er stürmte am 20. Juni 1859 die Stadt Perugia, unterdrückte den Aufstand in dieser Provinz, wurde von Papst Pius IX. zum General befördert und schliesslich in den päpstlichen Gebieten von Umbrien und den Marken als Militärgouverneur eingesetzt. ... Papst Pius IX. zeichnete General Schmid, der im Spätherbst 1860 in seine Heimat zurückkehrte, mit dem Grosskreuz des Gregorius-Ordens und der goldenen Feldzugsmedaille »Pro Petri Sede« aus.«

Zehn Jahre später, »am 20. September 1870, kapitulierte der Papst vor den piemontesischen Truppen, was das endgültige Ende der weltlichen Herrschaft der Päpste bedeutete.«

Anton Schmid und Carolina Curti hatten vier Kinder:

Carolina Schmid-Epp (1838-1933), Frau von Oberst Dominik Epp.
Dr.phil. et theol. Anton Schmid (1840-1926), ward Priester, Professor am Seminar in Chur, dann Pfarrer in Göschenen, Seelisberg und Muotathal.
Dr.iur. Franz Schmid (1841-1923), Regierungsrat und Landammann, Ständerat, Nationalrat und 1904 Bundesrichter. Starb 1923 im Amte als Bundesgerichtspräsident.
Karl Schmid (1848-1903), Förster in Aschaffenburg/Bayern.

Über **Carolina**, sowie die beiden Söhne **Anton** und **Franz** Näheres auf den folgenden Seiten.

6.4 **Carolina Schmid von Ury: ein langes Leben** (1838-1933)

Älteste Tochter von General Anton Maria Schmid
Gemahlin von **Dominik III Epp**

Ihr Gemahl Dominik Epp (1837-1907) war als Major im päpstlichen Fremdenregiment. Unter General Anton Maria Schmid war er 1859, als 22-Jähriger, an der Unterwerfung Perugias beteiligt und wurde für seine Tapferkeit vom Papst mit vier Orden ausgezeichnet. Zurück in Altdorf, verheiratete er sich mit der Tochter seines Generals.

Auf einer Fotografie, die um 1870 aufgenommen wurde, schaut uns eine schöne Frau entgegen (Gasser, 2006, S. 27). Sie blickt ernst, vielleicht etwas traurig? Viel muss sie erlebt und gesehen haben in ihrem langen Leben. Als sie geboren wurde, gab es noch keine Autos und keine Elektrizität. Könige und Kaiser hat sie kommen und gehen sehen, und von so manchem Krieg im Ausland gehört. Ihr eigener Vater hat mit brutaler Hand Perugia unterworfen, was ihm zwar den Generalsrang, aber auch harsche Kritik einbrachte. In jenen Zeiten war der Mann das unangefochtene Oberhaupt der Familie: ein Patriarch, der das Sagen hatte. Hat Carolina sich diesem Diktat untergeordnet? Ich habe es nicht recherchiert.

Auf dem Familienfoto der Goldenen Hochzeit von Bundesrichter Dr. Franz Schmid und Katharina geb. Schillig im November 1923 ist die 85jährige Karolina Epp-Schmid zu sehen. Sie sitzt rechts von ihrem Bruder Franz, dem Bundesrichter; Dieser starb etwa zwei Wochen nach dieser Aufnahme.

Karolina Epp-Schmid mit 85 Jahren, rechts von ihrem Bruder Franz, dem Bundesrichter (November 1923)

Karolina überlebte ihren Mann um 26 Jahre und starb im Jahr 1933, 95 Jahre alt. Auf ihrem Leidbildchen hat sie uns eine kleine persönliche Botschaft hinterlassen:

Zur frommen Erinnerung
an Frau Oberst Caroline Epp=Schmid
geb. 6. Dezember 1838
gest. 5. Oktober 1933.

Ihr Abschiedsgruss:
95 Jahre hab ich verlebt nach Gottes Will',
Hab viel Gutes, viel Schweres erfahren,
Hab stets nach Gottes Segen gestrebt,
Er war mit mir in all den vielen Jahren.
Ihr aber, die zurückgeblieben,
Wenn Grossmütterchen geht,
Bleibt Gott und der Pflicht getreu
Und gedenkt meiner im Gebet!

Mein Jesus Barmherzigkeit!

6.5 Pfarrer Anton Schmid, Muotathal: hilfsbereit und hellsichtig (1840-1926)

Meine Cou-Cousine Mirjam Lautenschlager aus St. Gallen hat mir vor vielen Jahren ein Büchlein geschenkt »Der Pfarrer im Thal«. Sie bemerkte dazu, dieser Pfarrer wäre ein Ur-Grossonkel von uns gewesen. Sie schien sich mit diesem Pfarrer auszukennen, wohingegen ich ihn damals noch nirgends einordnen konnte. Das Büchlein habe ich dann gelesen und gefunden, dass Pfarrer Anton Schmid ein ganz aussergewöhnlicher Mensch gewesen war. Inzwischen sind mir die Schmid'schen Familienverbindungen geläufiger, und ich kann ihn nun einordnen. Nachfolgende Zitate stammen alle aus Pater Enzler's oben angeführter Broschüre.

»Anton wurde am 19. Juli 1840 in Altdorf geboren, in der sogenannten »Schiesshütte«, dem Stammhaus der Schmid. Schon früh zeichnete sich der Knabe aus durch besondere Frömmigkeit. Wenn seine Geschwister sich vergnügten und spielten, machte sich Anton oft davon, kniete in einem verborgenen Winkel und betete.«

Als Anton sich entschloss, Priester zu werden, »sagten einige Altdorfer Evastöchter, es sei schade um den schönen Burschen. Es wäre besser, sein Bruder Franz, der Grünling, würde Geistlicher werden...«

Davon unbeirrt, zog Anton nach Rom und schloss nach sieben Jahren im *Germanikum* der Jesuiten (1552 von Ignatius von Loyola initiiert) mit dem Doktorat der Philosophie und Theologie ab. Die Väter Jesuiten vermittelten ihm aber auch ihre solide religiöse und asketische Bildung.

Zurück in der Schweiz, lehrte er zunächst am Priesterseminar in Chur. Doch fühlte er sich nicht zum Professor berufen. Es zog ihn hinaus in die Seelsorge. 1865 tauschte er das Lehramt gegen das Hirtenamt. In verschiedenen Urner Gemeinden wirkte er danach als Pfarrer. In den späten 1870er Jahren war er in Schattdorf, als er vom Bischof nach Muotathal berufen wurde. »Mein Vater! Ist's möglich, so nimm diesen Kelch von mir«, schrieb darauf Schmid, der Schattdorf nicht mit dem Muotathal vertauschen wollte. Bischof Rampa bemerkte auf der Rückseite des Briefes: »Dr. Schmid hat eitle Hoffnungen, keine Änderung mehr möglich.« So kam es, dass Schmid 1881 einstimmig zum Pfarrer von Muotathal gewählt wurde. Es sieht ganz so aus, als ob die Vorsehung es gut gemeint habe mit dieser Wahl: Pfarrer Schmid übte seine seelsorgerliche Tätigkeit in Muotathal fast fünfzig Jahre aus – bis er, 86jährig, durch einen Unfall aus dem Leben gerissen wurde.

In diesem halben Jahrhundert jedoch errang er sich den Respekt und die Liebe der Muotathaler. Bei jedem Wetter machte er Krankenbesuche, und bei jenen, die dem Tode nahe waren, wachte er selber am Krankenlager, damit die Angehörigen sich ausruhen konnten. Sein Scheinwerfer war das Petrollämpchen. Mit weit ausholendem Schritt wanderte er durch das Dorf bis in die entlegensten Hütten. Jedermann kannte das wandernde Licht und wusste: Jetzt macht der Pfarrer die Runde bei den Kranken. Nicht selten kam es vor, dass er vier bis fünf Stunden durch hohen Schnee stapfen musste, z.B. wenn er ins 6 km entfernte Bisisthal wandern musste.

Pfarrer Anton Schmid scheint übernatürliche Fähigkeiten gehabt zu haben, denn es kam immer wieder vor, dass er sich zu einem Besuch aufmachte, **bevor** er gerufen wurde. Die Muotathaler bezeugen viele solcher Begebnisse. Im Jahre 1882 läutete es eines Nachts an der Tür des Pfarrhauses. Beim Nachschauen war aber niemand vor der Tür gewesen. Sofort sei ihm der Gedanke durch den Kopf gegangen: »Du musst zum Hellbergbauern hinauf!« Pfarrer Schmid zog sofort los zu dem Bergbauerngüetli. Die Angehörigen staunten, dass der Pfarrer von sich aus gekommen war. Eine halbe Stunde nach dem Eintreffen von Pfarrer Schmid gab der Hellbergbauer ausgetröstet und gut vorbereitet seine Seele dem Schöpfer zurück.

Ein Mann verunglückte tödlich beim Holzen im Wald. Ein Mitarbeiter wollte die Trauernachricht zuerst dem Pfarrer überbringen. Auf der Muotabrücke traf er zufällig mit ihm zusammen. »Herr Pfarrer, ich muss Ihnen etwas sagen!« Der entgegnete ihm: »Ich weiss es schon, ich gehe jetzt grad zu den Angehörigen, um es ihnen mitzuteilen.«

Zu einer vertrauten Person sagte Pfarrer Schmid, dass die Armen Seelen ihm mehr als hundert Mal erschienen seien. Sie dürfe es aber niemandem sagen. Er selber hat erzählt, wie ihn eines Tages jemand am Ärmel zupfte, als er gerade in die Kirche gehen wollte. Er schaute sich um und gewahrte ganz deutlich ein am gleichen Morgen verstorbenes Pfarrkind, das ihm sagte: »Beten Sie für mich!« – »Was, Ihr seid es, euer Leib ist ja noch nicht einmal erkaltet«. Das geschah beim »Bogen«, einem Unterstand bei der Friedhofsmauer.

Einmal rumpelte es im Klavierzimmer. Die Köchin erschrak. Da sagte der Pfarrer zu ihr: »Diesmal geht es dich an. Sr. Isabella ist gestorben.« Die Verstorbene hatte den Seelsorger gut gekannt. Es ist leicht zu begreifen, dass es der Haushälterin manchmal fürchtete, wenn sich die Armen Seelen in der Nacht mit Lärm und Geläut kündeten und um Gebetshilfe baten.

Ein Schwyzer Bauer zog auf die Alp im Muotathal. Um Mitternacht fing es jedesmal an, im Herdfeuer zu brennen; jemand schürte das Feuer, so dass es braschelte. Die Sache wurde mit der Zeit unheimlich. Man ging zu Dekan Schmid und fragte ihn: »Sollen wir die Alp verlassen?« – »Nein«, erklärte dieser, »es würde auch daheim so kommen. Lasst eine Anzahl Messen lesen.« Danach hörte das Machwerk auf. Das Volk erzählte, dass dies von einem verstorbenen Mann kam, der auf der Alp Holz gefrevelt hatte.

Seine Nichten in Altdorf erzählen, dass er ihnen eine Arme Seelen-Geschichte berichtete, als sie noch Kinder waren, bei der es ihnen kalt über den Rücken lief. Das war die Geschichte vom schwarzen Hund. Pfarrer Schmid wurde von einem »Landstreicher« gerufen, der in einer elenden Hütte wohnte und oft wüst redete. Als er zu ihm kam, um ihm die heiligen Sakramente zu spenden, gelang es ihm nicht. Der arme Mann fluchte weiter und neigte sich auf einmal herab wie ein Pudel. Es war nichts zu machen. Als Pfarrer Schmid von der Hütte weglief, folgte ihm ein Hund, der die Züge des Mannes trug. Der begleitete ihn bis zur Kirchentüre. Als er das Allerheiligste in den Tabernakel zurück gelegt hatte und vor die Kirche trat, war der Hund verschwunden.

Das Marmor-Epitaph von Pfarrer Anton Schmid in Muotathal spiegelt den gegenüber liegenden Gasthof Hirschen, in dem wir genächtigt haben.

Solche Geschichten gab es unzählige. Der spätere Weihbischof von Chur, Dr. Anton Gisler, ein Landsmann von Schmid, äusserte sich einmal: »Pfarrer Schmid war ein charismatischer Mensch.« – Charismen sind besondere, übernatürliche Gnadengaben, die Gott verschiedenen Heiligen und heiligmässigen Personen verliehen hat. Und dass Dekan Schmid »mehr konnte« und »mehr wusste« als andere Menschen, davon war das Volk fest überzeugt.

Offenbar ahnte er auch seinen gewaltsamen Tod voraus. Kurz vor seinem Tode sagte er zu seinem Arzt: »Wenn Sie dann das nächste Mal zu mir gerufen werden, müssen Sie schneller kommen!« Auch sein Verhalten deutet darauf hin: am 17. November wollte er nach der Messe schon die Kapelle verlassen, kehrte aber nochmals zurück. Er ging an die Stufen des Altars, kniete nieder vor dem göttlichen Meister, wie um Abschied für immer zu nehmen. Man merkte, er konnte sich fast nicht trennen. Als er aus der Kirche trat, war es schon dunkel. Da kam ein Fuhrwerk. Das Postauto fuhr diesem entgegen, und das Pferd, geblendet durch die Scheinwerfer des Postautos, scheute und warf Pfarrer Schmid zu Boden. Er erlitt einen Schädelbruch und starb am nächsten Tag, den 18. November 1926.

Meine Töchter Rahel und Joëlle schenkten mir zum 65. Geburtstag eine Reise, deren Ziel ich bestimmen durfte. Ich wählte eine Reise ins Muotathal. Einerseits konnte ich so endlich einmal zum Grabstein von Pfarrer Anton Schmid pilgern, und anderseits hatte Rahel sehr von dieser Gegend geschwärmt, die sie von einem Ausflug her kannte: den Bödmeren Urwald, das Karstgebiet der Silberen und den Pragelpass. Bei herrlichstem Herbstwetter realisierten wir dieses Unternehmen am 5. und 6. Oktober 2012, und es wurde ein in jeder Hinsicht wunderschönes Erlebnis.

Rahel, Christian, Joëlle und Julie, der Hund von Rahel, auf unserem Ausflug ins Muotathal.

6.6 Dr. Franz Schmid, Bundesrichter: treue Pflichterfüllung (1841-1923)

Meinen Urgrossvater habe ich nur vom Hörensagen gekannt. Er starb, als meine Mutter geboren wurde. Wenn die Leute von ihm sprachen, sagten sie immer: der Bundesrichter. Da wusste jeder, von welchem Franz Schmid die Rede war. In der Familie jedoch habe ich diesen Zusatz nie gehört, weder von meinem Grossvater, noch von meinen Onkeln und Tanten. Von seinen Lieben wurde er »Baba« genannt. Das erste Mal erfuhr ich bewusst von ihm, vom »Bundesrichter«, als mir Grossvater 1961 jenen Familiengeschichte-Brief schickte.

Franz war der zweitälteste Sohn des Landammanns und Generals Anton Maria Schmid. Im Jahre 1860 trat er als 18-jähriger Leutnant in das von seinem Vater kommandierte I. päpstliche Fremdenregiment ein und machte die Besetzung von Perugia mit. Die blutige Unterwerfung der Bevölkerung Perugia's, die im Juni 1859 stattfand, hatte er - zum Glück, wie ich meine - nicht mitmachen müssen. Danach studierte er Philosophie in Feldkirch und Jurisprudenz in München, Leipzig und Heidelberg, wo er 1864 *summa cum laude* doktorierte.

No. 49
5. Dezember 1923
Schweizer Illustrierte Zeitung
Einzel Preis 35 Cts.
XII. Jahrgang. Erscheint Donnerstag Verlagsanstalt Ringier & Cie., Zofingen Vierteljährl. Fr.3.40 postamt. Fr.5.95

† Bundesgerichtspräsident Dr. Franz Schmid.

Am 30. November starb in Lausanne Bundesgerichtspräsident Dr. Franz Schmid im Alter von 82 Jahren. Er wurde im Jahre 1841 in Altdorf geboren. Nachdem er einige Zeit als Leutnant des päpstlichen Fremdenregiments gedient hatte, studierte er Rechtswissenschaft in München, Leipzig und Heidelberg. 1864 liess er sich als Anwalt in Altdorf nieder. 1880 wurde er Staatsanwalt des Kantons Uri. 1874-1876 war er Urner Regierungsrat. Im Jahre 1882 wurde Schmid in den Ständerat abgeordnet. 1904 wählte ihn die Bundesversammlung in das Bundesgericht. Seit 1921 präsidierte er die staatsrechtliche Abteilung. Im Dezember 1922 wurde er zum Bundesgerichtspräsidenten ernannt. Im Militärdienst hatte Schmid den Rang eines Justizobersten inne.
(Phot. Gebrüder Meisser.)

Ganz in der Tradition seiner Magistraten-Vorfahren stieg er in seinem Berufsleben, das reich an Ämtern war, stetig höher:

1865 wurde er als Landesfürsprech gewählt
1868 als Mitglied des Landrates
1871-75 war er Gemeindepräsident von Altdorf
1874-76 Regierungsrat
1881-90 Ständerat
1890-1904 Nationalrat
1880-1903 war er Staatsanwalt
1904-1923 Bundesrichter
1922-1923 Bundesgerichtspräsident
Daneben war er Landesstatthalter, Landammann, Korporationspräsident, Präsident des Erziehungsrates, Grossrichter, Justiz-Oberst.

Veteranen
der ehemaligen päpstlichen Armee

Bundesrichter Dr. Franz Schmid, Altdorf
als Unterleutnant im 1. Fr.-Reg. 1860,
geb. 30. IX. 1841

Bundesrichter Franz Schmid als Unterleutnant im 1. Fremden-Regiment der ehemaligen päpstlichen Armee 1860. (Nbl. 1924)

Als Nationalrat hielt er am 2. August 1891 zur 600-Jahr-Feier des Rütlischwurs eine Rede auf dem Rütli. Er hielt sich zwar »an die offizielle historische Sicht, indem er den revolutionären Prozess in den ersten Jahren des 14. Jahrhunderts relativierte« – aber er bestand mit Nachdruck darauf, dass Wilhelm Tell wirklich gelebt habe (Santschi, S. 72). Bravo! Das war seine Überzeugung und die hat er entgegen dem Zeitgeist verteidigt. Als Schmid von Uri, aus altem Urnergeschlecht, konnte er doch auf dem Rütli Tell nicht verleugnen. – Die Tellfrage ist übrigens bis heute nicht entschieden. Darüber mehr in Kapitel 9.3 Die Tellfrage.

Die Kurzbiografie im Lexikon verstorbener Schweizer III. von 1950 schliesst wie folgt:
»Seine Wahl ins Bundesgericht erfolgte im Dezember 1904. Als Präsident des Bundesgerichtes wurde er durch eine Lungenentzündung hinweggerafft. Damit schloss ein Leben, reich an Ehren und Ämtern, aber auch reich an rastloser Tätigkeit, angestrengter Arbeit und treuer Pflichterfüllung.«

Wie wahr, diese letzten Worte. Mein Urgrossvater war ein Mann, der sein Wissen und seine Schaffenskraft bis zum Schluss seines Lebens in den Dienst seines Landes, seines Kantons, seiner Heimatstadt gestellt hatte. Mit 63 Jahren wurde er ins Bundesgericht gewählt, welches Amt er dann neunzehn Jahre lang ausübte. Im Dezember 1922 wurde er zum Bundesgerichtspräsidenten gewählt. An eine Pensionierung schien er nicht gedacht zu haben. Auch die Lungenentzündung hinderte ihn nicht daran, nach Lausanne an seinen Arbeitsplatz zu fahren. Und so starb er dort und nicht im Kreise seiner Lieben – nur etwa zwei Wochen nach der Goldenen Hochzeit (siehe Bild bei Karolina Epp-Schmid).

Und doch: neben der Arbeit war er auch Ehemann und Vater. Er war verheiratet mit Katharina Schillig, mit der er acht Kinder zeugte:

Die drei jüngeren Töchter von „Baba", wie der Bundesrichter von ihnen genannt wurde: Léonie, Käthe und Paula (1910).

Anton Maria	14.9.1874-7.11.1935	(ledig)
Lina	1.12.1875- 1965	& Jules Christen
Marie	6.4.1877-	& Karl Müller
Franz	5.6.1878-11.8.1969	& Nanette Huber
Josef	27.4.1880-1.9.1947	& Marie Siegwart
Leonie	6.11.1882-24.2.1970	(ledig)
Käthi	2.12.1885- Dez.1986	& Othmar Schmidt
Paula	23.7.1890-8.12.1966	& Alfred Siegwart

Die drei jüngeren Töchter haben »Baba« verehrt, vor allem Grosstante **Leonie**, die ich nur ein- zweimal als Kind in ihrer Villa getroffen habe, zu Gutsli und Sirup. Er hat ihr so viel Geld hinterlassen, dass sie nie zu arbeiten brauchte. Sie war eine Aristokratin, hatte 18 Vornamen und spreizte beim Teetrinken ihren kleinen Finger ab. Traf sie auf jemanden, der zwar reicher war als sie, aber nicht aus einer »feinen Familie« kam, sagte sie jeweilen: »*Il n'est pas de notre monde*«. Da gab's ihn also noch, den Klassendünkel. (siehe Abbildung)

Sein zweiter Sohn war mein **Grossvater Franz**. Ihn habe ich nie solche Gedanken äussern gehört. Darüber im nächsten Abschnitt.

6.7 Die ich selber kannte: Grosseltern, Eltern, Onkel und Tanten

Grossvater: Dr. Franz Schmid
Fürsprech und Notar (5.6.1878 - 11.8.1969)

Wenn ich an meinen Grossvater Schmid denke, sehe ich ihn immer so vor mir: kerzengerade stehend oder gehend, mit einem freundlichen Lächeln unter dem Schnauz und kurz geschnittenem weissen Haupthaar, fast Bürstenschnitt, aber leicht gewellt. Und ich höre ihn zu mir sagen: »Christi, gradä Riggä! So wie wenn du äs Lineal im Riggä hettisch.« (Ich machte immer e chli es Buggeli.) Er wird da um die 80 gewesen sein und ich ein Zweitklässler. Obwohl ich ihn nicht so oft gesehen habe, da wir in verschiedenen Kantonen lebten, habe ich doch das Gefühl, ihn gut zu kennen. Er schrieb uns regelmässig, ganz sicher immer zu den Geburtstagen und an Weihnachten, und meine Mutter las uns jeweils vor, was er geschrieben hatte. An Weihnachten lag immer die »Helsete« bei, ein Nötli für jeden. Ich freute mich immer, wenn ich ihn traf und war beeindruckt von seinem Wesen, seiner Art. Ich weiss nicht, wie er war in jüngeren Jahren, aber als alter Mann und Grossvater kam er mir gütig vor.

Am 16. April 1909 heiratete er Nanette Huber, ebenfalls aus einer Altdorfer Familie. Sie hatten sieben Kinder:

1910   Nanette
1911   Elisabeth
1912   Franz I, welcher nach knapp einem Monat starb
1913   Franz
1915   Margret
1916   Karl (mein Vater)
1919   Maria Magdalena, genannt Madeleine

Von meiner Mutter hörte ich im Laufe der Zeit das eine und andere über die Familie Schmid in Altdorf. So z.B. dass sie sehr katholisch und fromm seien; auch sehr reich, aber sparsam. Auf jeden Fall kam Grossvater zu meiner Erstkommunion im Frühling 1955 nach Netstal GL, was mich sehr freute (ich wollte damals noch Missionar bei den »armen Negerkindern« in Afrika werden). Grossvater wohnte im Hotel Hecht. Mutter erzählte mir später, dass er noch vor der Kommunionsfeier zur Frühmesse wollte, der Hoteleingang so früh aber noch geschlossen war und niemand da, um zu öffnen. Der alte Mann sei dann durch ein Kellerfenster gestiegen, um zur Frühmesse zu kommen. Mutter hat mir das Fenster gezeigt: ein sehr kleines Fenster, direkt auf Trottoirhöhe! Ich bewunderte Grossvater, wie er das angestellt hatte, um ins Freie zu kommen.

Sie hat mir auch erzählt, dass er an keiner Kirche oder Kapelle vorbeiginge, ohne kurz hineinzugehen und zu beten. Grossvater sei ein Marienverehrer, sagte sie – ohne jede Wertung oder gar Abwertung. Dieser Satz ist mir über die Jahre immer wieder einmal in den Sinn gekommen, vor allem bei bestimmten Gelegenheiten. Ich erinnere mich noch an das erste Mal: ich war etwa 25 Jahre alt, areligiös und voll drin im Beat-, Rock- und Rebellionsalter, als ich im Wald ein Marienmedaillon fand. Dieser Fund berührte mich seltsam, er war mir wie ein himmlischer Gruss - und erinnerte mich an Grossvater. Im Laufe der Jahre fand ich in verschiedenen Ländern und Orten und in den verrücktesten Situationen weit über ein Dutzend verschiedenster Marienmedaillons. Dies hat mich dann ebenfalls zu einem »Marienverehrer« gemacht, wenn auch in einer etwas gewandelten, vielleicht der Zeit angepassten Form, denn für mich hat Maria viele Namen: sie ist auch die Grosse Göttin, die weibliche Seite Gottes. Und so wandle ich ein wenig in Grossvaters Tradition…

Ergänzend möchte ich einiges aus Grossvaters Leben anfügen, das ich dem Nekrolog der Urner Zeitung vom 6. September 1969 entnommen habe:

Mit Dr. Franz Schmid ist einer der letzten einer nun entschwundenen Generation zur letzten Ruhe gebettet worden, und einer der angesehensten und tüchtigsten Vertreter des Urner Anwalts-Standes. Dem politischen Leben hatte er sich nur kurz gewidmet, da ihn sein Beruf und seine Familie voll in Anspruch genommen hatten. Über sechzig Jahre lang betreute er überdies die Berolding'sche und die Schmid'sche Stiftung, die ihm sehr am Herzen lagen. Die beiden Familien sind seit Jahrhunderten verwandtschaftlich verbunden. Unter seiner Regie und Mithilfe wurde das Schlösschen Beroldingen in Seelisberg renoviert. (Über Beroldingen werde ich später noch detaillierter berichten)
Bei den Altdorfer Festspielen machte er in jungen Jahren als Träger einer Hauptrolle mit und fand dort seine Lebensgefährtin: Nannette, die Tochter von Landammann Huber. Das war im Jahre 1909. Noch im selben Jahr heirateten sie. In Urigen baute er auf sonniger Höhe ein Ferienhaus, wo die Familie stets die Ferien verbrachte und wo er auch die glücklichsten und unbeschwertesten Tage seines Alters erlebte. Ein Schlaganfall nötigte ihn die letzten Jahre zu stiller Resignation.

Zum Abschluss möchte ich nochmals den Satz zitieren, den Grossvater mir in seinem Brief vom 4. Juli 1961 schrieb, und der sein Wesen und Denken schön charakterisiert:

»Seien wir bestrebt uns auszuzeichnen durch Adel des Herzens und der Seele.«

Familienfoto Franz und Nanette Schmid-Huber, um 1920. V.l.n.r.: Kari, Franz, Mama Nanette, Nanette, Lisebeth, Madeleine, Papa Franz, Gretli.
Unten: Grossvater, Mai 1954, und das rosa Haus mit der Wellingtonia.

Grossmutter: Nanette Schmid-Huber
(5. Juli 1886 – 12. April 1975)

Grossmutters Schürze

Mir und meinem Bruder war Grossmutter immer etwas fremd. Wenn wir wieder einmal in Altdorf waren, gingen wir jeweils »zur Audienz« bei ihr, ins rosa Haus an der Gotthardstrassse 5. Von aussen rosa, war es innen düster. Im oberen Stock waren Gemälde von finster dreinschauenden Ahninnen und Ahnen, die Fröhlichkeit schien uns verbannt aus diesen Räumen. Grossmutter sass in der Stube in einem Lehnstuhl und blickte streng. - Was sollten wir sagen? Salü Grossmama, natürlich. Aber ein Gespräch kam nie richtig in Gang, weil wir uns fremd fühlten bei ihr. Sie wusste sich nicht mit uns zu unterhalten. Das Eis brach nie. Wir standen etwas hilflos da und warteten auf ein erlösendes Wort. Nie habe ich sie lachen gesehen, wie unsere Omi in Netstal, die bei jedem Kalauer (den sie selber machte), in schallendes Gelächter ausbrach.

Leidbildchen von Grossmama Nanette Schmid-Huber (1975).

Als ich im Herbst 2013 mit Toni Schmid in Luzern zusammen sass, brachte ich das Gespräch auf Grossmama und erfuhr Neues. Er sagte, sie habe halt nicht so gut zu den Schmids gepasst. Das heisst, ihre Familie sei nicht so vornehm gewesen, und so hätte sie sich nicht immer standesgemäss benommen. Ob er ein Beispiel wüsste? Ja, einmal habe es geklingelt an der Tür der Gotthardstrasse 5. Sie habe die Tür geöffnet und hätte noch ihre Schürze angehabt. So etwas gehörte sich doch nicht in diesen Kreisen... Na, das ist eine Geschichte! dachte ich. dies wirft ein ganz neues Licht auf meine »strenge« Grossmutter. Sie tat mir nun auch leid. Das muss geschmerzt haben – sie verhielt sich ganz natürlich, so wie sie es kannte von zuhause, und musste erfahren, dass dies daneben war. Wahrscheinlich wurde es auch am Stammtisch erzählt, und nun musste sie aufpassen, wie sie sich benahm.

Wenn ich mir dann noch in Erinnerung rufe, dass ihr erster Bub (Franz I) in der Wiege gestorben ist, kommt noch ein Mosaiksteinchen an Verständnis dazu: Sie habe keine Milch gehabt, und der Bub sei verhungert, so hat man mir erzählt (lt. BR Altdorf: Darmkatarrh und Lebensschwäche). Warum auch immer – ein grosses Leid für die junge Frau, die jungen Eltern. Sie gebar sieben Kinder: 1910 Nanette; 1911 Elisabeth; 1912 Franz I, der nach knapp einem Monat starb; 1913 Franz; 1915 Margret; 1916 meinen Vater Karl; und als letzte 1919 Maria Magdalena, genannt Madeleine. Nach Auskunft einer Cousine sei möglicherweise noch ein Mädchen kurz nach der Geburt gestorben (dies liess sich jedoch nicht verifizieren).

Von Cousine Madeleine Schweizer erfuhr ich - anlässlich der Beerdigung meiner Mutter - dass mein Vater Karl der Liebling meiner Grossmutter gewesen sei. Dies war eine Neuigkeit für mich, hatte ich doch jahrzehntelang geglaubt, mein Vater sei »das schwarze Schaf« gewesen. Im Herbst 2013 stiess ich im Staatsarchiv Uri auf seinen Nachruf. Diesen Nekrolog sah ich da zum ersten Mal, und er erschloss mir viel vom Wesen meines Vaters, den ich ja nicht sehr gut gekannt hatte. Ein Freund erwähnt im Nachruf »sein Herz und Gemüt, das so viel zu schenken vermochte«. Weiter ist dort die Rede von »seiner geselligen Natur, seiner Fröhlichkeit und seiner Gutherzigkeit, und dass er überall gerne gesehen« war. Sein sonniges Gemüt könnte der Grund für diese innige Verbindung zu seiner Mama gewesen sein. Sah Grossmutter in ihm, wie auch sie gerne gewesen wäre und im Innersten vielleicht war: natürlich, offen, mit einem liebenden Herzen? Doch leider schien all dies überdeckt mit einer Schicht von Bigotterie und Schwermut, die das Leben in diesem Haus sicher nicht einfach machten. Meine Mutter jedenfalls hatte sehr gelitten unter ihrer Schwiegermutter; diese zitierte sie mehr als einmal ins rosa Haus, um ihr eine Standpredigt zu halten, wie man einen Haushalt richtig führe und wie man spare – wenn mein Vater wieder einmal Schulden gemacht hatte...

Tag	Monat **Dezember** 1910 Text der Buchungen	Einnahmen	Ausgaben	Lebens-mittel	Kleidung	Werkzeug Wäsche
	Uebertrag					
	An Haushaltungsgeld erhalten	100				
3	Brot 43. Fleisch 1.30. ½ Kaffee 50.		2 23	2 23		
5	2 lt. Spiritus 1.10. Marzipanmandel 30. Porto 55		1 95			
	Fleisch 2 fr. Satinett 55. Brot 33.		2 88	2 33		
6	Fleisch 2 fr. 4 q Kartoffel 24 fr.		26 —	26 —		
	Rechnung v. frau furholz f. Vorhang wasch		2 50			2
7	Fleisch 1.80. Brot 65. Confect 75.		3 20	3 20		
8	Rechnung v. Gärtner Aschwanden 7.20		7 20			
	4 Eier 56. 20 f. Hecht 2 fr. Cichorie 40.		2 96	2 96		
9	Fleisch 1.50. 2½ m Band redicule 90.		2 40	1 50		
10	Fleisch 1.80. ½ Pf. Wichse 45. Schmierseife 40		2 65	1 80		
	1 Pf. Cacao 2.30. Vorhanghalter 2.90.		5 20	2 30		
11	Brot 33. Fleisch 1.50. Wichse 40.		2 23	1 83		
12	Fleisch 1.80. 25 Eier 3.50. Zahnstocher 30.		5 60	5 60		
13	⟨ ⟩ 1.60. Brot 43. faden u. Seide 70.		2 73	2 03		7
	Blumenteller u. Papier 1.20. fleurin 60.		1 80			
	1 Paar weisse Strümfe 1.50. ½ m Futter z. fleisch 90.		2 40			2 40
14	6 fr. Gerolsteiner 2.10. 1 kg Kastanien 40.		2 50	2 50		
15	1 Brot 33. fleisch 1.80. Sitzen 10.		2 23	1 13		10

„Kassa-Buch der Hausfrau Dr. Schmid-Huber, angefangen am 1. Februar 1910"
Auszug der Seite von Dezember 1910.

Als sie jung war, hatte sie aber durchaus eine andere Seite. Als ich kürzlich auf ihren Nachruf stiess, erfuhr ich, dass sie eine gute Schauspielerin gewesen sein muss. Auf die Initiative ihres Vaters Alois Huber beschloss eine Altdorfer Volksversammlung 1898, dass Schillers »Wilhelm Tell« in seiner Heimat Uri aufgeführt werden solle. Grossmama spielte dann als junge Frau an der Seite ihres Vaters Tells Gattin Hedwig und wurde für ihre Rolle viel bewundert. Und da geschah es dann, dass Grossvater sich in sie verliebte.

P.S. Auf schweizerdeutsch heisst Schürze *Schoss*. Ich hätte diesen Abschnitt also auch so betiteln können: Grossmutters Schoss. Daraus sind wir ja hervorgegangen.

Mein Vater Karl Schmid
(1916-1962)

Es ist nicht einfach, über einen Vater zu schreiben, den man nicht gut gekannt hat. Meine Mutter hat sich von ihm scheiden lassen, als ich etwas über vier Jahre alt war. Sie zog mit meinem Bruder und mir nach der Scheidung weg von Altdorf, nach Glarus zunächst und etwas später nach Netstal, wo auch ihre Eltern lebten. Meinen Vater sah ich einige Jahre nicht mehr, der Kontakt gestaltete sich nur per Post. (Telefon hatten wir damals nicht.)

Aber per Post kam auch Freude! Jeden Monat erhielten wir von ihm das »Micky Maus« Heft, inklusive aller Donald Duck Sonderhefte von Carl Barks (die heute Kultstatus haben), sowie die Sonderhefte nach den Disney Trickfilmen wie Peter Pan, Bambi usw. Unser Vater hat uns Kultur vermittelt, die wir jeden Monat sehnlichst erwarteten! Die meisten dieser

Leidbildchen von Karl Schmid (1916-1962).

Hefte, beginnend Anfang 1954, habe ich noch heute. Walter und ich sind Fans von Donald geblieben (aber nur von jenem des Carl Barks, übersetzt von Frau Dr. Erika Fuchs).

Persönlich sah ich meinen Vater erst wieder, als ich acht Jahre alt war. Das war 1955, als ich zu Tante Madlen und Onkel Karl Gisler nach Altdorf in die Ferien fuhr, wo mein Vater mich besuchen kam. Er wohnte damals in Olivone ennet dem Gotthard. Das war seltsam, ihn nach der langen Zeit der Trennung wieder zu sehen. Natürlich freute ich mich - in die Freude gemischt waren aber auch Unsicherheit - und Trauer...

Tick, Trick und Track: Rebellion gegen das Establishment:
„Wir wollen sein ein einig Volk von Brüdern, in keiner Not uns waschen und Gefahr."

und die Reaktion von Donald,
wutentbrannt: der Beginn des
totalen Krieges.
*(aus Micky Maus Nr. 27, vom
21. Dezember 1957. 75 Pfennig)*

Höhepunkte der Jugendzeitschrift Micky Maus waren die Donald Duck Geschichten
von Carl Barks. Die Übersetzung aus dem Amerikanischen besorgte die damalige
Chefredaktorin Frau Dr. phil. Erika Fuchs. Immer wieder machte sie Anleihen bei
der klassischen Literatur (hier aus Schillers Wilhelm Tell) und beim Volksgut. Ihre
Texte bewiesen, dass auch ein Comic-Heft Niveau haben kann. Die beiden arbeiteten
jahrzehntelang zusammen.

Mein Vater und meine Mutter lernten sich 1946 in Zürich kennen, bei Oscar Weber, wo beide arbeiteten. Dort heirateten sie auch, und ich kam in Zürich zur Welt. Sie wohnten im Zentrum, am Rennweg (Damals waren dort die günstigen Wohnungen!). Aber schon bald zog die kleine Familie nach Altdorf, zu Baldinis in den Rankhof. Die eine oder andere Erinnerung habe ich an diesen Ort: viele Kinder zum Spielen, Ostereier suchen und ein Erlebnis, nur zwischen meinem Vater und mir. Wir standen auf dem Balkon und schauten in die Landschaft. Das heisst, er schaute; ich war zu klein, um hinauszusehen. Da sagte er zu mir: »Lug einisch, wie scheen dr Gitsche-n-isch!« (Der Gitschen, ein pyramidenartiger mächtiger Berg gegenüber) Die Gefühle, die mich mit diesem Satz überschwemmten, waren Stolz und Freude. Ich war stolz, dass er mir seine Welt zeigte, die Welt der Erwachsenen, und mich daran teilhaben liess. Dieses Erlebnis verwahrte ich wie eine Perle all die Jahre. Auf dem Gitschen aber war ich bis heute nicht.

Mein Vater arbeitete bei Dätwyler, was mich sehr beeindruckte: das war die grosse Fabrik am Dorfrand, und von dort brachte er mir manchmal wunderbare Sachen mit: Linoleum-Muster in allen Farben, mit geheimnisvollen Musterungen und einmal das Modell eines Strommastens. Dieser war aus Metall, gross und hoch (für einen Vierjährigen; wahrscheinlich war er nicht höher als 30 cm) – ein wunderbares Ding! Mit seinen vier Pfeilern sah er ein bisschen aus aus wie der Eiffelturm. Dass mein Vater bei Dätwyler »e Superstell« als Chef der Werbeabteilung hatte, erfuhr ich erst im Oktober 2014 von Cousine Ursi Schweizer. Meine Mutter hatte mir das nie erzählt. Auf meine Frage danach hat sie, wenn ich mich recht erinnere, gesagt: »im Büro«.
Eine andere Erinnerung hat eher mit Kunst zu tun. Ich hatte einen Teil der Küchenwand mit schwarzer Schuhwichse bemalt, aber als Papi heimkam, hatte er keine Freude an meinem Werk. Noch weniger als meine Mutter, denn schon ihr hatte es nicht gefallen...
Woran ich mich auch erinnere, ist, dass er in der »Chatzemusig« war. Das ist die Altdorfer Guggemusig, und dort spielte er die Trommel. Das Urtümliche, Wilde der »Chatzemusig« hat für mich viel mit Lebensfreude und Intensität zu tun. Meine Mutter hat über diese freizeitliche Tätigkeit meines Vaters auch nie in negativem, sondern anerkennendem Ton gesprochen, was meinem eher negativ geprägten Vaterbild sehr wohl tat.

Als Mona und ich die Kunsthistorikerin und Kennerin der Familie Schmid von Uri, Frau Dr. Helmi Gasser in Basel besuchten, sagte diese zu mir, ich gleiche sehr meinem Vater. Er sei ein schöner Mann gewesen, gross, mit blauen Augen. Sie kannte ihn aber nur von Fotos und aus Erzählungen von meinem Onkel Franz. Dieser - sein älterer Bruder - habe meinen Vater sehr verehrt und stets bewundernd von ihm gesprochen. Als Mona fragte, ob Kari wohl »das schwarze Schaf« der Familie gewesen sei, verneinte Frau Gasser. Sie verteidigte ihn und meinte, dass die Geschwister, allen voran Franz, vermutlich gerade eben dies an Kari bewundert hätten: dass er ausgebrochen war aus dieser streng katholischen, düsteren und sinnenfeindlichen Atmosphäre und beschlossen habe, das Leben zu geniessen. -

Die letzte Zeit, die wir als Familie zusammen verbrachten, wohnten wir in Altdorf in der Waldmatt. Diese Zeit ist für mich verbunden mit Dreiradfahren, kurzen Hosen und dem unbestimmten Gefühl, was Sommer ist. Danach kommt ein Blackout. Plötzlich waren wir weg. Und ich fand mich wieder in Glarus, in der Wohnung am Landsgemeindeplatz: nur Mutter, Walter und ich...

Mein Vater, der König; im Gymnasium (um 1932).

Jahre später verbrachten wir einmal Ferien bei meinem Vater in Olivone. Da lernten wir auch Ursel kennen, eine deutsche Serviertochter, welche er kurz darauf heiratete.

Bei meinem letzten Besuch im Staatsarchiv liess ich mir den Nachruf auf meinen Vater geben. Ich zitiere einiges daraus:

Wie ein Blitz aus heiterem Himmel traf anfangs September 1962 in Altdorf die Nachricht ein, dass Karl Schmid in Olivone plötzlich gestorben sei. Er, der kräftig wie eine Eiche schien und dessen Vorfahren hohe Alter von 80 bis 90 Jahren erreichten, wurde im Alter von erst 46 Jahren von einem Herzinfarkt dahingerafft. Dies löste bei seinen Angehörigen, Freunden und Bekannten grosse Bestürzung und Trauer aus.

Als intelligenter und aufgeweckter Schüler absolvierte er das Gymnasium in Feldkirch und Stans und schloss mit der Matura ab. Da ihm das Rechtsstudium, das er begonnen hatte, nicht zusagte, wandte er sich dem kaufmännischen Stand zu. Am Schluss arbeitete er bei der Baufirma Losinger, die eine grosse Staumauer im Bleniotal errichtete. Deshalb wohnte er in Olivone.

Infolge seiner geselligen Natur, seiner Fröhlichkeit und seiner Gutherzigkeit war er überall gerne gesehen und erfreute sich eines ausserordentlich grossen Freundes- und Bekanntenkreises. Er hatte sich freiwillig für den Schiedsrichterdienst bei den Alpenmanövern gemeldet. Als er am Morgen einrücken wollte, wurde er zur grossen Armee abberufen. Sein Tornister lag gepackt neben seinem Bett.

Meine Mutter: Lotte Schmid-Ries
(1923-2008)

geboren in Warnsdorf, im Sudetenland (damals: Böhmen/Tschechoslowakei)
ihr Vater: Heinrich Ries, Auslandschweizer (Sisseln AG), Textilexperte
und -Erfinder
ihre Mutter: Else Strobach, Sudetendeutsche

Als Kurzbiografie für meine Mutter übernehme ich in Auszügen den
Nachruf, den ich an der Abdankung vorgetragen habe:

Geboren in den »Wilden Zwanzigern«, als Deutschland sich noch vom Ersten Weltkrieg erholte, und die Leute wieder Lust am Leben fanden (Charleston etc.!), verlebte sie eine sorglose Jugend mit ihren Eltern und vier Geschwistern im eigenen Haus in der Gürtelstrasse. Der Vater verdiente gut als Textilfachmann und –Erfinder.
1939 jedoch, als die Deutschen in der Tschechoslowakei einmarschierten, wurde ihm - als Schweizer – gekündigt, und er verliess Warnsdorf, um in Arad, in Rumänien eine Stelle anzutreten. Else, seine Frau, folgte ihm bald nach, aber die beiden jüngeren Kinder, Lotti und ihr älterer Bruder Walter, blieben allein im Haus in der Gürtelstrasse zurück (sie war damals 15, 16 Jahre alt, die Jüngste). Hermann war schon ausser Haus und mit Jenny verlobt, und Ilse, die ältere Schwester war mit Erich Pilz verheiratet. Der älteste, Heinz, wurde 1938 von seinem Vater in die Schweiz geschickt, um bei Heberlein Textil in Wattwil zu arbeiten.

Ihre Kinderzeit schilderte sie als eine glückliche; und über die Backfischzeit während des Krieges hat sie sowohl Schönes als Schwieriges, aber nichts wirklich Schlimmes erzählt. Ganz sicher war es hart, sich ohne Eltern zurecht zu finden. Eine grosse Stütze waren ihre Schulfreundinnen. Von den Deutschen erhielt sie nirgendwo eine Stelle, da sie Schweizerin war.

Noch bevor der Krieg aus war, schickte ihr Vater die 21jährige Lotti in die Schweiz, wo sie 1945 eine Büro-Stelle bei Oscar Weber antrat und dort auch ihren Mann, Kari, kennen lernte. Mit ihm hatte sie zwei Söhne,

Christian (17.04.1947) und **Walter** (12. 01.1949) Schon nach wenigen Jahren liessen sich die Eheleute aber scheiden (Urteil Zivilgericht Glarus vom 19.6.1952), was damals noch nicht so häufig vorkam wie heute, und was für eine Frau auch eine Portion Mut brauchte.

Meine Mutter mit mir - nicht sehr strahlend - und Walter, in bayrischen Lederhosen. Das war im Sommer 1951, kurz vor der Scheidung.

(Über die Gründe für die Scheidung habe ich an der Abdankung nichts gesagt. Hier deshalb ein Einschub zum besseren Verständnis: Meine Mutter hatte es sicher nicht leicht gehabt mit meinem Vater, der das Leben weiter genoss wie vor der Heirat. Das habe Dr. Franz Schmid, mein Onkel, auch immer gesagt, teilte mir Frau Gasser auf meine diesbezügliche Frage mit. »Da die Frauen auf ihn flogen, liess er selten eine Gelegenheit aus.« Mein Vater ging auch gerne in die Beiz, um zu trinken und zu spielen und machte immer wieder Schulden. Diese Schulden beglich sein Vater Franz Schmid, zog es aber von seinem Erbe ab. Eines Tages ging meine Mutter einkaufen im Dorf und kaufte mir beim Beck ein Weggli. Das hat »jemand« gesehen und dies sofort der Schwiegermutter Nanette Schmid-Huber mitgeteilt. Diese zitierte umgehend meine Mutter ins Haus an der Gotthardstrasse, zu einer Strafpredigt. »Kein Wunder, habt ihr Schulden, wenn du das Geld für so unnötige Sachen ausgibst!« kanzelte sie meine Mutter ab.)

Sie zog ihre Söhne allein auf und hatte auch nicht das Glück, während dieser Zeit einen neuen Partner zu finden. Nach ein paar Jahren im Glarnerland zügelten wir 1958 nach St. Gallen. Obwohl meine Mutter viel umgezogen ist in ihrem Leben, blieb sie von da an immer im Kanton St. Gallen und in der Nähe ihres geliebten Bodensees.

1983 wurde sie zum ersten Mal Grossmutter, als **Rahel**, Tochter von Chris und Marlen, zur Welt kam. Sie war Omi mit Leib und Seele. 1985 kam **Joëlle** dazu, und die beiden Enkeltöchter liebten es sehr, zu Omi zu gehen und sich verwöhnen zu lassen. Sie haben oft bei ihr und ihren Katzen übernachtet. Als sie zur Schule gingen, hat sie ihnen jeweils genügend Znünibrötli mitgegeben, so dass auch die Klassenkameradinnen ihre Brote schätzen lernten. Ihre andere grosse Liebe waren die Natur und die Tiere, vor allem die Vögel. Sie hatte immer wieder Katzen, und später auch Hunde. Die Frau mit der roten Baskenmütze und ihr kleiner weisser Hund Felix waren ein wohlbekanntes Bild in der Stadt.
Mit 38 Jahren wurde sie zuckerkrank und musste von da an täglich Insulin spritzen. Es ist ganz sicher eine Leistung, mit dieser Krankheit über 80 Jahre alt zu werden. Obwohl die letzten vier, fünf Jahre sehr schwer waren. Sie war fast blind und wurde auch immer schwächer, doch war es ihr Wunsch, in ihrer Wohnung zu sterben. Sie wollte weder in ein Altersheim noch in ein Spital. Mit Hilfe der Spitex und ihrem jüngeren Sohn Walter, der praktisch täglich bei ihr war, sowie ihrem Sohn Christian und den beiden Enkeltöchtern Rahel und Joëlle, die sich abwechslungsweise bei ihr einfanden, war es ihr vergönnt, auch die schwierigen letzten Jahre bis zu ihrem Tod in der Wohnung an der Dianastrasse zu bleiben.

Nachtrag:
Am Montag spätabends erhielt ich ein SMS von Mona Mettler, meiner jetzigen Lebenspartnerin: »*Lieber Chris, ich wollte dir noch mitteilen, dass Sofia in der heutigen Meditation gesehen hat, wie deine Mama von mehreren Tibetern begleitet wird, von hohen Lamas.*«

Diese Mitteilung berührte mich sehr. Sie führt uns auch zu einem Highlight in Lottis Leben, das es sicher verdient, nachträglich erwähnt zu werden: ihre Teilnahme am damals beliebten Schweizer Fernseh-Quiz von

Mäni Weber »*Dopplet oder Nüt*« mit dem Thema »*Tibet – Religion und Kulturgeschichte vom 7. Jahrhundert bis 1950*«. Die erste Runde war am 6. März 1969 und sie meisterte sie mit Bravour wie auch die weiteren bis zur vierten Runde am 18. Dezember 1969. Sie beantwortete sämtliche Fragen richtig und gewann die Fr. 4000.- (damals waren die Gewinne noch bescheidener; auf heute übertragen, wären es sicher Fr. 10'000.- gewesen!).

Dieser beachtenswerte Erfolg bescherte ihr dann eine neue Stelle: sie betreute während zwei Jahren als Heimleiterin des Schweizerischen Roten Kreuzes Tibeter in einer Heimstätte sowie 30 Flüchtlinge in Einzelwohnungen in Flawil. - Durch das gemeinsame Interesse an Tibet lernte sie einen Mann kennen, mit dem sie eine Beziehung einging und einige Jahre zusammenlebte. Mit 46 Jahren lernte sie noch Auto fahren und unternahm mit ihrem roten Occasions-Renault verschiedene Reisen: in ihre alte Heimat Warnsdorf, an Klassentreffen in Deutschland und nach Südfrankreich.

Meine Mutter nahm an der Quizsendung „Dopplet oder Nüt" von Mäni Weber teil, mit dem Thema Kultur und Religion von Tibet. Das Foto zeigt sie in der 4. Schlussrunde am 18. Dezember 1969, die sie glänzend bestand.

Mäni Weber befragt Lotte Schmid über «Kulturgeschichte und Religion Tibets».

Sohn **Christian** (1947) und **Marlen Obrist** (1946) haben 2 Töchter:
· **Rahel**, geb. 1.3.1983
· **Joëlle**, geb. 10.10.1983

Sohn **Walter** (1949) ist ledig, keine Kinder.

Onkel und Tanten

Meine Onkel und Tanten werde ich nur kurz und aus meiner Sicht beschreiben (bis auf einige Informationen, die mir von Cousinen, Cousins und nahen Verwandten erzählt wurden). Der Grund ist auch hier, dass ich Onkel und Tanten zu wenig gekannt habe, um objektiv berichten zu können. Meistens haben wir die Verwandten der Schmid-Familie nur an Familienfesten oder Beerdigungen in Altdorf getroffen. Wir lebten unser Leben im Glarnerland und in St. Gallen und waren natürlicherweise der Familie meiner Mutter, v.a. meinen Grosseltern Heinrich und Else Ries viel näher.

Nanette Schmid
(1910-1997)
Die Erstgeborene, verheiratet mit **Fritz Schweizer** (1895-1984).
Kinder: **Ursula** (1940), **Madeleine** (1941), **Brigitte** (1946), **Thomas** (1948).

Von Tante Nanette sind mir ihre unglaublich blauen Augen in Erinnerung (obwohl ich ja selber welche habe; dies war mir aber als Kind nicht bewusst). Wenn ich sie traf, hatte ich stets den Eindruck, dass sie uns mit Wohlwollen und Gerechtigkeit begegnete. Das hat sich später auch bestätigt. Dass sie auch streng sein konnte, die »harten« Schmid'schen Prinzipien vertrat, habe ich erst kürzlich erfahren. Nanette war willkommenes erstes Kind und hat später in Grossvaters Büro als Sekretärin gearbeitet. Im Alter muss sie die Ausstrahlung einer weisen Frau gehabt haben.
Mit Ursi und Thomas hatte ich als Kind am meisten Kontakt; ich traf sie jeweils bei Tante Madlen und Onkel Karl, wenn ich dort in den Ferien war. Ursi wohnte damals bei Madlen, da sie nach Ingenbohl ins Gymnasium ging, und Thomi verbrachte ebenfalls bei Madlen die Ferien.
Fritz Schweizer hatte an der ETH Elektroingenieur studiert und war nach mehrjährigem Aufenthalt in Amerika Direktor der Kraftwerke Ryburg-Schwörstatt bei Rheinfelden. Auch hatte er ein gutes Händchen in finanziellen Dingen. Von seinem Wesen her war er weicher als Nanette, ruhig, zeigte wenig Emotionen. Kurz vor seinem Tod hat er alle Kinder und Kindeskinder kommen lassen, hat reihum jedes lange und ruhig angeschaut, ohne etwas zu sagen. Das war sein Adieu. Zwei Wochen später ist er gestorben.

Elisabeth Schmid
(1911-1997)
Sie war verheiratet mit **Josef Müller** (»Knut«, 1910-1990).
Kinder: **Lisebeth** (1944), **Franz** (1949).

Über Tante Bethli kann ich am wenigsten sagen, in meiner Erinnerung ist sie nicht so präsent. »Aus gut unterrichteter Quelle« habe ich gehört, dass Grossmama sie oft getadelt, aber nie gelobt habe. Während Nanette ihrem Vater im Büro zur Hand ging, half Bethli ihrer Mutter im Haushalt. Sie war kleiner als die anderen Geschwister und wurde durch den ständigen Tadel, auch von Bruder Franz, noch kleiner gemacht. Die wenigen Male, da sie mich angesprochen hatte in meiner Kindheit, gaben mir den Eindruck von einem liebevollen und sanften Wesen. Im Kriegsjahr 1943 heiratete sie.
Josef Müller war Bauernsohn von Knutwil, daher sein Studentenname »Knut« in der Alemannia. Er studierte Recht in Fribourg, Wien und Paris. Als langjähriger Stadtpräsident von Sursee hat er dieses schmucke Landstädtchen aus dem Dornröschenschlaf geweckt. Er war volksverbunden und populär, weil er klare Standpunkte vertreten hat.

Franz Schmid
(1913-2001)
Verheiratet mit **Esther Renner** (1927-2014); geschieden 1962.
Kinder: **Franz** (1948-2005), **Jost** (geb. 1952).
Der früh verstorbene Sohn Franz hatte keine Kinder.
Jost hat 1 Adoptivsohn **Yukio**, geb. 14.8.1982.

Onkel Franz kenne ich am besten von allen Geschwistern meines Vaters. Nach dem Tod von Grossvater hat er das Schmid-Erbe übernommen und verwaltet; er hat zu runden Geburtstagen und Familienfesten eingeladen und war im eigentlichen Sinn zum »Familienvorstand« geworden - und unser Ansprechpartner in Familienangelegenheiten. Zunächst führte er eine Anwaltspraxis, und ab 1960 war er Verhörrichter des Kantons Uri.
Auch zu Tante Esthi und den Kindern Franzi und Josti hatten wir engeren Kontakt. Eine frühe Erinnerung sind Ferien mit ihnen in Airolo, im Winter 1954. Onkel Franz hat sich nach seiner Scheidung nicht mehr verheiratet, er blieb ein einsamer (auch eigenmächtiger) Patriarch, der sich aber oft

und gern mit seinen Freunden und den Kumpanen aus der Studentenverbindung »Alemannia« am Stammtisch traf. An der Beerdigung 2001 salutierten diese ihm mit der Verbindungsfahne. Auch Onkel Franz war, wie mein Vater, ein leidenschaftlicher Liebhaber der Bergwelt, vor allem der einheimischen Alpen. In späteren Jahren verbrachte er auch viel Zeit auf dem Urnersee; er hatte sich ein eigenes Boot gekauft und fuhr oft zum Fischen hinaus.

Nach dem Tod seiner Schwester Madlen ging es bergab mit ihm: er trank nicht mehr, verfiel aber in eine schwere Depression, die ihn leider bis zum Ende begleiten sollte.

Mit seinem Tod entschwand die Familie Schmid von Uri aus Altdorf – er war der Letzte gewesen, der noch im alten Stammland gelebt hatte.

Esther Renner erbte die Kunstsinnigkeit ihres Vaters, Malermeister Carl Renner und den gesunden Menschenverstand ihrer Mutter Severina Arnold. Prägend war auch die Zeit, die sie im Hotel zum Schwarzen Löwen verbrachte, dem Vaterhaus ihrer Mutter. Nach der Scheidung zog Esthi mit den Söhnen für vier Jahre nach Basel, um danach das väterliche Malergeschäft zu übernehmen. In zweiter Ehe war sie mit Paul Glaus verheiratet, der sie liebevoll gepflegt und ihr ein aktives Leben ermöglicht hat.

Margret Schmid

(1915-1995)
Ledig geblieben.

Tante Gretli, oder Greti, wurde sie genannt, und sie lag fast immer im Bett, im oberen Stock im rosa Huus. Sie war »leidend«, wie es hiess, aber woran genau sie litt, haben wir nie so recht erfahren. Für mich war da immer ein diffuses Geheimnis um sie. »S Greti isch es bildhübsches Chind gsi«, die schönste von allen, wie meine Mutter uns zu sagen pflegte. Vielleicht wollten die Eltern sie nicht gehen lassen, ihren Augapfel? In den kinderreichen katholischen Familien wurde früher immer eines der Kinder der Kirche »geopfert« – für das Seelenheil der Sippe; die anderen wurden möglichst gut verheiratet; und eines blieb zu Hause, oft das Jüngste – um die alten Eltern zu pflegen. Hier war es aber umgekehrt: Greti musste selber gepflegt werden. Sie hat das Haus kaum verlassen und demzufolge auch nie geheiratet. Doch siehe da: als Grossmama gestorben war (1975; Grossvater 1969), kehrten die Lebensgeister von Greti langsam aber sicher zurück! Sie wurde unternehmungslustig, begann in der Schweiz herumzureisen, zu Kuren und zu ihren vielen Verwandten. Da wollte doch bei manchem der Gedanke aufkommen, ihre Krankheit sei psychosomatischer Natur gewesen ... Zum Glück waren ihr dann noch zwanzig Jahre beschieden, in denen sie selbst über ihr Leben bestimmen konnte.

Tanten und Onkel: Nanette, Elisabeth, Margret, Franz.

Madeleine Schmid
(1919-1997)
Verheiratet mit dem Altdorfer Arzt Dr. **Karl Gisler** (1905-1976)
Keine Kinder.

Maria Magdalena, genannt Madlen, war meine Lieblingstante. Zu ihr durfte ich oft in die Ferien, und sie hat immer dafür gesorgt, dass auch andere Kinder da waren. Thomi Schweizer; Giuliano Christen und seine Schwestern Enrichetta und Trix; Franzi und Josti. Tante Madlen kam mich jeweils holen in Netstal GL, mit dem alten schwarzen Austin von Landarzt Onkel Karl. Auf dem Klausenpass begann der Kühler des alten Autos regelmässig zu kochen. Das gab dann wunderbare Pausen, bis der Wagen soweit abgekühlt war, dass man frisches Wasser nachfüllen konnte. So lernte ich die Berglandschaft kennen zwischen Glarus und Uri und erfuhr auch, mit welchem Trick die Urner zum Urnerboden gekommen waren...
Madlen und Karl waren leider keine Kinder vergönnt; das tat ihrer Liebe zueinander aber keinen Abbruch: Madlen vergötterte Karli, und Karl vergötterte Madleni. Der stets gut gelaunte **Onkel Karl** nahm mich öfters mit, wenn er auf Hausbesuche ging. Einer wird mir stets in Erinnerung bleiben: ein Bergbauer auf Haldi lag im Sterben, und schon fuhren wir los im alten Austin (Mit Autos kannte ich mich schon als Erstklässler aus: dieser Wagen war damals schon alt. Aber toll mit seinem hölzernen Armaturenbrett und den Ledersitzen. In dem kompakten englischen Wagen roch es unvergleichlich!). Dann waren wir beim Haldibähnli. Eigentlich war es eher eine Kiste als ein Bähnli, aber furchtlos stiegen wir ein und fuhren hoch in schwindelnde Höhen. Ein wahres Erlebnis! Beim Bauernhaus angekommen, hiess Onkel Karl mich draussen warten. Ich hatte den Eindruck, auf einer Alp zu sein. Berge rundherum, so weit das Auge reichte. Eine rechte Weile war ich allein und hatte Zeit, alles in mich aufzunehmen: Wiesen, Berge, Kuhglocken, ein Vogel am Himmel. Ein seltsam schönes Gefühl überkam mich, und ich begann zu verstehen, warum mein Vater die Berge so liebte. (Dieses Glücksgefühl, gepaart mit etwas Wehmut, empfinde ich noch heute in den Bergen)
Als Karl starb, brach für Madlen eine Welt zusammen. Doch die Zeit heilt die Wunden, wie man so sagt, und am Schluss wohnten die drei überleben-

den Schmid-Geschwister wieder zusammen: Als Onkel Franz das rosa Haus an die Korporation Uri verkauft hatte, zogen er und Greti ins nachbarliche Gislerhaus zu Madlen. Franz habe seinen Schwestern »guet glueget«; er hat sie jeden Tag nach Isleten an den Urnersee gefahren. Dort gingen sie essen, damit Madlen nicht zu kochen brauchte.

Ausflug mit Tante Madlen zur Tellskapelle (1956). V.l.n.r.: Angela, Trix, Enrichetta Christen, Christian Schmid, Giuliano Christen, Madlen Gisler (Foto: PA Trix Christen)

Die Luzerner

Wie wir weiter oben schon gesehen haben, hatte Bundesrichter **Franz »Baba« Schmid** neben den fünf Mädchen und meinem Grossvater Franz noch zwei Söhne:

Anton Maria Schmid, der 1935 ledig gestorben ist und
Josef Schmid, den ich auch nicht kannte, da er 1947 gestorben ist, in dem Jahr als ich auf die Welt kam. Doch hatte ich immer wieder vom *»Apotheker Schmid in Luzern«* gehört. Bei den Nachforschungen zu diesem Buch wollte ich mich endlich kundig machen über diese nahen Verwandten, die ich alle noch nie angetroffen hatte:

„Die vom Apotheker Schmid in Luzern": oben 2. von links
Anton Schmid; 2. Reihe ganz links Josef Schmid, als junge
Burschen an der Goldenen Hochzeit von Bundesrichter
Franz Schmid im Jahre 1923.

Josef Schmid (1880-1947). Grossonkel, Bruder von Grossvater Franz.
Verheiratet mit Marie Siegwart (1881-1964).
Die beiden hatten zwei Söhne, Josef und Anton:

Josef Schmid (1915-2001) und Wanda di Gallo (1919).
haben 2 Kinder: Wanda (geb. 1945) und Egon (geb. 1952).
Tochter Wanda hat keine Kinder.
Sohn Egon Schmid und Silvia Eha haben drei Kinder:

· Alain Joel Raoul, geb. 1.8.1988
· Fabienne Nicole, geb. 6.4.1990
· Yves, geb. 15.2.1993

Anton Schmid (1918-2003) und Rosmarie Scherer (1923-2011)
haben 2 Söhne, Anton (geb. 1949) und Balthasar (1952).
Sohn Anton hat keine Kinder,
Sohn Balthasar (er führt heute die Seeapotheke in Luzern weiter) und
Kristina Gundlach haben 2 Kinder:

Wanda Silvia, geb. 3.1.1985
Thomas Jan, geb. 5.10.1988

Wie man sieht, geht es weiter mit den Schmid von Uri – wenn auch nicht
mehr in Uri selber und in sehr viel bescheidenerem Umfang wie früher. Da
in der Schweiz inzwischen auch die Mädchen bei einer Heirat ihren Familiennamen beibehalten können, ist nicht auszuschliessen, dass das Geschlecht der Schmid von Uri wieder wächst und weiterbesteht!

Mit meiner Generation (der Nachkriegsgeneration) will ich die Familiengeschichte beschliessen. Wir sind jetzt die Ältesten. Über unsere Kinder
schreiben – das möchte ich in diesem Werk nicht. Ein Teil von uns hat Kinder, ein anderer nicht. Wer sich darüber informieren möchte, der sei auf
die entsprechenden Stammbäume verwiesen (von Josef Muheim oder von
Peter Brunner). Dies ist denn auch das Thema des nächsten Kapitels.

7.0 *Stammbäume*

Die Schmid von Uri sind eine weitverzweigte Familie; ein Zweig z.B. verpflanzte sich nach Fischingen, Thurgau: durch Anton Maria Schmid, geb. 1689. Ein anderer, früherer, nach Schlesien. Aber ich greife der Geschichte voraus. Ich hatte mir vorgenommen, mich dem Hauptzweig zu widmen, dem ich selber entstamme, um mich nicht zu verzetteln. Beginnen wir also damit.

7.1 Der Stammbaum von Toni Arnold, Bürglen

Als ich im August 2008 im Staatsarchiv in Altdorf war, erfuhr ich, dass es einen Stammbaum der Schmid von Uri gebe, den ein Toni Arnold von Bürglen aufgezeichnet habe. Ich suchte den Genealogen in Bürglen auf und erfuhr,

dass der Mann die Stammbäume von sämtlichen Familien im Kanton Uri aufgezeichnet habe! Er ist kein Historiker von Beruf, aber von Berufung. Er hat ein unglaubliches Gedächtnis und die Gabe, sich alle Verbindungen der einzelnen Stämme zu merken. Er zeigte mir unseren Stammbaum *»Geschlecht Schmid von Uri, männlicher Stammbaum«* (von Toni Arnold, verfasst 2002). Ich bestellte bei ihm eine Kopie, die ich dann bei einem weiteren Besuch in Uri in zwei Monaten abholen würde. In St. Gallen habe ich diese dann auf Karton aufziehen lassen, und in der Anfangszeit meiner Recherchen diente mir dieses Dokument oft beim Zurechtfinden in der älteren Schmid'schen Familiengeschichte.

Der Genealoge Toni Arnold von Bürglen (August 2008).

174

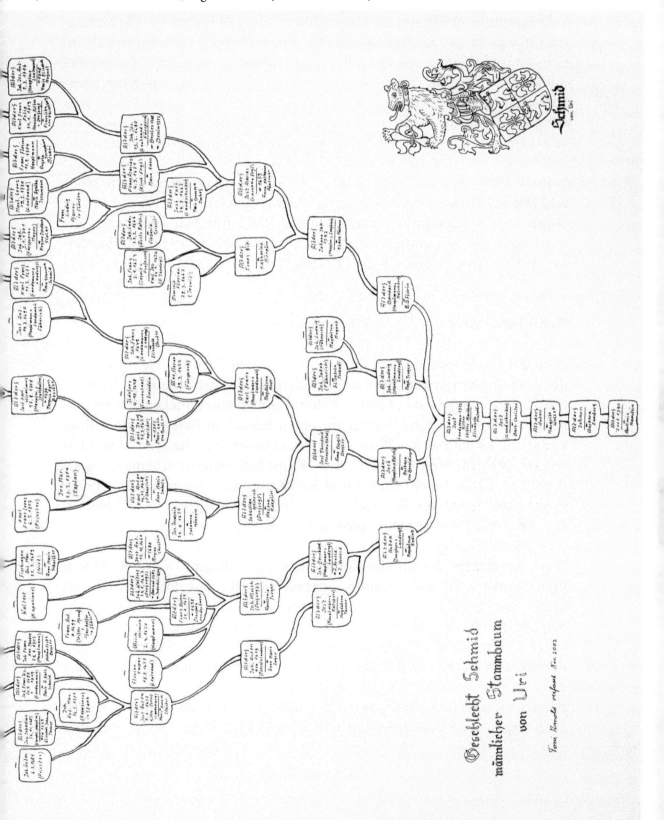

Geschlecht Schmid
männlicher Stammbaum
von Uri

Toni Arnold verfasst Nov. 2002

Sein Stammbaum beginnt **im Jahre 1390** mit Jost dem Ersten als Stammvater (Er war verheiratet mit Appolonia von Ramstein) und deckt sich im Grossen und Ganzen, wie fast alle Schmid'schen Stammbäume, mit der Familiengeschichte von Franz Vinzenz Schmid. Er endet mit den männlichen Sprösslingen der verschiedenen Zweige, die in den 1940er und 1950er Jahren geboren wurden – also meiner Generation. In der Linie unseres Grossvaters (den er fälschlicherweise als Fürsprech und Bundesrichter bezeichnet) wären das also vier männliche Nachkommen: **Christian** (1947) und **Walter** (1949) von Karl Schmid und Lotte Ries, sowie **Franz** (1948-2005) und **Jost** (1952) von Franz Schmid und Esther Renner.

Grossvaters Bruder Josef verheiratete sich 1909 mit Marie Siegwart, aus welchem Zweig drei Vettern stammen: in Luzern **Anton** (1949) und **Balthasar** (1952), sowie in Basel: **Egon** (1952).

Der Stammbaum von Franz Vinzenz Schmid

Ebenfalls im August 2008 knüpfte ich Kontakt zu **Frau Dr. Helmi Gasser**, die mir bekannt war von ihren drei Bänden »Die Kunstdenkmäler des Kantons Uri«, in denen die Familie Schmid einen ansehnlichen Raum einnimmt. Schon bald vereinbarten wir einen Besuch in Basel, wo sie wohnt. Für meine Arbeit war das Wissen von Frau Gasser über die Schmid von Uri von erheblichem Wert. Als sie an den »Kunstdenkmälern« arbeitete, zog sie für ein paar Jahre nach Altdorf und lernte dort auch meinen Onkel Franz kennen und erfuhr von ihm vieles, was für ihre Arbeit von grossem Nutzen war. 1999 wurde sie Ehrenbürgerin des Kantons Uri.

Frau Gasser übergab mir die Kopie eines Stammbaums, wie er 1787 von Franz Vinzenz Schmid zusammengetragen wurde und der natürlich mit seiner Familiengeschichte übereinstimmt. Dieser Stammbaum hingegen beginnt mit **Peter Schmid ab Ury**, der **1386** in der Schlacht von Sempach sein Leben gelassen hat. Stammvater ist aber ebenfalls Jost Schmid von Ury, der »berühmt war in **1390**« und verheiratet mit Appolonia von Ramstein.

Diesen Stammbaum finde ich etwas unübersichtlich, dafür hat er seinen Wert wegen der handschriftlichen Randnotizen von Frau Gasser, v.a. über die Wohnsitze der verschiedenen Schmids.

Frau Gasser bekundet Achtung für die Arbeit von Toni Arnold, bleibt aber skeptisch, was dessen Genauigkeit angeht (da gehe ich heute mit ihr einig). Auch sie bestätigt die Aussage von Onkel Franz, dass wir (Christian, Walter, Franz und Jost) die letzten Nachkommen seien, das habe er ihr immer wieder gesagt, so wie er dies auch uns vieren immer wieder bekräftigt hat. Jedoch müssen die obenerwähnten Söhne von Josef Schmid aus Luzern und ihre Nachkommen ebenfalls berücksichtigt werden. So wie es aussieht, hat Onkel Franz diese Linie ausgeklammert; aus welchen Gründen, ist mir nicht ganz klar. Vielleicht, weil jeweils nur der älteste Sohn, welcher männliche Nachkommen hatte, das Familieninventar, die Dokumente der Familiengeschichte etc. erbte? Vielleicht hätte er dies einem seiner Söhne vererbt, wenn sie leibliche Erben gehabt hätten?

Auf eine Abbildung dieses Stammbaums verzichte ich, da er identisch ist mit der Familiengeschichte des Franz Vinzenz Schmid.

Christian bei Frau Dr. Helmi Gasser in Basel, Uri-Spezialistin (die Kunstdenkmäler des Kantons Uri) und Kennerin der Familie Schmid von Uri. (Okt. 2010)

7.2 Die Schmid-Familienchronik, verfasst von Josef Muheim
oder »*Wie die Familie Schmid den Kanton Uri prägte*«

Anlässlich des Erscheinens von Band 11 des Historischen Lexikons der Schweiz war in der Neuen Luzerner Zeitung vom 10. April 2013 ein Artikel erschienen: »*Wie die Familie Schmid den Kanton Uri prägte*«. Der Artikel schloss wie folgt:

»*Die nicht ganz leicht zu erfassende Familiengeschichte weist auch noch Nebenlinien in Bellikon und im thurgauischen Fischingen auf. Es ist das Verdienst des Urner Genealogen Josef Muheim, Greppen, dass wir heute relativ detailliert über die komplexen familiengeschichtlichen Zusammenhänge Bescheid wissen. Muheim hat in jahrelanger Arbeit alles Wichtige gesammelt.*«

Daraufhin nahm ich sofort Kontakt mit Josef Muheim auf, der sich sehr freute, einmal ein Echo auf seine Schmid-Arbeit zu vernehmen, wie er mir schrieb. Bis zu diesem Artikel hatte ich von diesen Forschungen keine Ahnung gehabt. Ich fragte ihn, ob ich ihn anlässlich einer Uri-Reise einmal in Greppen besuchen dürfe. Er stimmte zu, und Ende September 2013 sprach ich beim Landwirt und Genealogen Josef Muheim auf

Der Urner Genealoge Josef Muheim, Verfasser der umfassendsten Schmid-Familienchronik. In jahrelanger Arbeit hat er alles Wichtige über die Schmid von Uri gesammelt. Auf dem Foto mit dem Schmid-Stammbaum (Sept. 2013).

seinem schön gelegenen Gut in Greppen am Vierwaldstättersee vor. Wie
staunte ich, als er mir eröffnete, dass er von Onkel Franz Ende der 1970er
Jahre den Auftrag für eine Schmid'sche Familiengeschichte erhalten hatte.
Davon hatten weder mein Bruder und ich noch Cousin Jost je gehört. Insgesamt hat Muheim während zehn Jahren fast 800 Stunden daran gearbeitet, so hat er mir erzählt. Er fuhr jede Woche nach Altdorf ins Staatsarchiv,
Grundbuchamt und Pfarreien. Die Arbeit hat er 1990 fertig gestellt, samt
dazu gehörigen Stammbäumen der drei Stämme Jost, Bernhard und Anton.
Diese Chronik liegt, mit Schreibmaschine übertragen, in einem Ordner vor
und befindet sich im Staatsarchiv (P-7/365) in Altdorf.

Muheims Nachforschungen und Notizen, sein Briefverkehr mit Onkel
Franz, und viele in der Chronik nicht berücksichtigte Dokumente befinden
sich in drei grossen Ordnerschachteln, die er mir zum Studium mitgegeben
hat. Ich habe das Material inzwischen gesichtet, und ich kann nur den Hut
ziehen vor der enormen und sorgfältigen Arbeit, die Muheim da geleistet
hat: Dieser Stammbaum ist meines Erachtens der genaueste und detaillier-
teste von allen, auch ist er klar gegliedert. Wollte ich alles Wissenswerte
daraus in mein Buch aufnehmen, so würde es ausufern und den Rahmen
dieser Arbeit sprengen. Auch ist Vollständigkeit nicht das Ziel dieses Buches – jeden all dieser Schmids aufzuführen, würde uns sicher langweilen.

Die für uns wichtigste Stammtafel, beginnend mit Landammann und Ritter
Jost Schmid von Uri (1523-1582), sowie einige bemerkenswerte Dokumente möchte ich jedoch in diesem Kapitel vorstellen. Etliche weitere mich interessant dünkende Schriften und Dokumente können im Anhang nachge-
schlagen werden. Und wer die ganze umfangreiche Arbeit Muheims sichten
möchte, sei auf das Staatsarchiv Uri verwiesen.

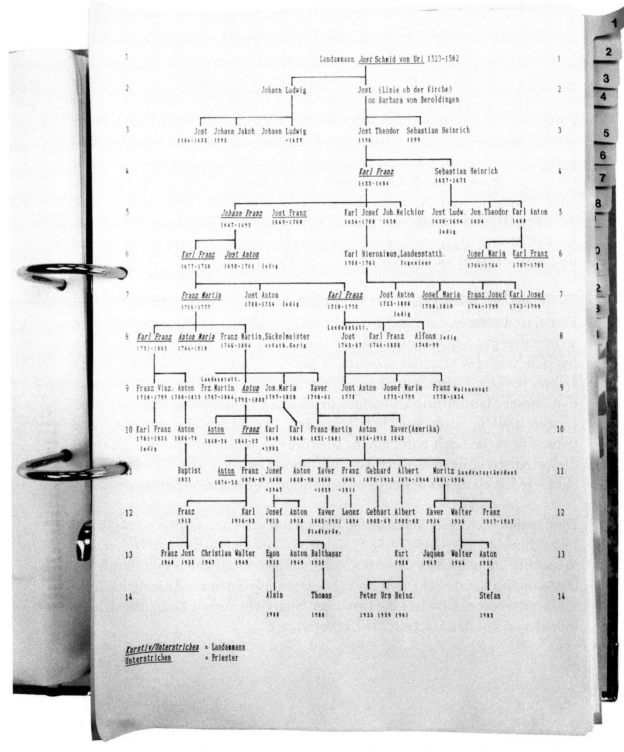

Der Stammbaum der Linie „ob der Kirche", beginnend mit Landammann und Ritter Jost Schmid von Uri (1518/1523-1582), bis heute 14 Generationen umfassend.

Bemerkungen zum Stammbaum der Linie »ob der Kirche«

Aus diesem Stammbaum, der 14 Generationen umfasst, ist ersichtlich, dass die Familie Schmid von Uri munter weiterbesteht: einerseits im schon erwähnten Zweig von Josef Schmid (1880-1947), anderseits in einer Linie, die auf einen Xaver Schmid (1798-1861) zurückgeht. Die **Franz-Linie** hingegen scheint zu einem Stillstand gekommen zu sein, da Franz, Jost und Walter keine oder keine leiblichen Erben haben und Christian zwei Töchter. In dieser Art Stammbaum werden nur die männlichen und leiblichen Erben berücksichtigt. Könnte es sein, dass Onkel Franz, der Vater von Franz jun. und Jost, uns deshalb diese Arbeit von Josef Muheim verschwiegen hat? Weil es ihn bedrückte, dass seine (»unsere«) Linie mit uns aufhört? Diesbezügliche Gespräche mit den verschiedensten Personen führten auch in diese Richtung.

Einzelblätter von Personen aus Muheims Familienchronik

Muheim hat von jeder Familie, bzw. Person, Einzelblätter mit Informationen und Daten zum betreffenden Individuum angelegt, beginnend mit der Nr. 1 Landammann Jost Schmid von Uri 1523-1582 und endend mit der Nr. 143 (fehlte im Ordner; die Nr. 142: Schmid Anton, geb. 1952). Nachstehend stelle ich einige dieser Personen vor, die mir aus dem einen oder anderen Grund erwähnenswert erschienen: (StB bedeutet: Sterbebuch)

StB Uri Nr. 9
Bernhard Schmid (geb. um 1574), der Sohn von Ritter Jost Schmid, heiratete um 1595 Barbara de Florin, die Tochter eines Graubündner Landammanns. Die beiden hatten 2 Söhne: Johann Jacob (geb. 1597) und Filio (1598).

»Barbara Deflorin war nach dem frühen Tod ihres Gemahls geisteskrank geworden. Mit der Hirnschale des hl. Placidus geheilt. Nbl. 1982/83 S. 78«
Nach ihrer Heilung verheiratete sich Barbara de Florin noch einmal, mit Johann Friedrich Tanner, Ritter und des Rats, mit dem sie vier Kinder hatte.

StB Uri Nr. 58
Josef Karl Thadee Schmid (1741-1812), ohne Nachkommen gestorben.
Landammann Thaddä Schmid war ein Kunstfreund und Altertumsliebha-

ber. Seine Bildung holte er in der Adelsakademie zu Mailand. Nbl. 1918 24/81.

Wurde in der Franzosenzeit als Kantonsvorsteher gewählt, weil dieser wegen seiner Ehrlichkeit beim Volk beliebt war. Nbl. 1908/84.

General Suworow mit herzlicher Umarmung UW 7.2.1880 Nekr. General A. Schm.

Gfr. 276 interessiert für Fragen der konfessionellen Toleranz.

Unter seiner Amtsführung wurde am 29.11.1788 ein Mandat gegen das Klausjagen erlassen. SAV 1913/250.

Bei Franz Lusser (1835) liest sich das so: »*gelehrt, sonst bieder und daher beliebt.*« (Kälin S. 342)

StB Nr. 69

Karl Franz Schmid (1735-1803), Landammann, Landschreiber, Zeugherr, Ritter, Fähnrich.

Nach Lusser: »*geschikt, aber oft betrunken und schmeichlerisch, daher Verderber des Volkes.*« (Kälin S. 342)

StB Nr. 70

Anton Maria Schmid (1744-1808). Genannt von Uri, 1762 Landschreiber, dann Hauptmann in Frankreich, ausgezeichnet mit dem Ritterkreuz des St. Ludwigs-Ordens. 1788 Landeshauptmann, 1798 Tagsatzungsgesandter und Senator des Kantons Waldstätte in der helvetischen Republik. Starb im Amte als Landammann.

Lussers Kommentar: »*brav, aber furchtsam; langweilig im Vortrag.*« (Kälin S. 342)

StB Nr. 79

Franz Vinzenz Schmid (-1799). Nach dem Brand von Altdorf hatte die Familie in Seedorf bei Ratsherr Salesis Logis.

Landschreiber F.V. Schmid aus zwar redlich und vaterländischen, aber leider allzu überspannten Absichten und nicht genugsam die Folgen berechnend... (Nbl. 1927/58)

Zusammen mit Pfr. Aschwanden in Erstfeld stachelte er die rund 400 versammelten Männer anlässlich der Landesprozession nach der Jagdmatt am 25.4.1799 zum Sturz der neuen Ordnung auf. (Gfr. 137/87)

StB Nr. 80
Anton Maria Schmid (1780-1835)
Unter all den »Glanzlichtern« taucht auch einmal ein schwarzes Schaf auf.
Unter »ergänzende Angaben« sind verschiedenste Vergehen aufgelistet, so
z.B.
1803 Zurechtweisung wegen Nachtbüberei, unerlaubtem Tanzen und Spielen
1808 unerlaubter Viehauftrieb auf Allmend, Misshandlung des Vormunds
1810 Holzfrevel im Bannwald usw.
14.4.1804 Ermahnung durch Wochenrat: »...*sich eines bessern Wandels be-
fleisse und sich so aufführe, wie sein edles Herkommen erfordert, mit seinen
Geschwister sich gehörig zu vertragen.*«
1814 Tanzen und Maskaraden gehen verboten (Nbl. 1915/34)

Ohne StB Nr.
Franz Martin Schmid (1787-1864 in Immenstaad/Deutschland)
1849: Frz. Martin alt Landesstatthalter landesflüchtig usw.
Unterschlagung des Kapellenfonds in Bellikon AG
1852 Überweisung an Gericht wegen betrügerischem Konkurs.

Auf einem separaten Blatt beschreibt Muheim das unglückselige Leben des
Franz Martin Schmid, und wie es zur Emigration kam:

*»Am 26. Mai 1848, von einer Geschäftsreise zurückgekehrt, sah
er sich veranlasst, zu seiner persönlichen Sicherheit bei dunkler
Nacht Frau und Geschwister zu verlassen. Er floh über Seedorf.
Oberhalb Isleten stürzte ihm die einzige mitgenommene Habe in
die Schlucht, als er den Rock ausziehen wollte. Er fand zwei Schiffer an der Isleten. Einer davon holte ihm gegen ein Trinkgeld den
Rucksack aus dem unwegsamen Gelände. Er bat die Schiffer, ihn
aufs Rütli mitzunehmen. Von dort flüchtete er über Seelisberg,
Emmetten Richtung Luzern. In Luzern logierte er ausserhalb der
Stadt. Da er einen Verhaftungsbefehl befürchtete, wollte er nicht
den offiziellen »Eilwagen« nach Basel benützen. Er hatte Gelegenheit, mit einem Handelsreisenden bis nach Zofingen zu fahren. Von hier aus fuhr er anderntags mit einem Postwagen nach*

Basel. Am 29. Mai überschritt er in Basel, mit dem Vorwande auf einer Geschäftsreise zu sein, die Grenze und setzte sich nach dem elsässischen St. Louis über. Mit Hilfe der Eisenbahn erreichte er mittags Mühlhausen. Die Reise wurde fortgesetzt über Thann, durch die Vogesen nach Epinal zu einem Geschäftsfreund in Mirecourt. Hier fand er freundliche Aufnahme und Logis. Er korrespondierte nach Hause und wartete auf die Rückantwort. (P-7/165, S. 1-8)

Im Januar 1830 hatte Franz Martin Schmid vom nachmaligen Landammann Carl Muheim ein Anleihen von 6500 Gulden aufgenommen. Offenbar wegen mangelhafter Sicherheit haben ihm seine drei Brüder 1836 für diese Schuld Bürgschaft geleistet. Am 9. Juni 1848 fand nun eine Übereinkunft statt, wo Landammann Anton Schmid und Leutnant Xaver Schmid die Quoten zur Tilgung der Schuld ihres Bruders festlegten. Während Anton Schmid die Wegmatte und ein Ried und Xaver das Feld und ein Ried als Unterpfand einsetzten, scheint der dritte Bruder Josef Maria auch mittellos gewesen zu sein. (P-7/164)

Am 17. Juni erhielt Franz Martin Schmid in Mirecourt Antwort von Altdorf. Es war eine beruhigende Botschaft. »Meine Regierung habe bis dahin nicht reclamiert.« Schmid reiste nach Basel zurück, um dort einige Geschäfte zu erledigen. Weiter gings nach Rheinfelden, Säckingen und Waldshut. In Dogern plante er bei einem schwarzwäldischen Holzhändler Anstellung zu finden. Mit dem »Hirschen«-Wirt akkordierte er Kost und Zimmer auf unbestimmte Zeit. Hier fing er an, die Erinnerungen über seine unglückselige Emigration niederzuschreiben. Er nennt das Jahr 1821, wo seine Unglücksperiode eingetreten sei. Sonst äussert er nichts von seiner Tätigkeit vor 1848 und den Umständen, die zu seiner Flucht führten. Einzig erwähnter Missgönner und Feinde, welche darauf abzielten, ihn zu stürzen und unglücklich zu machen, was ihnen dann durch seinen zu wenig überlegten Missgriff vollkommen gelang.«

StB Uri Nr. 89

Schmid Josef Ferdinand (1847 in Fischingen- 1926 in Fischingen)
Er hatte 9 Kinder mit Josepha Oswald. Über sein 7. Kind, Sohn Erwin Karl,
ist Folgendes notiert:

*»Andermatt. Vermisst. Vorletzten Freitag ging der Gefreite Erwin Schmid,
Postordonnanz der Fortwache, geboren 1884 in Fischingen, in Urlaub und
sollte sich am darauffolgenden Sonntag Abend um ½ 10 Uhr wieder zurück-
melden. Schmid kehrte aber nicht zurück, und die nach allen Seiten gemach-
ten Nachforschungen blieben erfolglos. Man befürchtet, Schmid, der als zu-
verlässig galt, sei verunglückt.«* (UW 17.11.1923)

So weit ein paar Einzelschicksale aus Muheims Familienchronik.

In einer der Schachteln, die Josef Muheim mir übergeben hat, befindet sich
auch die Abschrift eines Stammbaums aus Schlesien! Es lag die Kopie einer
Bescheinigung dabei, dass Muheim diese Stammtafel (sowie einige weitere
Dokumente) von Onkel Franz am 8. Januar 1983 zur Einsichtnahme überlassen wurden. Mehr stand nicht dabei, daher weiss ich leider auch nicht,
wie dieser schlesische Stammbaum in Franzens Hände gekommen war.
Diese Geschichte dünkt mich jedenfalls spannend genug, um hier detailliert wiedergegeben zu werden.

Der Stammvater des schlesischen Zweigs, ein Hilmar Schmid von Uri wurde 1233 geboren und habe »auf der Burg Uri« gewohnt, bevor er mit seiner
Familie um 1280 herum die Schweiz verliess, um nach Schlesien auszuwan-
dern. Dort wurde er Gouverneur der Festung Glaupen Namand, bis er 1309
starb.

Die Stammtafel Schlesien umfasst zwei Blätter, doppelseitig beschrieben;
auf der vierten Seite ist unten ein Sigill aufgedrückt, darunter lese ich: jetzi-
ger Magyar der Schmid von Schmiedeseck.

Nun folgt meine Transskription (Text ist vollständig bis auf einige Auslas-
sungen, gekennzeichnet durch: »usw.« sowie »...«):

Stamm-Tafel

Der alten Familie Schmid v. Uri, aus der Schweiz, woraus die
ächten aus der Familie als Gouverneurs der Festung und Burggrafen
Namand erhielt wird; die Nachrichten so man von der Familie
haben konnte, fangen erst bei Jacob Hilmar an, welcher die
Schweiz verließ.

Hilmar Schmid v. Uri, Gouverneur der Festung gleichen
Namand, woraus die Familie Schlesien und auch dem ächten
Sohn erbuchner   geb. 1233   gest. 1309

Kinder:
1. Maximilian Anton, geb. auf der Burg Uri 1275 gest. ?
2. Jacob Hilmar, geb. auf der Burg Uri; zog nach Schlesien.
   verheirathet sich mit Martha v. Pfeil geb. 1277 gest. 1365

Kinder:
1. Jacob Schmid v. Uri, geb. in Schlesien ging nach Schweden, verheirathet
   mit Ursula v. Bielitz, starb in Stockholm geb. 1332 gest. 1421.
2. Joachim blieb in Schlesien.

Kinder von Jacob
1. Antonius Hilmar geb. 1384, verheirathet 1429 mit Bianca
   v. Schödenhoff. (Eltern: Franz Jacob v. Schödenhoff u. Rosalie v. Liera)

Kinder:
1. Philip Jacob geb. 1443 gest. 1455 fiel sich aus dem Fenster tod
2. Christina verheirathet mit Heinrich v. Buddenbrock, geb. 1444.

Stammtafel der Schmid von Uri in Schlesien (1233-1898): Stammvater ist Hilmar Schmid von Uri (1233-1309),
„welcher die Schweiz verliess" und Gouverneur der Festung Glaupen Namand wurde.

13 Fried. Wilhelm Heinrich Carl Ferdinand .... Königl. 1752
Preuß. Major, Ritter des Verdienstordens,
vermählt mit Therese Louise Euphrosine Schenck
zu Tautenburg

14 Fried. Wilhelm Ludwig Moritz, Leutnant im Alexander 1797
Regt. vermählt in erster Ehe Hermine Schenck zu Tautenburg, †
kinderlos. ...

in zweiter Ehe Amalie ... v. d. Heydt.
1861.
kaufte im Jahr 1828 die W. plauschen'schen Güter u. Börnbock
im Kreis Rastenburg

15 Rudolf Major a. D. u. Königl. Kammerherr 1840
... Herr auf Woplauschken u. Börnbock
vermählt mit Anna Gräfin zu Eulenburg 1898

Kinder:

16 1. Hilmar, Königl. Landrat, vermählt mit Kathrina 1863
v. Westernhagen ... auf Woplauschken
und Börnbock

2. Walter, Hauptmann im ... ..., vermählt 1865
mit Dorothea Gräfin v. Arnim

... Wappen der
Schmid von Schmiedeseck

Letzte Seite der Schlesien-Stammtafel (bis 1898), mit Siegel der Schmid von Schmiedeseck: Zwei Arme mit Schmiedehämmern.

7.3 Stammtafel Schlesien (von anno 1233 bis 1898)

Stamm-Tafel Schlesien   *(Abschrift)*

*der alten Familie **Schmid v. Uri**, aus der Sweitz, wovon der älteste aus der Familie als Gouverneur der Festung und Burg Glaupen Namand Blefut ward; die Nachrichten so man von der Familien Leben kannte, fangen syt bei Jacob Hilmar an, welcher die Sweiz verliess.*

Hilmar Schmid v. Uri, Gouverneur der Festung Glaupen Namand, worauf die Familie Blefut und auf dem ältesten Hofe erblich war.   geb. 1233   gest. 1309

Kinder:
*Maximilian Anton, geb. auf der **Burg Uri 1275**, gest. ?*
*Jacob Hilmar, geb. auf der Burg Uri, zog nach **Schlesien**,*
verheiratet sich mit Martha v. Pfeil, geb. 1277, gest. 1365.

Kinder:
Jacob Schmid v. Uri, geb. in Schlesien, ging nach Schweden,
verheiratet mit Ursula v. Bilitz, starb in Stockholm, geb. 1332, gest. 1421.
Joachim, blieb in Schlesien.

Kinder von Jacob:
Antonius Hilmar, geb. 1384, verheiratet 1429 mit Benigna v. Güldenhoff
(Eltern: Frantz Jacob v. Güldenhoff u. Rosalia v. Lieren).

Kinder:
Philip Jacob, geb. 1443, gest. 1455. fällt sich aus dem bytern Tod.
*Christina, verheiratet mit **Heinrich v. Buddenbrock**, geb. 1444.*
Regina Carolina, geb. 1445
Ludwig August, geb. 1446, gest. 1499. verheiratet mit Leonore v. Podewies.

Kinder:
Henriette Elleonora, verheir. an Leopold v. Bibra.
usw. (4 Kinder) ...bis
George Ludwig, verheiratet mit Margaretha Susanna v.d. Osten 3.Jan.1498 1571

Kinder:
Adolf Gotthelf, Obrist über ein Regiment zu Fuss   *4. Juni 1538*   *1599*
...(5 Kinder)

Kinder von Adolf Gotthelf:
Friderica Galliana, verheiratet an August v. Bieberstein
Amalia Gertrude
Johan Schmid v. Uri, Graflicher Land-Voigt,   *Mai 1574*
Erbherr auf Jsterbies, verheiratet mit Amalia v. Hoffen, 2. Dez. 1632
...5 Töchter und 5 Söhne, welche sterben bis auf:

    1. Christina Elisabeth, verheiratet an Carl v.d. Marwitz.
    2. **Johan Schmid v. Schmiedeseck gen. Uri.**   *8. Dez. 1618*
Dieser hatte in schwedischen Diensten ein Regiment zu Fuss, zurück,   *25. April*
von der Königin Christina 1662 honifiziert mit dem Zunamen   *1679*
v. Schmiedes-eck, Commandant von Magdeburg, trat in
preussische Dienste, verheiratet mit Anna v. Klotzen, deren
Vater Vice-Kanzler und schwedischer Abgesandter am Casselerhof.

Kinder:
Heinrich Christoph Baron Schmid v. Schmiedeseck gen. Uri   *1647*
preuss. Kapitän, verheiratet mit Catherina Elisabeth v. Thun.
usw. ... bis
Friedr. Wilhelm Ludwig Moritz, Leutnant im Alexander   *1797*
Rgt. Heiratet in erster Ehe Baronin Schack zu Tentarburg, die
kinderlos bleibt.
In zweiter Ehe **Amalie Stössel v.d. Heyde**   *1861*
kauft im Juli 1828 die Woplanken'schen Güter in Römbock
im Bezirk Rastenburg.
Rudolf, Major a.D. und Königl. Kammerherr.   *1840*
Gutsherr auf Woplanken u. Römbock.
verheiratet mit Anna Gräfin zu Eulenburg.   *1898*

Kinder:

*Hilmar, Königl. Landvogt, verheir. mit **Katherina***   1863
***v. Westernhagen.** Erbherr auf Woplanken und Römbock.*

Walter, Hauptmann im Grossen Generalstab, verheir.   1865
Mit Dorothea Gräfin v. Arnim.

Siegel der
Schmid von Schmiedeseck
(Zwei Arme mit Schmiedehämmern)

Woher Onkel Franz diese Stammtafel her hatte, entzieht sich meiner Kenntnis. Auf jeden Fall staunte ich, dass ein Schmid von Uri so früh nach Schlesien auswanderte! Sie nannten sich also damals schon »von Uri«, diesen Beinamen hat demnach nicht erst Franz Vinzenz Schmid »erfunden«. So ein Zuname macht auch Sinn, denn Schmid = Schmiede gab es ja überall. Mit dem Zunamen wusste man gleich, woher dieser Schmid stammte.

Schlesien, Böhmen, Sudetenland – Heimat meiner Mutter, Grossmutter und deren Vorfahren. Mir war, als ob sich mit dieser Stammtafel ein Kreis schlösse.

Die Namen zweier Frauen auf der Stammtafel fielen mir auf: Amalie Stössel v.d. Heyde und Katherina v. Westernhagen. Diese beiden Geschlechter sind uns auch heute noch wohlbekannt: vom Musiker und Schauspieler Marius Müller-Westernhagen; und dem Schweizer Sänger Michael von der Heide, der – nach eigenen Worten – von deutschen Raubrittern abstammt; auch die Buddenbrocks kommen vor, ein (deutsches) baltisches Adelsgeschlecht, unsterblich gemacht durch Thomas Manns Roman »die Buddenbrooks«.

Welch launige Verbindungen der Schmid von Uri – mit unseren heutigen Augen gesehen!

Aktuelle Stammbäume

Peter Brunner:

Anlässlich eines Besuches beim Altdorfer Apotheker Peter Brunner und seiner Frau Maria Angela Baldini erfuhr ich, dass auch er sich für die Schmidische Familiengeschichte interessiert und dass er einen Stammbaum angelegt habe, der mit unser beider Urgrossvater, dem Bundesrichter Franz Schmid (1841-1923) und seiner Frau Katharina Schillig (1848-1931) beginnt.

Weitere Details zu unserer Verwandtschaft: Peter Brunners Mutter war Alice Schmid = die Tochter von Josef Schmid und Marie Siegwart; Josef war der Bruder meines Grossvaters Franz und somit mein Grossonkel. Und: meine frühen Kinderjahre (um 1950) verlebte ich im Rankhof der Baldinis in Altdorf; Maria Angela und ihre Geschwister waren damals meine Spielkameraden.

Peter Brunners Stammbaum ist **aktuell** und übersichtlich. Wer auch über die jüngsten Nachkommen Bescheid wissen möchte, ist mit diesem Stammbaum gut bedient.

E-Mail: brunner.altdorf@bluewin.ch

Hubert Kohne-Schweizer:

An der Beerdigung von Tante Esthi (Esther Schmid Glaus, geb. Renner – mit ihr ging die Letzte der alten Garde) am 19. Juli 2014 traf ich auch meine Cousine Madeleine Kohne-Schweizer und ihren Mann Hubert wieder (Madeleine ist eine Tochter von Nanette Schweizer-Schmid, der ältesten Schwester meines Vaters).

Wie es so geht bei diesen Treffen – man spricht über die Verwandtschaft. So erfuhr ich am Mittagstisch im »Schwarzen Löwen«, dass Hubert einen Stammbaum der Familie Schmid zusammengestellt habe. Er erläuterte mir, dass auch sein Stammbaum zurückgehe bis zu Stammvater Jost anno 1390, dass aber die Familien-Mitglieder der neueren Zeit durch viele Fotografien ergänzt seien. Schon in der Woche darauf schickte er mir die Foto-CD »**Familie Schmid Altdorf**«. Sein Stammbaum enthält – für mich – wahre Schätze an Bildern und Informationen über meine näheren Familienangehörigen. Ich hatte diese Fotografien noch nie gesehen - was verständlich ist: durch die frühe Scheidung meiner Eltern wurden wir von einem grossen Teil der Familiengeschichte sozusagen abgeschnitten.

Hubert hat inzwischen Muheims Familienchronik kennengelernt und verfasst nun seinen Stammbaum neu auf der Basis dieser Chronik. Seine Arbeit ist eine erfreuliche Bereicherung der Schmidischen Familiengeschichte dank der vielen Fotografien von längst vergessenen Familienausflügen, Anlässen usw. Wer sich dafür interessiert, darf sich bei ihm melden:

E-Mail: mh@kohne.ch

7.5 Der Thurgauer Zweig von Anton Maria Schmid in Fischingen TG (enthaltend einige Kurzbiographien)

Wie wir schon mehrfach gehört haben, gibt es drei Hauptlinien der Schmid von Uri:
Die drei Söhne, die Jost Schmid, genannt der Grosse, mit seiner dritten Gattin, Elisabeth Mutschlin, hatte, teilten das Schmidische Haus in folgende Linien:

1. Anton (1567-1608), von 1606-1608 Landvogt im Thurgau
2. Jost
3. Bernhard

»Ein Zweig der Schmid von Uri verpflanzte sich durch ANTON MARIA, geboren 1689, nach Fischingen (Thurgau) und von dort nach andern Gemeinden der Kantone Thurgau, St. Gallen, Graubünden und Zürich. Nachkommen dieses Zweiges erhielten 1845 neuerdings das Landrecht von Uri zugesichert.« (HBLS, 6. Band, 1931)

Aber als den Vorreiter dieser »Verpflanzung« in den Thurgau könnte man **Hauptmann Anton Schmid** von Altdorf ansehen, den ältesten Sohn von Jost Schmid und Elisabeth Mutschlin: er war von 1606-1608 Landvogt im Thurgau. Gestorben ist er in Frauenfeld und liegt begraben in der Klosterkirche zu Tänikon, bei Aadorf im Thurgau. Diese Auskunft erhielt ich auch im Staatsarchiv in Frauenfeld. Als ich aber sein Grab besuchen wollte, habe ich es nicht gefunden; auch nicht bei einer späteren zweiten Suche zusammen mit Mona. Sein Porträt befindet sich im Historischen Museum in Altdorf. Die Inschrift auf dem Gemälde lautet: »*ANTONI SCHMID Aetatis Suae XXV. 1592. War nach gehns Landtvogt im Thurgöw. Zuo Dennicken in der Kirchen begraben.*«

Hauptmann Anton Schmid vom Thurgauer Zweig; Landvogt im Thurgau von 1606-1608, begraben in der Klosterkirche in Tänikon TG. Er starb im Alter von 41 Jahren. (Nbl. 1923)

Die Klosterkirche von Tänikon TG.

Wenn er 1592 im Alter von 25 Jahren gemalt wurde, kann man daraus schliessen, dass er im Jahr 1567 geboren wurde. Er starb also im blühenden Alter von 41 Jahren. (siehe Abbildung)

Pater Gerold Zwyssig hat die Thurgauer Linie der Schmid von Uri erforscht; sein Beitrag ist im Hist. Neujahrsblatt Uri für 1923 erschienen, aus welchem ich nachstehend auszugsweise zitiere:

Stammregister der Familie Schmid von Uri in Fischingen, Kanton Thurgau

»Genannter Herr Landvogt und Zeugherr Anton Schmid erzeugte mit Frau Maria Magdalena Reding von Biberegg zwei Söhne: **Jost***, welcher als Hauptmann in französischen Diensten bei der Belagerung von Mardyk anno 1646 das Leben verlor und* **Johann Bernhard***; von diesen beiden sind abermal zwei Linien entstanden. Von Johann Bernhard stammt die Familie Schmid in Fischingen.«*

Dieser Johann Bernhard war Mitglied des Landrates in Uri und anno 1637 Landvogt der Grafschaft Baden im Aargau. Er hatte mit Maria Jakobea Dorer vier Kinder: Von seinem vierten, Johann Ulrich, stammen die Schmid in Fischingen ab. Anno 1674 war dieser Johann Ulrich Schmid noch Dorfvogt in Altdorf und erzeugte mit Apollonia Troger drei Söhne. Der jüngste von ihnen, Jost Anton, geboren 1666, zeugte anno 1689 mit Frau Regina Christen den **Anton Maria Schmid,** von dem wir am Anfang dieses Abschnitts (im Auszug aus dem Historisch-Biographischen Lexikon der Schweiz) schon gehört haben.

Dieser Anton Maria Schmid war Sternenwirt und der Kammerdiener seines (mutmasslichen) Grossonkels Abt Franz Troger. Am 6. Januar 1723 erscheint er erstmals in einem thurgauischen Pfarrbuch: das Taufbuch zu Fischingen nennt ihn als Paten. Er verheiratet sich mit der 1704 geborenen Anna M. Schneller. Ihr Vater ist der Architekt Johann Georg Schneller aus Tirol, der die **St. Idda Kapelle im Kloster Fischingen** gebaut hat.

Die Eltern hatten zehn Kinder:

ihr erstes, ein Mädchen, nannten sie zu Ehren der hl. Idda, Idda Katharina (1730-1812). Idda wurde mit 18 Jahren Klosterfrau und später Frau Mutter zum obern Hl. Kreuz in Altdorf.

Der zweite, Johann Joseph Anton, geb. 18. April 1732, wurde Stammvater der älteren Linie in Fischingen.

Der dritte, Franz Bernhard, geb. 24. Februar 1734, wurde Professor der Rhetorik in Altdorf.

Einige starben als Kind, und ein Knabe, Demeter Peregrin, soll mit zehn Jahren »beim Kirchturmbau totgefallen sein«.

Plazidus Benedikt, geb. 3. April 1743, wurde der Stammvater der jüngeren Linie der Schmid in Fischingen.

Der letzte, Felix Maria, geb. 25. August 1745, blieb ledig, war schwachsinnig und starb 75-jährig in Fischingen.

Die jüngere Linie, stammend von Hrn. Plazid Benedikt Schmid.

»Plazid Benedikt Schmid, geb. 3. April 1743, war Gastwirt zum Löwen, zum alten und neuen Sternen und endlich zur Traube, Quartierhauptmann und Amtsschreiber. Nach seinem ökonomischen Verfall lebte er einige Jahre in St. Fiden (St. Gallen) bei seinem Sohne Pater Dominikus und starb daselbst mehr als 95 Jahre alt. Von ihm stammen die Schmid von Bichelsee.« Mit seiner Ehefrau Anna Maria Schneider erzeugte er neun Kinder.

Einer ihrer Söhne,

»Hr. **Demeter Ignaz**, geb. 25. Mai 1778, gest. 15. Jan. 1828, wurde Gastwirt zum Schwerte in Bichelsee, verehelichte sich zweimal, zuerst den 22. Juni 1807 mit Witwe Anna Magdalena Kappeler von Rickenbach (gest. 6. Dez. 1810); nach deren Tod in zweiter Ehe mit Jgfr. Anna Maria Böhi von Buhwil, welche nach ihres Mannes Ableben den Sattler Schneider in Balterswil heiratete und daselbst noch lebt.

Dessen Kinder aus erster Ehe:

· a) Alois Ignaz Gregor, geb. 25. Mai 1808, verehelicht 10. Mai 1830 mit M. Josepha Zehnder. Er war Sternenwirt in Fischingen, fallierte (= ging bankrott) und wurde wegen Unterschlagung kriminalgeschichtlich bestraft; er ist hier der erste, welcher den Namen eines alten, verdienstvollen Geschlechtes schändete (vom Autor hervorgehoben; endlich auch mal ein schwarzes Schaf, dachte ich bei mir). Von ihm sind wenigstens zwei Söhne und eine Tochter vorhanden.

· b) M. Agatha Magdalena Johanna, geb. 23. Juni 1809, lebt noch als verehelichte Büeler, z. Schwert in Bichelsee.

· ...usw....

Dieses vorstehende Stammregister der Familie Schmid von Uri ist zum Teil aus Leu's Helvetischem Lexikon, vorzüglich und meist aus den Pfarrbüchern von Altdorf, Fischingen, Kirchberg und Bichelsee mit möglicher Treue und Sorgfalt entnommen. Die Echtheit und Richtigkeit desselben in allen wesentlichen Teilen bezeugt mit eigenhändiger Unterschrift und beigesetztem amtlichen Siegel

Fischingen, Kt. Thurgau, den 1. Januar 1846.

L.S.   ***P. Gerold Zwyssig***, *O.S.B.*
             Kapitular von Muri, Notar. Apostol., Professor in Fischingen.«

Soweit einige Auszüge aus dem Stammbaum, notiert vom Familienforscher P. Zwyssig im Jahre 1846.

Bezüglich des oben erwähnten Sternenwirtes in Fischingen möchte ich noch anfügen, dass ich geradezu erleichtert war, dass in der Familie auch einmal einer aus der Reihe tanzte! Er »*fallierte*« und hat unterschlagen… nicht dass ich das gutheissen würde. Aber es scheint so, wie wenn in *Alois* Ignaz Gregor Schmid eine dunkle Seite hervorgebrochen wäre: Er hat etwas getan, was in diesem »*alten verdienstvollen Geschlecht*« nie einer getan hätte, weil es doch so viele Verbote und Gebote gab, die zu befolgen waren. Da kann es einem schon mal aushängen…

Ich begab mich selber einige Male in den Thurgau, um nach Schmid-Spuren zu forschen, so am 12. Dezember 2012 ins Staatsarchiv Frauenfeld, wo ich fündig wurde im

Brand-Assecuranz-Cadaster der Gemeinde Fischingen von 1808.

Ein Beispiel möge hier genügen:

Aloÿs Schmid war Besitzer des Gebäudes Nr. 15 Zum Brunnen.
Dieses umfasste Haus & Keller, war *geriglet und gebraucht* und wurde in einer endlichen und berichtigten Schatzung in den Jahren 1814 à 1816 mit 3000 geschätzt.

Andere Male suchte ich Orte auf, die mit der Familie Schmid in Zusammenhang standen, so das **Schloss Frauenfeld, die Kartause Ittingen mit dem Hüttwiler Weiher** (Mandat von Jost!), **die Klöster Fischingen und Tänikon** usw. Allein schon beim Durchfahren der vielen Dörfer in der Gegend um Fischingen fiel mir auf, dass es noch heute viele Schmid gibt: das zeigen Firmen-Tafeln und Briefkästen; Ortsbezeichnungen wie Schmidrüti z.B. könnten ebenfalls auf einen frühen Grundbesitz der Familie hinweisen.

Das Kloster Tänikon ist seit 1249 als Zisterzienser-Frauenkloster bezeugt, und die Kirche ist der Gottesmutter geweiht. Um 1500 – vor der Reformation - muss dies eine stattliche Klosteranlage gewesen sein. Noch heute hängt eine Wappenscheibe in der Kirche, die eine Affra Schmidin zu Felbach zeigt, welche 1559 Äbtissin des Klosters war. Nach meinem Wissensstand gibt es aber hier keine Verbindung zu den Schmid von Uri. Nach den Reformationswirren verheirateten sich viele der Schwestern und das Kloster zerfiel. Im 19. Jahrhundert kam das Klostergut in Privatbesitz; von 1936 – 1968 gehörte es Emma Zuber-Schmid, die auf dem Gut die Pferdezuchtgenossenschaft »Lilienthal« gründete. Emma Schmid stammt aus der Textildynastie Schmid. Ob diese mit den Schmid von Uri in verwandtschaftlicher Beziehung steht, konnte ich nicht herausfinden.

Soviel zum Thurgauer Zweig.

7.6 Über die Herkunft der Schmid von Uri

Als ich Frau Gasser fragte, ob die Schmid von Uri eventuell von **Hospental/Urseren** gekommen sein könnten, sagte sie: »*Tun Sie das Ihrer Familie nicht an! Ihre Familie war immer in Altdorf ansässig, niemals kamen sie vom Urserental.*« An einem frühen Familienfest – da muss ich noch ein Halbwüchsiger gewesen sein - hatte ich einmal aufgeschnappt, wie Onkel Knut zu Karl Gisler sagte, dass er in Hospental ein Dokument gesehen habe, in welchem die Schmid von Uri erstmals erwähnt worden seien, und zwar **im Jahre 1290.** Diese Jahreszahl habe ich nie vergessen. Spätere diesbezügliche telefonische und schriftliche Anfragen meinerseits in der Gemeinde Hospental haben jedoch nie ein Resultat ergeben. Im Büro von Grossvater und später im Zimmer von Tante Greti hing immer ein Bild, ein farbiger Stich von *Hôpital* (Hospental). Dieser hängt jetzt bei mir im Büro und erinnert mich daran, dass Hospental in irgendeiner Weise für unsere Familie eine Rolle gespielt hat.

Zur erwähnten Jahreszahl fand mein Bruder Jahre später Folgendes im französischen Band »*l'ordre de la noblesse, vol. septième 1985-1992*« – Familles d'Europe enregistrées in ORDINE NOBILITATIS:

SCHMID, CH, Uri, Stammbaum 1519, erwähnt 1290.
Famille de chefs d'état d'Uri, lettre de noblesse du Saint Empire, Augsbourg, 1550.

Diese Jahreszahl 1290 taucht noch ein drittes Mal auf, und zwar im Zusammenhang mit dem Bau der Pfarrkirche von **Spiringen** im Schächental. 1290 stifteten die Leute vom Schächental eine St. Michaels Kapelle; dies belegt eines der wichtigsten Dokumente zur Geschichte der jungen Eidgenossenschaft: der **Stiftungsbrief vom 29. März 1290.** Unter den zahlreichen Donatoren ist auch ein Walter Schmid aufgelistet. Ob dieser Walter ein Vorfahre der späteren Schmid von Uri war, deren Stammbaum hundert Jahre später, im Jahr 1390, mit Jost Schmid dem Ersten beginnt? Dann wäre dies der Grund für den obigen Eintrag im *Ordre de la Noblesse, Paris:* »*cit. 1290*« (erwähnt 1290).

Im Historischen Lexikon der Schweiz, Band 11, steht zur Herkunft unserer Familie Folgendes:

> »*Die aus dem norditalienischen* **Pomat** *(Val Formazza) stammenden Schmid liessen sich in der 2. Hälfte des 15. Jh. in Altdorf nieder und erhielten 1471 das Urner Landrecht. Den Zunamen von Uri führte der Historiker Franz Vinzenz Schmid in der 2. Hälfte des 18. Jh. ein, um seine Familie von den Schmid von Bellikon zu unterscheiden.*«

Stammbaum und Familiengeschichte beginnen wie aus dem Nichts mit Jost Schmid dem Ersten in 1390 (wenn man einmal absieht von Peter Schmid, der 1386 in Sempach fiel). Mir war das immer etwas suspekt, dass da plötzlich ein Ahne auftaucht und vorher soll nichts gewesen sein. Ich stellte mir deshalb verschiedene Fragen:

· Wo hat Jost Schmid der Erste, in 1390, gelebt und gewohnt? Nach dem HLS sei das in Pomat gewesen bis etwa 1471.
· Aus welchem Grund ist nichts über seinen Vater, seine Vorfahren bekannt?
· Wie kommt ein Peter Schmid 1386 auf das Schlachtfeld bei Sempach, wenn doch zu diesem Zeitpunkt seine Familie noch in Norditalien lebt?
· Wäre es möglich, dass die Schmid von Uri schon viel länger in der Eidgenossenschaft ansässig gewesen waren? Vielleicht an einem anderen Ort als Altdorf oder Uri?

Diese Fragen gingen mir immer wieder durch den Kopf, ohne dass ich auf eine Lösung gekommen wäre. Die Antwort fand ich Jahre später, als ich auf Josef Muheims Familienchronik stiess. Auf Seite 3 schreibt er: »Die Schmid von Bellikon kamen aus dem Pomat. Peter Schmid liess sich 1566 in Uri einbürgern.« (siehe Anhang »die Muheim-Dokumente«) - 1640 erwarb dessen Urenkel Schloss und Dörfchen Bellikon im Kanton Aargau, worauf diese Familie sich Schmid von Bellikon nannte. Weiter schreibt Muheim: »Beim Forschen der Schmid-Familien muss man auf der Hut sein, um keine Personen zwischen Schmid von Uri und jenen von Bellikon zu verwechseln. Die Schmid von Uri sind in den Pfarreibüchern selten mit dem Zusatz »von Uri« versehen. Auch bei den andern Schmid wurde nicht immer die Mühe genommen, das »von Bellikon« oder »v.B.« seinen Sippenangehörigen anzuhängen.«

Es findet sich also auch bei Muheim kein Hinweis darauf, dass die Schmid von Uri aus dem Pomat gekommen wären. Eine mögliche Lösung des Rätsels bot sich mir jedoch kurz darauf in unerwarteter Weise, als ich auf das Buch von **Arnold Claudio Schärer** »**Und es gab Tell doch**« stiess. Als es 1986 erschienen war, hatte ich es nur am Rande wahr genommen und weder gekauft noch gelesen. Doch nun war mein Interesse geweckt, und ich erwarb das Buch antiquarisch. Nach der Lektüre war ich begeistert: Schärer nimmt den Gestalten Tells und Gesslers erstmals das Legendenhafte; das Ergebnis seiner Forschungen lässt eigentlich nur den Schluss zu, dass sie wirklich gelebt haben. In Tausenden von Freizeitstunden hat er in Archiven Dokumente, Urbare, Rödel gesichtet, studiert, verglichen und sich so ein immenses Wissen über diese Zeit angeeignet, die schliesslich zur Schweizerischen Eidgenossenschaft geführt hat. Ich dachte mir, wenn einer hier weiterhelfen kann bei meinen Fragen zu den Vorfahren von Stammvater Jost Schmid, dann dieser Mann. Und Arnold Schärer hat tatsächlich etwas herausgefunden, und zwar etwas Sensationelles! Darüber werde ich im nächsten Kapitel berichten.

Der Privatforscher Arnold
Claudio Schärer, Autor
des Buches
„Und es gab Tell doch".
(im März 2010).

8.0 *Waren die Vorfahren der Schmid von Uri Habsburger?*

Ich rief Arnold Schärer im Februar 2010 an, stellte mich vor und legte ihm mein Ansinnen dar. Wir merkten bald, dass wir zwei verwandte Seelen waren, und er war sofort bereit mir zu helfen. Wir sprachen fast eine Stunde miteinander, dann vereinbarten wir einen Besuch etwa Anfang März bei ihm in Emmen LU. In der Zwischenzeit schickte ich ihm alle erforderlichen Unterlagen, damit er mit seinen Nachforschungen beginnen konnte. Schon bald meldete er sich bei mir und teilte mir mit, dass er Interessantes herausgefunden hätte. Am 10. März empfing er mich dann in seinem kleinen Haus auf dem Hügel. Ich staunte nicht schlecht, als er mir eröffnete, er habe den Anschluss an die Vorfahren unseres Jost gefunden! Nun war ich gespannt. Er meinte gar, dass wir weit aussen verwandt seien, da wir einen gemeinsamen Vorfahren hätten: den Minnesänger Rudolf von Rotenburg, dessen Abbildung sich in der Manesse-Liederhandschrift findet.

8.1 Der Meistersinger Rudolf von Rotenburg
gefallen in Morgarten 1315.

Dieser Rudolf sei ein Meistersinger gewesen in einem Sängerwettstreit und sei gefallen auf der Seite Habsburgs in der Schlacht von Morgarten am 15. November 1315; und Rotenburg sei identisch mit dem Städtchen Rothenburg bei Luzern.

Ich muss etwas fragend dreingeschaut haben: Habsburg? »Nun, das werde ich Ihnen gleich erkären«, lachte er. Dann breitete er auf dem Stubentisch ein grosses Faltblatt aus, auf dem er den Stammbaum von Josts Vorfahren aufgezeichnet hatte, nachdem er ihre Spuren in alten Urbaren und Rödeln aufgespürt hatte. Schärer begann um 1390, bei Jost I. und ging dann zurück in der Zeit.

Über das grosse Faltblatt gebeugt, begann Schärer zu sprechen, und ich notierte, soviel mir möglich war bei all den Informationen und dem Wissen, das er mir in den gut zwei Stunden bis zum gemeinsamen Mittagessen vermittelte.

Die Schmid von Ury seien eine »gute Familie« gewesen, und gute (auch: vermögende) Familien hatten Streubesitz, seien darum an vielen Orten nachweisbar. Hier erwähnte er unter anderem Ursern und Urswil; die wichtigsten kämen aber noch. In jenen frühen Zeiten gab es zum Vornamen meist einen oder mehrere Zunamen (Familiennamen), um die einzelnen Familienmitglieder voneinander zu unterscheiden.

Schmid kommt vom Beruf *Schmied*. Je nach Spezialisierung des Schmiedeberufs seien Abwandlungen möglich, so z.B.
Ruster = der Rüster, Waffenrüster (Rüstung!)
Russi
Schwerter
Blattner

Nachstehend folgt Schärers Faltblatt mit dem Stammbaum von **Heinrich, der »Regenbogen«**, Helmschmied und Poet, einem direkten Vorfahren von Jost Schmid von Uri, wie Schärer versichert. Anschliessend zur besseren Lesbarkeit meine Transkription davon.

Regenbogen, Meistersänger und Helmschmied, hat um 1300 bis 1320 gedichtet. Nach Arnold Schärer der Grossvater von Jost Schmid I. (Tafel 123 der Manesse-Liederhandschrift der Universitätsbibliothek Heidelberg. Abb. Vlg. R. Georgi 1981)

„Her Rudolf von Rotenburg", Meistersinger und Urgrossvater von Jost Schmid I.?
Gefallen auf Seite Habsburg in Morgarten am 15. November 1315. (Tafel 23 der
Manesse-Liederhandschrift der Universitätsbibliothek Heidelberg.
Abb. Vlg Rudolf Georgi 1981)

Rudolf von Rothenburg

☐
- ad fontem de Biela
- ∞ Gysela Breineschilling
- Besitz der Familie in „Buisdal" bei Einsiedeln
- Besitz der Familie in Ober-ort im Wigdenwol, genannt „Schoren"
- Teilbesitz von Rudolf in „Buchre" (Buchrein)
- gefallen auf Seite Habsburg in der Feldschlacht am Morgarten

- ad fontem: Siegfriedbrunnen in Gross-Ellerbach
- Biela: Gut in Biela
- NH: Obiit Rüdolfun de Biel ad fontem constituit dui ad commendatori fratribus 5 lib ... suo Gysele sua pro vino alsacie de bonis puis sitis in Hemikon.
- Buisdal: Teil der Rüster (Waffenschmiede)
- Schoren: Verdeutschung von „Sciarato", den Laborat hängen auf der Ried schlina. (Ausrutscherbesitz)
- beerdigt in Hemikon. Vermerk: ... dass man über Rudolfs Grab gange."
- Meistersinger in einem Sängerwettstreit

☐ **Heinrich, der „Regenbogen"**

- Helmschmied und Poet
- Besitzer des Gutes „Bogen" in Hämikon
- Besitzer eines Ackers an der „Matta" in Hämikon
- ∞ Elsi (Elisabeth)
- 1324 Heinrich der Singer
- 1331 Ursnle: Heinrich d. Smid
- ca. 1310 Heinrich an der Matta

- Miniatur: Sie zeigt ihn als Helmschmied, genannt Philos hueter
- Der „Bogen" (Regenbogen) geht als Erbe an Nachtkhren.
- NH: Heinrich der Smid, Elsi uxor eius dederunt 3 quartali tritici fratribus de agro an der Halte de Hemikon
- Ursnl, kl. Luzern (wurde von heuten aus Ursnren so be nannt.)
- an der Matta: Ein Seelgerätegut in Luttan, heut Matt. Der Name bezieht sich auf Anderwelt.

Söhne und Töchter

Ulricus dictus „Under Zun" de Hemikon ——— Johannes d.
NH. Ulrich vergabt Zinse an die Deutschordenskommende.
de agro dictus „Bogen" (Regenbogen) in Hemikon
Willisau: Ulrich ist Keller der Hasenburg
„Ulricus, cellerarius dominorum de Hasenburg
deshalb werden Ulrichs Nachtkhrerth Has und Hesli.
Ulrichs Sohn Walter:
NH: Walter Hesli de agro dictus der „Bögen ze Hem
Rüdi Hesli, Berchta et Ulricus frater eius de agr
zu dem Bogen (Regenbogen) 1324 wigaden.

Rüdolfus dictus Regen

- NH. Rüdolfus Faber et filius eius de Hemikon. Vergabung in Richarzvile ∞ walther Dietrices Snidorin de Hemikon
- 1326 Kniterswil, Grund: Rudolf de Matta: pomerium d. Langackers

Rudolf Smid d. Regen, 1324 Magden, Mühle
1357 Kl. A. Pfeuren: Rud Smits hof hat zu Kinderbert (Zieg
Einsiedeln 1371: Rüdolfo Spichvarado de Pfeiften
Rudolf war Spichwart des Klosters Einsiedeln.
Johannes Faber ———— Johannes und Hesli von Joh
1324 Ursnle: de bono filiorum de Eich; Jo. Faber
1324 Magden (Bz. Rheinfelden) Joh. dictus Regen (Mühle
1346/47 Magden, Mühle: Joh. Regen, Joh. filius Joh Re
1346/47 Ursnle, bonum Joh. filius Joh. Fabri

Walther
1324 Verchen: Aalter Faler
1324 Wahrscheinlich war es Weibel (Vogt) von Ursnr?

Werner Fabro
Grundbesitz an diversen Orten ——— Töchter Anna, Elisa

Rüdgerus dictus Regenott
1324 Öghein (Auggen, Baden)

Heinrich Brisver
Auggen: 1324 u. 1346/47

Jodocus Fabri (Jost Schmid)

- NH. Et post mortem Jodoci Fabris de Hemikon et He uxoris. Vergabung an die Brüder vom Deutschen Orden in Hitzkirch und die Frauen „de agro dicto Jol dem Birböm et de agro in der Trindlen sito in Hemikon.
- 1389-92 In Jost uns an der Matt, Heusti Smit und sin Grsin

Hartmann von Starkenberg

- Schmied wie sein Bruder
  (Waffenschmied / Stahlhüter)
- Gut am Berg von hiehi
- Nachfahren nannten sich
  auch Hartmann dictus
  Langenstein

von Stadegge

- Cůnrad, Spielmann und Schläger
- Stadegge-Stad in Ettenbach

Meister Sigeher (Meistersinger)

- „Husherre" – Haysher auf der
  Neuhabsburg in Luzern
- Als Siegespreis erhielt er einen
  Pelzmantel und das Hafter-
  amt auf Neu-Habsburg auf
  der Hafenfluh bei Seeburg
  in Luzern.
- wahrscheinlich war Walther der
  Siegesherr, für Richard Wagner
  Vorbild zur Oper „Der Sängerkrieg
  von Nürnberg".

Söhne und Töchter

- Ulrich Hartmann von Horgenberge 1331
  1310-15 Kl. Muri : Gut zu Gitteln (Sächw-Wohlen)
  1344 Ulrich „Rüste" Gut in Bilz, Rakal   1344 Ulrich Meyer
  „ Peter „Rüste" . . . .   Ausserbühl
  „ Conrad „Rüste" . . . .   Claus Meme.
- Rudolf dictus Röser
  1310-40 Udliguarant (Gut) als R. Rüster
  1346/47 Ammann in Hochdorf
- Johann Faber
  1346/47 die Urswile
- Adelheid Hartmannin von Horgenberse, 1381
  Tha d. Hartmann de Urswile
  conversa (Klosterfrau)
  1350 Kl. Kl. St. Blatten: Gut zu Vinterberg, Kl. Zug

auch: Hanibescher
= Hanisbescheter

Rudolf von Rothenburg

Der Regenbogen

Hartmann von Starkenberg

6-fache Falttafel von Arnold C. Schärer über die möglichen Vorfahren der Schmid von Uri: Ritter und Minnesänger aus einem Geschlecht von Rüstungs- und Helm-Schmieden im Luzerner Seetal, beginnend mit Rudolf von Rotenburg (gest. 1315) und Heinrich der „Regenbogen" (erwähnt:1324, 1331). – Transskription des Textes siehe Kap. 8.2 Minnesänger der Manesse-Liederhandschrift im Luzernischen.

Minnesänger der Manesse-Liederhandschrift im Luzernischen

(Faltblatt von A. C. Schärer für Christian Schmid)

Rudolf von Rotenburg
(Rothenburg bei Luzern)

ad fontem de Liela	*ad fontem = Siegfriedbrunnen in Gras-Ellerbach.*
Heirat mit Gysela Zweinschilling	*Liela: Gut in Lieli LU*
Besitz der Familie in »Ruisdal« bei Einsiedeln	*NH: »Obiit Rudolfus de Liel ad fontem constituit dari ad comendatori fratribus 5 lib... suo Gisele uxoris sua pro vino alsacie de bonis suis sitis in Hemikon.«*
	Ruisdal: Tal der Rüster = Waffenschmiede
Besitz der Familie in Oberort in Wädenswil, genannt »Schoren«	*Schoren: Verdeutschung von »sciarato«, den LavaAbhängen der Insel Salina (Kreuzfahrerbesitz)*
	Auf der Insel hat es zwei Vulkane (Zwillinge)
Teilbesitz von Rudolf in »Buchre« (Buchrein)	
Gefallen auf Seite Habsburg in der Schlacht am Morgarten (1315)	*Beerdigt in Hemikon. Vermerk:«...dass man über Rudolfs Grab gange.«*
	Meistersinger in einem Sängerwettstreit
	Brüder

Heinrich der »Regenbogen«
Helmschmied und Poet

	Miniatur: sie zeigt ihn als Helmschmied, genannt Stahlknoter
Besitzer des Gutes »Bogen« in Hämikon	*Der »Bogen« (Regenbogen) geht als Erbe an Nachfahren*

Besitzer eines Ackers an der »Halten«
in Hämikon

Heirat mit **Elsi** (Elisabeth)

1324 Heinrich der Singer
1331 Urswile: Heinrich d. Smid
ca. 1310 Heinrich an der Matta

NH: Heinrich der Smid, Elsi uxor eius dederunt 3
quartalis tritici fratribus de agro an der Halten
de Hemikon
Urswil, Kt. Luzern, wurde von Leuten aus
Urseren so benannt.

An der Matta: Ein »Seelgerätegut« in Littau, heute Matt.
Der Name bezieht sich auf Andermatt.
(Seelgerätegut: Vergabung an Kirche, um Messe zu lesen
bei Jahrzeitfeiern.)

Söhne und Töchter

Ulricus dictus »Under Zun« de Hemikon – Johannes d.
Hesing (Enkel)
NH: Ulricus vergabt Zinse an die
Deutschordenskommende: 1346/47 Anggen

NH = Necrologium des Deutschen Ordens Hitzkirch
☐   Miniaturen und Dichtungen in der Heidelberger Liederhandschrift

Hartmann von Starkenberg
Schmied wie sein Bruder
(Waffenschmied/Stahlknoter)
Gut am Berg von Lieli
Nachfahren nannten sich auch
Hartmann dictus Langenrein

Söhne und Töchter
Ulrich Hartmann von Horgenberge 1331
1310-15 Kl. Muri: Gut in Satteln (südw. Wohlen)
1324 Ulrich »Rüste«, Gut in Bila, Ruswil
-     Peter »Rüste«, dto.
-     Conrad »Rüste«, dto. 1344 Ulrich Minner
                              Claus Minner, Russisbühl
        Rudolf dictus Ruser
        1330-40 Udligenswil (Gut) als R. Rüster
        1346/47 Ammann in Hochdorf

von Stadegge
Cunrad, Spielmann und Schläger
Stadegge=Stad in Erlenbach

Johann Faber
1346/47 de Urswile
Adelheid Hartmannin von Horgenberge, 1331
Ita d. Hartmann de Urswile

Meister Sigeher (Meistersinger)
»Husherre« – Hausher auf der
Neuhabsburg in Luzern

Conversa (Klosterfrau)
1350 Kl. St. Blasien: Gut in Hinterberg, Kl. Zug

de agro dictus »Bogen« (Regenbogen) in Hemikon
Willisau: Ulrich ist Kellerer der Hasenburg
»Ulricus, cellerarius dominorum de Hasenburg »
deshalb werden Ulrichs Nachfahren zu Has und Hesli.
Ulrichs Sohn Walter:
NH: Walter Hesli de agro dictus der Bögen ze Hemikon
Rudi Hesli, Berchta et Ulricus frater eius de agri zu dem Bogen
(Regenbogen). 1324 Magden : d.Haso

Rudolfus dictus Regen
NH : Rudolfus Faber et
filius eius de Hemikon.
Vergabung in Richartzwile

Rudolf Smid d. Regen, 1324 Magden, Mühle
1357 Kl. St. Blasien : Rud. Smitz hofstat zu Hinderburg (Zug)
Einsiedeln 1331: Ridolfo Spichwardo de Pfefikon
Rudolf war Spichwart des Klosters Einsiedeln.

Heirat wahrsch. mit
Richenza Smidina de
Hemikon
1325 Kusteramt Grund:
Rudolf de Matta:
pomerium d.Langacker

Johannes Fabri   *Johannes und Hedi*   *Jost Smid*
  1324 Urswile: de bono filiorum de Eich ; Jo. Faber
  1324 Magden (Bz.Rheinfelden) Joh.dictus Regen (Mühle)
  1346/47 Magden Mühle: Joh.Regen, Joh.filius Joh.Regen
  1346/47 Urswile bonum Joh.filius Joh.Fabri

Walther
1324 Verchen : Walter Stater
1324 wahrscheinlich war er Weibel (Vogt) von Urswil.

Wernher Fabro
Grundbesitz an diversen Orten
                    Töchter Anna, Elizabeth.
Rudgerus dictus Regenott
1324. Oghein (Anggen, Baden)
Heinrich Briever
Anggen: 1324 und 1346/47

Als Siegespreis erhielt er einen Pelzmantel
und das Warteramt auf Neu-Habsburg
auf der Wartenfluh bei Seeburg in Luzern.
(auch »Wambescher« = Wamsbescherter)

Wahrscheinlich war **Walther** *der Siegesherr,*
für Richard Wagner Vorbild zur Oper
»Der Sängerstreit von Nürnberg«.

(Tafel von Rudolf von Rothenburg)

Jodocus Fabri (Jost Schmid)
(Sohn des Rudolfus dictus Regen)
NH: Et post mortem Jodoci Fabris de Hemikon
et Ite uxoris. Vergabung an die Brüder vom
Deutschen Orden in Hitzkirch und die Armen
»de agro dicto zuo dem Birböm et de agro in
der Trimlen sito in Hemikon.
1389-92: In Jost hus an der Matt,
Hensli Smit und sin Wirtin.

(*trimlen*: gleichmässig verteilen mit Maultier, Schiff)

(2 Tafeln: Der Regenbogen und Hartmann von Starkenberg)

Erklärungen zum obigen Stammbaum

Zu jedem von diesen Männern und Frauen gab Schärer umfassende Erklärungen ab. Die wichtigsten werde ich – auszugsweise – nochmals zitieren, um das Lesen des Stammbaums zu erleichtern. Zeitlich fangen wir beim ältesten Vorfahren an, um am Schluss zu Jost Schmid von Uri zu gelangen.

Aus welchen Dokumenten Schärers Informationen stammen:

NH: Necrologium des Deutschen Ordens Hitzkirch
☐ Quadrat: aus den Miniaturen und Dichtungen in der Heidelberger Liederhandschrift
Der Rest (Jahreszahlen mit Namen und Informationen) stammt aus dem Quellenwerk der Schweizerischen Eidgenossenschaft: Urkunden, Urbare und Rödel.

Rudolf von Rotenburg

ad fontem de Liela heisst : beim Brunnen von Liela. Dies ist Rudolfs Gut in Lieli LU.
ad fontem : beim Brunnen. Mit diesem nicht näher bezeichneten Brunnen sei der Siegfriedbrunnen in Gras-Ellerbach gemeint (der Brunnen von Siegfried aus der Nibelungensage)

NH: »*Obiit Rudolfus de Liel ad fontem constituit dari ad comendatori fratribus 5 lib... suo Gisele uxoris sua pro vino alsacie de bonis suis sitis in Hemikon.*« (Rudolf von Lieli beim Brunnen verfügte Gaben an die Brüder der Ordenskommende: 5 Pfund...von ihm und seiner Gattin Gisela Elsässerwein von seinen Gütern in Hemikon)

Die Familie besass auch in »Ruisdal« bei Einsiedeln eine Waffenschmiede (Ruisdal: Tal der Rüster = Waffenschmiede)

Besitz der Familie in Oberort in Wädenswil, genannt »Schoren«.
Schoren ist die Verdeutschung von »sciarato«, den Lava-Abhängen der Insel Salina, welche in Kreuzfahrerbesitz war. Auf der Insel hat es zwei Vulka-

ne, das sind die »Zwillinge«. Arnold Schärer sagte mir, dass der Name Schärer von diesen »sciarato« herstammt. Die Eidgenossen hätten damals Besitzungen am Meer gehabt (in Genua), und eigene Schiffe, mit denen sie die Kreuzfahrer ins Heilige Land übersetzten.

Rudolf war Meistersinger in einem Sängerwettstreit. Sein Bild findet sich in der Manesse Liederhandschrift. Er war Habsburger und ist in der Schlacht am Morgarten am 15. November 1315 gefallen. Beerdigt ist er in Hemikon. Ich beschloss, diesem Ort Hämikon, bzw. den anderen noch folgenden Orten, die sich alle im Seetal befinden, zu einem späteren Zeitpunkt einen Besuch abzustatten. Vielleicht würden sich dort noch Spuren finden?

Rudolf von Rotenburg hatte einen Sohn:

Heinrich der »Regenbogen«
Helmschmied und Poet

Besitzer des Gutes »Bogen« in Hämikon LU, daher sein Minnesängername »Regenbogen«.
1324 wurde er in einem Dokument auch Heinrich der Singer genannt. Sein Bild figuriert in der Manesse Liederhandschrift. Die Miniatur zeigt ihn als Helmschmied, genannt Stahlknoter.

1331 Urswile: Heinrich d. Smid: in seinem Beruf als Helmschmied wurde er so genannt.
ca. 1310 Heinrich an der Matta

Urswil im Kanton Luzern, wurde von Leuten aus Urseren so benannt.
An der Matta: bezieht sich auf Andermatt.
Interessant die erneute Verbindung nach Uri: Urseren und Andermatt!

Ich fragte mich, ob von Heinrich dem »Regenbogen« eventuell Minnelieder überliefert seien? Da ich nichts fand, fragte ich meinen Freund Walter Raschle, einen Lehrer, der selber alte Lieder singt und viel über die Geschichte des Minnesangs weiss. Tatsächlich sei ein Lied von Regenbogen überliefert! Das einzige, von dem man weiss. Davon in einem späteren Abschnitt.

Heinrich der »Regenbogen« hatte einen Sohn:

Rudolfus dictus Regen
NH: *Rudolfus Faber et filius eius de Hemikon* : Rudolf Schmid und sein Sohn von Hämikon.

Im Necrologium von Hitzkirch wird Rudolf genannt Regen: Rudolfus Faber genannt. Faber, lat. = der Schmied. Er hat wahrscheinlich eine Richenza Smidina (Schmiedin) von Hämikon geheiratet (eine Cousine vielleicht).
1325 wird er auch Rudolf de Matta genannt: Rudolf an der Matt. Er besitzt einen pomerium (Apfelgarten) am Langacker.

Rudolf genannt Regen hatte sechs oder sieben Söhne (Namen siehe im Faltblatt),
darunter:

Johannes Fabri, des Rudolfus dictus Regen Sohn. Dieser heiratet eine Hedi, und sie hatten einen Sohn: Jost Smid (ebenfalls ein Jost – aber nicht unserer!)

sowie:

Jodocus Fabri (Jost Schmid)
Sohn des Rudolfus dictus Regen

Im NH steht: *Et post mortem Jodoci Fabris de Hemikon et Ite uxoris*: Nach dem Tod von Jost Schmid und seiner Frau Ita sei eine Vergabung zu machen an die Brüder vom Deutschen Orden in Hitzkirch und an die Armen vom Acker genannt zum Birnbaum und vom Acker in der Trimlen, in Hämikon gelegen.
(Das Verb *trimlen* bedeutet: gleichmässig verteilen - wenn mit Maultieren ein Schiff gezogen wurde.)

Im Quellenwerk finden wir unter den Jahreszahlen *1389-92*: *In Jost hus an der Matt, Hensli Smit und sin Wirtin*. Was bedeutet: in Jost's Haus an der Matt wohnen Hensli Schmid und seine Frau.

Mit dieser Zeitangabe könnten wir tatsächlich den Anschluss gefunden haben zur Schmid'schen Familiengeschichte von Franz Vinzenz Schmid! Denn: »In 1390 lebte Jost Schmid der Erste.«

Hier verkürzt nochmals Schärers Stammbaum von Josts Vorfahren:

Rudolf von Rotenburg
Waffenschmied und Meistersinger (+ 1315)
Er ist der Urgrossvater von Jost Schmid I.

Heinrich der »Regenbogen«
Helmschmied und Poet, Minnesänger (1324, 1331)
Er ist der Grossvater von Jost Schmid I.

Rudolfus dictus Regen
Auch er war Schmied, in Hemikon (1325)
Er ist der Vater von Jost Schmid I.

Jodocus Fabri (Jost Schmid)
Sohn des Rudolfus dictus Regen
(Nennung im Quellenwerk:1389-92)

Daraus ergäbe sich:

Jodocus Fabri IST Jost Schmid der Erste!
Der Stammvater, mit dem der Stammbaum der Familie Schmid von Uri beginnt, und welcher in der Familiengeschichte des F. V. Schmid auftaucht als:

> «1
> *Jost Schmid edler ab Urÿ (1390)*
> *Dies Namens der Erste.»*

Hat Arnold Schärer das Geheimnis gelüftet, woher die Schmid von Uri kamen? Hat er das »missing link« gefunden, das zu ihren Stammlanden führt? Davon war er überzeugt (er ist im April 2012 verstorben), und für mich ist es bislang die überzeugendste These, woher die Schmid von Uri kamen.

Warum aber wurden diese edlen Vorfahren aus dem Familiengedächtnis gelöscht und nicht in den Familienstammbaum aufgenommen? Darüber kann man nur mutmassen, doch mein erster Gedanke war: man wollte sich der habsburgischen Vergangenheit nicht mehr erinnern. Die Habsburger waren die Erzfeinde der jungen Eidgenossenschaft, da konnte es nicht angehen, dass man sich als Eidgenosse habsburgischer Vorfahren rühmte.

So wie es aussieht, haben sich die habsburgisch orientierten Vorfahren der Schmid von Uri von einem gewissen Zeitpunkt an auf die Seite der Eidgenossen gestellt. Dies geschah natürlich nicht plötzlich, sondern es vollzog sich allmählich, im Verlauf von zwei, drei Generationen, und weil die Umstände sich änderten.

Schon **Peter, edler Schmid ab Urÿ**, kämpfte 1386 in der Schlacht von Sempach auf Seiten der Eidgenossen. Da waren die Schmid von Uri eindeutig schon Eidgenossen.
Am 28. Dezember 1385 schleiften die Stadt-Luzerner das habsburgische Rothenburg. Da war es sicher nicht interessant, einen habsburgischen Minnesänger namens Rudolf von Rotenburg als Ahnherrn zu haben.

Es war die Zeit des grossen Umbruchs, nicht nur in der Innerschweiz. Die Ritterschaft war im Niedergang begriffen, ihr Datum war abgelaufen. Das Handwerk und der Handel blühten, das Selbstbewusstsein der Zünfte und der Handel Treibenden ebenso. Die Städte erlebten einen starken Aufschwung.

Weshalb Jost Schmid, der Erste seines Namens, die Güter seiner Vorväter in Hämikon (zwischen Hallwiler und Baldegger See im Kanton Luzern) verliess und nach Altdorf zog, darüber kann nur spekuliert werden. Sein Vater Rudolf war noch Schmied gewesen; sein Grossvater Heinrich »Regenbogen«, der Helmschmied und Minnesänger, ebenfalls; genau wie sein

Urgrossvater Rudolf von Rotenburg, der Waffenschmied und Meistersänger gewesen war. Jost nun sagte dem Schmiedehandwerk adieu und begab sich nach Altdorf, Uri. Es scheint, dass seine Interessen Richtung Handel gingen:

Altdorf liegt in direkter Linie an einer uralten Handelsstrasse, welche den Norden mit dem Süden verbindet. Das Seeland und damit der Stammsitz der Schmid-Faber in Hämikon liegt ebenfalls an diesem Verkehrsweg. Nordwärts führt die Strasse nach Rheinfelden, Basel, dem Elsass und die süddeutschen Lande; nach Süden geht es Richtung Luzern, sodann per Schiff über den Vierwaldstättersee nach Flüelen, dann weiter zum Hauptort Altdorf. Von diesem Knotenpunkt aus liess sich gut Handel treiben, denn der von den Urnern (Walsern) um 1200 gebaute Schöllenenweg über den Gotthard führte in den sonnigen Süden.

Von seinem Urgrossvater Rudolf von Rotenburg wissen wir, dass er in Hämikon ein Weingut mit Elsässerwein besass. Da lag der Gedanke vielleicht nahe, aus dem Süden köstlichen italienischen Wein und anderes zu importieren. Die Ritterzeit war endgültig vorbei, und der Beruf eines Helm- oder Waffenschmieds schien Jost nicht zu interessieren. Er hatte weiter reichende Ideen als nur Hämikon im Seeland, nämlich: Basel, Altdorf und damit Italien, wie wir aus den unten stehenden Meldungen entnehmen können:

Biografische Daten von Jost Schmid I.

Um 1375 lebte er noch als **Jost Faber** in Hämikon (Quellenwerk: 1375 Jost Faber von Hämikon).
Er war damals verheiratet mit seiner ersten Frau Ita von Langenrein.
Er war der Erste in seiner Geschlechterreihe, der **Jost** geheissen hatte.

Um diese Zeit herum – vor 1390 - muss sich Jost Faber von Hämikon entschlossen haben, seine Stammlande und seine Familie zu verlassen und nach Altdorf zu ziehen. Vermutlich war seine erste Frau gestorben (Frauen starben damals sehr oft im Kindbett), worauf er sich neu zu orientieren begann. Als er 1390 in Altdorf erscheint, war er jedenfalls verheiratet mit

Apollonia von Ramstein und wohnte in einem grossen Steinhaus im Dorf. Die Ramsteins waren ein vornehmes Geschlecht aus der Gegend bei Basel. Sie residierten auf ihrer Festung Ramstein.

Im Schmid'schen Stammbaum heisst es von Stammvater Jost Schmid ab Ury (1390), dass er der Erste gewesen sei, von dem man die Geschlechterreihe in ununterbrochener Kette habe.
Ebenso war Jost Faber von Hämikon der Erste von all den Faber's, Schmid's und Smit's, der Jost geheissen hat. Die Wahrscheinlichkeit besteht, dass die beiden Josts identisch sind. Auch die Jahreszahlen lassen diesen Schluss zu: 1375 in Hämikon war Jost noch jünger, verheiratet mit seiner ersten Frau Ita Langenrein, die in Hämikon starb.
1390 in Altdorf ist er ein gesetzter Mann, verheiratet mit Apollonia von Ramstein und residiert in einem vornehmen Steinhaus.

Ich vermute, dass oben angeführte Gründe dazu geführt haben, dass unser Stammbaum erst mit Jost I. im Jahre 1390 in Altdorf beginnt - es war ein Neubeginn im Lande Uri.

8.3 Die Schmid/Smit von Hämikon im Luzerner Seetal

Arnold Schärer riet mir, bestimmte Werke zu studieren, um mich selber mit der Materie vertraut zu machen. Ich lieh mir also aus:

· das Quellenwerk der Schweizerischen Eidgenossenschaft, Urkunden Urbare Rödel (verschiedene Bände).
· Geschichtsfreund Band 115 und Band 123.
· Jahrzeitbücher.

Dazu erstand ich antiquarisch den prächtigen Band »*Sämtliche Miniaturen der Manesse-Liederhandschrift*« von Ingo F. Walther, mit 137 Farb-Tafeln von 140 Minnesängern und Spruchdichtern aus der Zeit von 1160/70 bis etwa 1330. Zürich gilt als Heimat dieser Handschrift.

Nun tauchte ich während Wochen ein in diese Zeit des Minnesangs, der

Waffen- und der Helmschmiede, Faber und Smit, die im Seetal siedelten. Ich wurde vertraut mit alten Namen: Zwenschilling, Giselengut, Einsidellen, Ulricus dictus Wambescher usw.

Ich war froh um meine alten Lateinkenntnisse, und dass ich inzwischen das alte Deutsch samt seinen Abkürzungen einigermassen lesen konnte und verstand.

Ich notierte mir die für meine Familie relevanten Einträge und stiess auf unzählige neue Verbindungen, so z.B. ins Kloster St. Blasien im Schwarzwald, wo die Fabers ebenfalls Besitzungen hatten. Es war eine rechte Geduldsarbeit, die mir manchmal fast über den Kopf wuchs… Aber ich hatte nun das Prinzip begriffen, nach dem Arnold Schärer gearbeitet hatte:

Urbare und Rödel sind Verzeichnisse über Besitzrechte einer Grundherrschaft (ein Kloster, ein Graf, eine vermögende Person etc.) und die zu erbringenden Leistungen (Zinsen, Naturalien) der Grunduntertanen. Urbare und Rödel sind mit der heutigen Buchhaltung zu vergleichen. Ein Urbar ist ein grosses Buch, der Rödel oder Zinsrödel ein zu einer Rolle zusammengenähter Pergamentstreifen, und ein Jahrzeitbuch vermerkt mit Datum, an welchem Tag Seelenmessen für Verstorbene zu lesen seien. Aus diesen Einträgen kann sehr viel herausgelesen werden. Dazu zwei Beispiele:

Jahrzeitbuch Hitzkirch von 1432/33, 1. Januar – 31. Dezember:

23. Jan.   *Ulinus et Heinricus fratres filii Heini Smidz de H. dederunt 4 d. de agro under Eych uff dem Hag.*
(die Brüder Ulinus und Heinrich, Söhne des Heini Schmid von Hämikon geben 4 d. vom Acker unter Eichen auf dem Hag.)

Daraus schliessen wir u.a. dass Heini Schmid von Hämikon einen Acker unter Eichen auf dem Hag besass, der in den Jahren 1432/33 seinen Söhnen Ulinus und Heinrich gehörte.

Kelleramtsurbar 1324 (Chorherrenstift Beromünster):

Item in Magton: Johannes dictus Regen et R. dictus Regen possident molendinum predictum.
(Ebenfalls in Magden (im Bez. Rheinfelden): Johannes genannt Regen und Rudolf genannt Regen besitzen die vorgenannte Mühle.)

Bei den letztgenannten sind wir schon mitten drin in der Familiengeschichte, denn (laut Stammbaum nach Arnold Schärer) war Rudolf genannt Regen der Vater von Jost I.

Aus dem Text ersehen wir, dass Johannes genannt Regen (wahrscheinlich der Sohn) und Rudolf genannt Regen in Magden im Bezirk Rheinfelden eine Mühle besitzen.
Zusätzliche Informationen finden wir in anderen Dokumenten und Rödeln, und wenn wir diese alle zusammen legen, erhalten wir mit der Zeit ein genaueres Bild vom Leben dieser Menschen. Im Falle von Rudolf genannt Regen wissen wir, dass er 1325 ein Kusteramt im Grund innehatte, und dass er wahrscheinlich eine Richenza Smidina von Hämikon geheiratet hatte. Im NH steht, dass Rudolfus Faber (ein weiterer Name von ihm, denn er war Schmied) von Hämikon und sein Sohn eine Vergabung in Richartzwile machten.

Er hatte sieben Söhne (Genaueres dazu siehe oben, im Faltblatt von Arnold Schärer):

- **Rudolf Smid d. Regen** (1324 Magden, Mühle)
- **Johannes Fabri** (1324 Urswile)
- **Walther** (1324 Verchen: Walter Stater. 1324 wahrscheinlich war er Weibel (Vogt) von Urswil.)
- **Wernher Fabro** (Grundbesitz an diversen Orten. Töchter Anna, Elizabeth.)
- **Rudgerus dictus Regenolt** (1324 Ögheim = Auggen, Baden)
- **Heinrich Briever** (Auggen: 1324 und 1346/47)
- **Jodocus Fabri** (Jost Schmid): 1389-92 In Jost hus an der Matt, Hensli Smit und sin Wirtin.

Wie wir an diesem Beispiel sehen können, erhalten wir anhand dieser Arbeitsweise recht viele Informationen über einen Menschen. Und wenn der Genealoge und der Historiker nun zusammen spannen, kann das Bild noch ergänzt werden, sodass wir uns am Schluss eine Vorstellung vom Leben in jenen Zeiten machen können. Ich habe für mich persönlich noch eine Dimension hinzu gefügt: Während des Schreibens an diesem Buch hörte ich jeweils die zum Kapitel passende Musik. Zu diesem Kapitel spielten die Minnesänger und Sängerinnen jener Zeit für mich auf.

Das Fragment des Hitzkircher Jahrzeitbuches von 1399

Im Geschichtsfreund Nr. 123 von 1970 werden **Die Schmid/Smit von Hämikon** behandelt. Die Faber, Schmid de Hämikon sind besonders gut fassbar, da sie im Hitzkircher Jahrzeitbuch immer wieder vorkommen. Sie waren eine der wichtigsten Familien des Seetales und standen auch zum Deutschen Haus von Hitzkirch, der Ordenskommende, in engem Kontakt.

Der Geschichtsfreund hat einen Stammbaum abgedruckt, der fünf sich folgende Generationen (von 1275 – ca. 1375) abdeckt:

1275	Katharina Tochter Bertholds	**Rudolfus Faber v.Hämikon** verh. m. Richenza	Burkard Faber verh. m. Gisela
1300	Mechtild uxor Fabris de Ermisee	**Heinrich d. Schmid** verh .m. Elsi	Bertschi Schmid
1325	Ulinus Smid v.Hämikon	**Heinricus Smid von Hämikon** verh. m. Ita	Ita Smid
1350	Hemma Smid Ita Smid Richi Smid	**Berchtold Faber** de Hemikon verh. m. Hemma	Metzi Claus
1375	**Jost Faber** **v. Hämikon** verh. mit Ita Langenrein	Johannes Faber v. Hämikon	Werner Smid v. Müswangen Rudolf Smid

Ich fand es interessant, diesen Stammbaum mit jenem von Arnold Schärer und meinen eigenen Untersuchungen zu vergleichen. Die für uns wichtigsten Namen stimmen überein:

1275 Rudolf, 1300 Heinrich und 1375 Jost Faber von Hämikon. Nun hatte ich so viele Informationen - Namen, Daten, Ortschaften des Seetals - dass ich beschloss, dieser Gegend einen Besuch abzustatten. Ich fragte meinen Freund Hansueli Holzer, ob er mitkommen wolle. Er wollte, und am 8. Februar 2013 fuhren wir los.

Ausflug in Schmid'sches Ahnenland: im Luzerner Seetal

Zuhause hatte ich auf einer Karte des Seetales die Orte angekreuzt, die in einem Zusammenhang mit den Schmid von Hämikon standen:

Rothenburg – Lieli – Hitzkirch – Richensee – Hämikon.

Etwa um elf Uhr trafen wir in der Stadt von Minnesänger Rudolf von Rotenburg ein. Im Flecken, wie das Zentrum von **Rothenburg** heisst, wurden wir nicht von Minnesängern, sondern von heidnischen Geistern empfangen, der *Borg Geischter Musig Roteborg*. Sie führten ein »Heidenspektakel« vor der katholischen Kirche auf, die Musiker und Musikerinnen mit ihren Tiermasken: Wildschweine, Bären, Wölfe, Wildkatzen. Selbst in der Kirche, vor dem Altar lagen Masken, der Teufel und andere. Vor der Kanzel eine Riesenmaske, die die Lälle herausstreckt. Wir waren beeindruckt: Heidentum und katholischer Glaube in Harmonie vereint!

Danach assen wir im Bären zu Mittag, einem grossen, mehrstöckigen Gasthaus, das seit 1454 als Restaurant geführt wird. Wir sassen vor dem grünen antiken Kachelofen und nahmen ein ausgezeichnetes Mahl zu uns.

Die Freiherren von Rothenburg waren eine der mächtigsten und kriegerischsten Familien der Region und pflegten eine intensive Feindschaft zu Luzern. Um 1285 starben sie aus, und die Habsburger erbten ihren Besitz, machten Rothenburg zu einer Vogtei. Um diese Zeit lebte **Rudolf von Rotenburg**, der Meistersinger. Ob er seinen Beruf als Waffenschmied ausübte, weiss ich nicht, jedenfalls besass er eine Waffenschmiede in Ruisdal. Sein Herzensberuf schien Minnesänger gewesen zu sein, denn er war Meistersinger und nahm als solcher an einem Sängerwettstreit teil. Es sind auch Lieder von ihm überliefert. Die Miniatur in der Manesse-Handschrift zeigt ihn in rotem Rock und grünem Mantel, das Schwert um die Hüften. Als Minnelohn empfängt er von seiner Angebeteten einen rot-goldenen Blumenkranz, den sie ihm von der Zinne herabreicht. (siehe Abb. In Kap. 8.1 Der Meistersinger Rudolf von Rotenburg)

Rudolf gehörte einem Adelsgeschlecht in der Nähe von Luzern an und ist dort im Jahre 1257 auch urkundlich bezeugt. Sein Geschlecht stellte auch die Vögte von Rotenburg. Am 15. November 1315 nahm er auf der Seite von Habsburg an der Schlacht von Morgarten teil, in welcher er fiel.

Um diese Zeit (1320) lebte **Heinrich, der »Regenbogen«**, Helmschmied, Sänger und Spruchdichter. Über sein Leben sei so gut wie nichts bekannt. Die Meistersänger zählten Regenbogen zu den Begründern ihrer Kunst und dass er Schmied gewesen sei. Auf der Miniatur sehen wir einen goldenen Topfhelm auf dem Amboss; ein grüner Kranz im Haar weist ihn als Dichter aus. Für ihn ist auch der Name Barthel Regenbogen überliefert. Arnold Schärer meint ihn aber in Heinrich dem Singer wieder zu erkennen (1324 Heinrich der Singer). Das scheint mir wahrscheinlicher, als ihn in Deutschland irgendwo anzusiedeln, denn Rotenburg war ein Zentrum des Minnesangs, und hier fügt er sich harmonisch ein.

Im Jahr 1371 verliehen die Habsburger Rotenburg das Stadtrecht, um es als Gegenmacht zur eidgenössisch gewordenen Stadt Luzern zu stärken, aber am 28. Dezember 1385 zerstörten die Stadt Luzerner die Burg und schleiften die Stadtmauern.

Um diese Zeit (**1375**) lebte **Jost Faber** von Hämikon (der spätere Jost Schmid I. von Uri). Nun galt es, sich zu entscheiden: für Luzern oder für Rotenburg? Für die Eidgenossen oder die Habsburger? Wir wissen, wie Jost sich entschieden hat: er hielt es mit den Eidgenossen. Und fünfzehn Jahre später verliess er auch Hämikon, das Seetal, die Heimat seiner Voreltern, und siedelte sich in Altdorf an (**1390**).

Nach dem Mittagessen setzen wir uns ins Auto und fahren weiter. Lieli lassen wir rechts liegen. Mich zieht es nach **Hitzkirch**, wo die Deutschritter-Kommende beheimatet war. Wir parken den Wagen im Zentrum, unterhalb der Kirche. Zwei junge Frauen, die ich frage, wissen nichts von einer Kommende. Aber der Dorfplan, vor dem wir stehen, zeigt mir, dass die Kommende direkt vor, bzw. über uns steht, angebaut an die Kirche! Wir steigen die breite Treppe zum Kirchenkomplex empor. In barockem Altrosa bemalt, die Fenster ebenfalls mit Malereien eingerahmt: Kanonen, Trommeln, Säbel und Morgenstern – der alten kämpferischen Zeiten eingedenk. Die **Deutschritter-Orden-Kommende** wurde 1237 gegründet. Die Faber, Smits und Schmid von Hämikon waren stets mit ihr verbunden. Sie erscheinen immer wieder im Jahrzeitbuch der Kommende und in den Zinsrodeln von Hitzkirch.

Eine Tafel mit der Geschichte der Kommende zeigt an, dass heute die Interkantonale Polizeischule (IKP) darin residiert. Der grosse Durchgang ist offen, wir treten in den Hof. An einem Brunnen in der Mitte des Hofes prangt das Tatzenkreuz des Deutschritter-Ordens und die Jahreszahl 1786. Von 1744-1768 wurde die verfallene Kommende im Barockstil wieder aufgebaut. Im ersten Stock sehe ich Licht hinter einem der Fenster. Ich sage zu Hansueli: »Wenn ich schon mal hier bin, geh ich jetzt da rein.« Vom Entrée aus führt eine breite Holztreppe in den ersten Stock. Wir gehen hoch und treffen auf eine Frau, die ein Namensschild der IKP auf ihrer Bluse trägt. »Wir würden gern den Rittersaal sehen, ist das möglich?« frage ich sie. Sie bejaht und führt uns durch einen hohen und breiten Gang, der behängt ist mit alten Porträts. Der Rittersaal, in barockem Stil, rosa und weiss, kein Möbelstück – eine Enttäuschung. Da sehe ich mir lieber die Porträts an, denke ich. Gemälde von Frauen und Männern, alles sehr dunkel, nur Gesicht und Hände leuchten rosig. Plötzlich stocke ich: ein Schmid! Einer von meiner Familie? Carl Franz haben viele der unsern geheissen. Aufgeregt durch meine Entdeckung, teile ich dies Hansueli mit. Da sehen wir auch das Schmid-Wappen. Tatsächlich: schwarzer Bär und die Lilie auf blauem Grund. Der Text auf dem Bild lautet: »*Carl Franz Schmid, Regierender Landammann und Zeugherr Auch würckhlicher Landvogt der obern Freÿen Ämbtern im Ergeuw. Anno 1773 Etatis Suae 38*«.

222

Der Eingang zur einstigen Deutschritter-Kommende in Hitzkirch, gegründet 1237. Die Schmid/Smits
von Hämikon waren den Deutschrittern stets
verbunden und machten der Kommende wiederholt
Vergabungen. Heute befindet sich die IKP (Interkantonale Polizeischule) in diesem Gebäude.

Im Hof der Deutschritter-Kommende, jetzt
Polizeischule IKP.

Dieses Gemälde unseres Vorfahren hängt heute im Gang der einstigen Kommende. Der Text auf dem
Bild lautet: „Carl Franz Schmid, Regierender Landammann und Zeugherr. Auch würckhlicher Landvogt
der obern Freÿen Ämbtern im Ergeuw. Anno 1773 Etatis Suae 38."

So sind wir unverhofft und unerwartet in Hitzkirch auf eine neue Spur gestossen. Da war doch tatsächlich im Jahr **1773** ein Schmid von Uri Landvogt in den oberen Freien Ämtern gewesen. Dass seine Ahnen 500 Jahre früher schon hier residiert hatten, davon ahnte er sicher nichts. Und nun hängt sein Bild im Gebäude der Interkantonalen Polizeischule! In der alten Deutschritter-Kommende, die für seine Vorfahren eine so grosse Rolle gespielt hatten.

Danach ging es weiter nach **Hämikon**, dem Heimatort der Faber, Smit und Schmid von Hämikon. Wir fuhren den Berg hoch, und am Hang lag das Dorf, eine Bauerngemeinde, mit Schule und Einfamilienhäusern. Wir hielten im Zentrum, vor einem Restaurant, das nicht mehr in Betrieb und zu verkaufen war. An alten Häusern gab es nicht viel: ein paar grosse hölzerne Bauernhäuser. Die Schmid von Hämikon hatten aber gewiss nicht in einem Bauernhaus gelebt. Ich suchte etwas »Wehrhafteres«, ein Haus mit Steinfundamenten. Wir entdeckten eines, über dem Tobel am Dorfbach. In dieser kleinen »Burg« hätte ich mir die Smits, die Fabers schon eher vorstellen können. Es schien unbewohnt zu sein, aber es näher zu inspizieren war wegen des hohen Schnees und meiner Halbschuhe nicht ratsam. Wir stiegen ins Auto und fuhren weiter, auf der kleinen Passstrasse den Bergrücken hoch. Eine Ansammlung historischer Holzhäuser, und eine Kanone auf einem Sockel liessen uns ein letztes Mal anhalten. Ober-Hämikon. Interessant, dachten wir, auch hier wieder das Militärische.

In dem Moment kam die Sonne hervor und liess den Schnee tausendfach glitzern. Welch schöner Abschluss, sagten wir zueinander, bevor wir den Heimweg Richtung Ostschweiz unter die Räder nahmen.

8.4

Die Manesse von Zürich

Um 1300 gab der Zürcher Ratsherr **Rüdiger Manesse II**, der Ältere (1252-1304) dem jungen, künstlerisch hoch begabten Zürcher Bauernsohn **Johan-**

nes Hadlaub den Auftrag, eine Liedersammlung anzulegen. So machte dieser sich auf Wanderschaft, um zunächst in der näheren Umgebung (Rotenburg), dann immer weiter weg im Königreich (Deutschland, Österreich, Böhmen) Burgen und Schlösser aufzusuchen, um dort eventuell vorhandene Lieder abzuschreiben für die Sammlung seines Mäzens. Insgesamt hat er Lieder von 140 Sängern notiert. Von 123 dieser Minnesänger existieren auch vorzügliche farbige Miniaturen, die recht detailliert Aufschluss geben zur Person und seiner Zeit. Hadlaub schrieb selber 54 Lieder und gilt als einer der produktivsten eidgenössischen Minnesänger.

In der Manesse-Liederhandschrift ist er unter der Nr. 122 als Meister Johannes Hadlaub abgebildet und beschrieben. Gottfried Keller hat in seiner Erzählung »Hadlaub« (aus den Züricher Novellen) diesen Künstler auf kenntnisreiche Weise für uns wieder auferstehen lassen. An einem kalten Tag im Februar 2013 unternahm ich eine »Manesse-Wanderung« in Zürich. In der Stadt besichtigte ich u.a. das »Steinhaus« an der Kirchgasse, das war der Wohnturm der Ritterfamilie Manesse im 13. Jahrhundert, und den »Hardturm« an der Limmat. Dieser wurde (wohl um 1208) als Verteidigungsturm unter Rüdiger Manesse I. erbaut. Stammvater Rüdiger I. wurde 1224 erstmals erwähnt und starb 1253.

Danach machte ich mich auf die Suche nach den Überresten der Burg Manegg. Diese war über hundert Jahre der Stammsitz der Manesse und liegt auf einem Waldhügel beim Albis, oberhalb des Quartiers Leimbach. Am Fusse der Erhebung ehrt ein Brunnen Ritter Rüdiger von Manesse sowie seinen Enkel, der 1351 bei Daetwil gegen die Habsburger siegte.
Durch den Schnee stapfend, erreichte ich schliesslich die Kuppe. Nur wenige Mauerreste zeugen noch von der einstigen Burg. Dafür steht dort seit dem 19. Juli 1919 ein Gottfried-Keller-Denkmal: »Dem Dichter und Schutzgeist seiner Heimat, Gottfried Keller zum 100. Geburtstag.« Keller seinerseits hat der Burg ein Denkmal gesetzt mit seiner Erzählung »Der Narr auf Manegg«.

Das Kapitel der Minnesänger möchte ich mit einem Lied beschliessen, und zwar dem einzig überlieferten Lied vom »Regenbogen«:

O Süsse Minne! (Wandmalerei am Haus „Elfen" im Zürcher Niederdorf)

Der Hardturm an der Limmat, wohl um 1208 als Verteidigungsturm unter Stammvater Rüdiger Manesse I. erbaut.

Kaum noch Spuren der einstigen Burg Manegg au[f] einem Waldhügel beim Albis. Ritter Rüdiger von Manesse hat sie anfangs 13. Jh. erbaut. Heute steh[t] dort ein Denkmal für Gottfried Keller, welcher di[e] Burg verewigt hat mit seiner Erzählung „Der Narr auf Manegg".

8.5 Das einzig überlieferte Lied vom »Regenbogen«

Am 23. April 2010 schrieb mir Arnold C. Schärer in einem Brief:
»Der »Regenbogen« schrieb nicht viel; die Zeilen über die sieben Künste zeigen jedoch sein Verständnis für die Wissenschaft.« Er legte mir die Fotokopie des Regenbog-Liedes in altdeutscher Sprache bei, so wie der Dichter es geschrieben hatte. Ich allerdings hatte Mühe, das ganze Gedicht zu verstehen, weil ich die Bedeutung vieler Wörter nicht kannte.

Ich fragte deshalb meinen schon erwähnten Jugendfreund Walter Raschle, ob er mir bei der Übersetzung helfen würde. Er, der selber ein »Minnesänger« ist, kennt die alten Wörter und verfügt über ein umfangreiches Wissen zu diesem Thema. Liebenswürdigerweise erklärte er sich bereit, das ganze Gedicht in heutiges Deutsch zu übersetzen. Eines Nachmittags hat er es mir sogar mit einer dazu passenden Melodie vorgesungen und sich selber am Klavier begleitet – ich schloss die Augen und fand mich umgehend in anderer Zeit, an anderem Ort wieder: **Heinrich, der »Regenbogen« gab in Rotenburg ein Lied zum Besten, und es war Anno 1324.** -

Hier führe ich nur den Anfang des Liedes an, um ein Beispiel zu geben, wie ein Dichtersänger um 1300 gesprochen, bzw. gedichtet hat. Anschliessend folgt die Übersetzung und Interpretation von Walter Raschle.

Regenbog

> *Ir pfaffen vn ir ritter tribent vo ûch nit.*
> *ir prüfent anders grösser vngenade zit.*
> *ir sont gedenken rechte wies vmb ûch lit.*
> *der pfaff ritter buma die drie die söltin sin gesellen.*
> *d' buman sol dem pfaffen vn dem ritter ern.*
> *so sol der pfaffe den buman vn den ritter nern.*
> *vor der helle sol der werde ritter wern*
> *dem pfaffen vn dem buma die in tvn icht wellen.*
> *nv dar ir edelen werden drie gesellen.*

Ihr Pfaffen und ihr Ritter, entzweit euch nicht. (= *tribent vo üch nit* = *strebt nicht auseinander in verschiedene Richtungen*)
Sonst bringt ihr eine Zeit grosser Unruhe. *(genade und ungenade hat auch einen weltlichen Sinn: Ruhe, Festigkeit, Sicherheit, Fülle bzw. das Gegenteil)*
Ihr sollt euch richtig einschätzen und eure Lage bedenken:
der Pfaff, der Ritter und der Bauer – diese drei sollten zusammenhalten.
(= sich gesellen – auch: miteinander handeln, dasselbe wollen)
Der Bauer soll den Pfaffen und den Ritter ehren. *(= deren spezifische Leistungen anerkennen)*
und genau so soll der Pfaffe den Bauern und den Ritter versorgen.
(nern = nähren, hat eine viel weitere Bedeutung als bloss »füttern«, nämlich: genesen machen, heilen, retten; hier: geistlich führen)
Vor Angst und Not *(helle = Hölle, Unterwelt, und auch konkret: Enge)* soll der edle Ritter den Pfaffen und den Bauern wehrhaft beschützen
und diese wollen ihn dafür für etwas. *(ichts im Gegensatz zu nichts bedeutet: etwas – hier: etwas Hohes, Bedeutendes)*
Darin *(= in einem solchen gegenseitigen Dienst)* werden die drei Stände zu guten *(edelen)* Bundesbrüdern.

Regenbogen gilt als Spruchdichter und Meistersinger und gehörte der Spätzeit des Minnesangs an. Von ihm ist kein Lied der Minne überliefert, nur dieses oben zitierte. Nachdem ich Walter Raschle's ganze Übersetzung vor mir liegen hatte, wurde ersichtlich, dass das Lied drei Teile umfasst:

· 1. die Ständelehre.
· 2. die sieben Künste, die als Göttinnen vorgestellt werden: die Grammatik – die Logik – die Geometrie – die Arithmetik – die Astronomie – die Rhetorik – die Musik.
· 3. Die fünffältige Tugend der Frau.   (Dieser Text ist nicht vollständig erhalten)

Nach diesem kleinen Exkurs in die Zeit der Minnesänger allgemein und dem »Regenbogen« im Besonderen verlassen wir das Seetal, wie anno 1390 Jost Faber alias Schmid und wenden uns dem Lande Uri zu und Altdorf, seinem Hauptflecken.

^{9.0} *Zurück nach Uri*

Seit ich an diesem Buch arbeite, habe ich mehrere Reisen nach Uri unternommen. Nun wollte ich meiner Lebenspartnerin Mona einmal Altdorf und ein paar weitere Orte zeigen, die in meinem Leben eine Rolle spielten. Mitte Juli 2008 (wir kannten uns gerade ein Jahr) gönnten wir uns zwei Tage für dieses Unternehmen.

Hier fängt Uri an: alte Axenstrasse bei Sisikon mit dem Uristier des Altdorfer Künstlers Heinrich Danioth (1896-1953).

^{9.1} Von Bürglen bis Seelisberg und vom Bayernkönig Ludwig auf dem Rütli

Bürglen

Altdorf passierend, fuhren wir weiter nach *Birglä*, wie es im Urner Dialekt heisst. Wir logierten im Hotel Tell, einem geschichtsträchtigen Haus, dessen Grundmauern ins Jahr 1135 zurückreichen. Mehr als einen Stern hat es wahrscheinlich nicht aufzuweisen, dafür andere Qualitäten:

König Ludwig II. von Bayern, seit frühester Jugend ein glühender Bewunderer von Wilhelm Tell, logierte 1865 im Hotel Tell in Bürglen. Was für einen König gut war, soll auch für uns gut sein, dachte ich mir. Welch schöne

Überraschung, dass die Wirtin unser Frühstück in der historischen Stube (16. Jh.) im 1. Stock servierte! Vom Hotelzimmer aus sahen wir direkt aufs Dach der Tellskapelle aus dem Jahr 1582. Im Innern dieser Kapelle wird die Geschichte Tells im ältesten erhaltenen Tell-Bilderzyklus (von 1588) erzählt. Die lokale Tradition überliefert, dass die Kapelle an der Stelle erbaut wurde, wo das Wohnhaus von Wilhelm Tell gestanden hatte.

Heute wird dem Touristen »Tells Heim« an anderer Stelle präsentiert. Wenn Tells Haus schon nicht mehr steht, so kann man immerhin ein Holzhaus bewundern, wo auf den berühmten Sohn von Bürglen hingewiesen wird. Es handelt sich dabei aber um ein neueres Chalet. (Ein Haus, in dem ich mir Wilhelm Tell mit Familie schon eher vorstellen konnte, haben wir später in Unterschächen gesehen) So standen auch Mona und ich vor »Tells Heim«, und ich erzählte ihr von Tell, und warum ich denke, dass er wirklich gelebt habe. Mit einem Mal fiel mein Blick auf ein farbiges Medaillon, das vor uns am Boden lag. Das emaillierte Bild zeigte den hl. Antonius mit einem Kind auf dem Arm und drei weissen Lilien. Seltsam, dachte ich. Will mir dieser Fund etwas sagen?

Dieses Medaillon vom hl. Antonius mit Kind und 3 Lilien fand ich, als Mona und ich vor „Tells Heim" in Bürglen standen.

In der Nacht im Hotel hatte ich einen Traum: ich sah das Gesicht von Tante Nanette vor mir, der ältesten Schwester meines Vaters. Sie sah mich aus ihren unergründlichen blauen Augen an und sagte zu mir: »Nun bist du der Senior, Christian. Die Arbeit, an die du dich da wagst, wurde von langer Hand vorbereitet, und du erhältst Hilfe und Unterstützung. Das Medaillon, das du heute gefunden hast, war für dich bestimmt. Es zeigt dich als Vater von zwei Kindern, und du hältst drei Lilien in der Hand. Die Lilien repräsentieren deinen Spross: du führst die Linie der Schmid von Uri weiter mit deinen beiden Töchtern. Wir schätzen Marlen, die Mutter deiner Kinder, und wir heissen Mona willkommen und segnen eure Verbindung.«

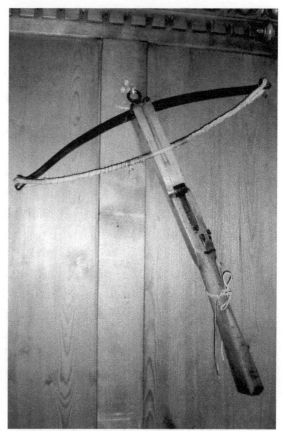

Tellskapelle in Bürglen von 1582; dahinter das historische Hotel Tell, dessen Grundmauern ins Jahr 1135 zurückreichen. 1865 logierte hier der Bayernkönig Ludwig II., 2008 Mona und ich.

Eine Armbrust an der Wand des Frühstückraums.

Der historische Frühstücksraum im 1. Stock des Hotel Tell in Bürglen (16. Jh.)

Ich erwachte, es war drei Uhr nachts, die Glocken der nahen Pfarrkirche schlugen drei Mal mit ihrem scheppernden Klang. Es regnete, und ich hörte die Wasser des Schächen rauschen. Ich war sehr aufgewühlt und lag noch lange danach wach. Bilder zogen vor meinem geistigen Auge vorbei, ich sah meinen Vater, der schon seit 1962 nicht mehr auf dieser Erde weilt, meine verstorbenen Tanten und Onkel. Onkel Franz war der letzte der alten Generation gewesen, als er 2001 starb. Am 18. April 2008 war meine Mutter gegangen, das war erst ein paar Monate her. Ja, jetzt war ich der Senior, das wurde mir mit einem Male bewusst.

Ich sinnierte über die »Arbeit« nach, an die ich mich gewagt habe. Ein Aufarbeiten der Familiengeschichte? Die Familiengeschichte in ein neues Gewand kleiden? Vor dem Vergessen bewahren? Was ist der wirkliche Grund, warum ich es tue? Ich bin ganz einfach ein Chronist, dachte ich. So wie Franz Vinzenz, der Ende des 18. Jahrhunderts die Familiengeschichte aufschrieb und mit farbigen Bildern illustrierte. Ganz in seiner Tradition, mache ich heute dasselbe wie er: ich schreibe die Geschichte der Schmid von Uri erneut auf, aus einem anderen, meinem heutigen Blickwinkel, mit anderen Worten. Und auch ich illustriere sie mit farbigen Bildern. Bilder, die ich nicht von Hand male wie mein Vorfahr. Um Bilder zu erhalten, drücke ich nur noch auf den Knopf eines Apparates. Ja, und diese Arbeit tue ich gern, sie macht mir Spass! Sie bringt mich an schöne Orte, lässt mich interessante Menschen kennen lernen und – meine Vorfahren besser verstehen.

Das Riedertal
Über das Riedertal mit seiner Wallfahrtskapelle aus dem frühen 16. Jahrhundert habe ich schon berichtet, nachzulesen unter Kapitel 5.2 Bemerkungen zu Franz Vinzenz Schmid.

Unterschächen
Am nächsten Tag fuhren Mona und ich das Schächental hoch; ich wollte ihr Unterschächen zeigen, das Haus, in das mein Vater und meine Mutter mit mir als Säugling gezogen waren, nachdem sie Zürich verlassen hatten. Onkel Franz hatte es mir vor vielen Jahren einmal gezeigt. Das Haus war riesig. Aus den Erzählungen meiner Mutter hatte ich immer geschlossen, dass es ein altes Bauernhaus gewesen sei. Es war aber ein grosses altes

Mehrfamilienhaus. Für meine Mutter war es keine sehr glückliche Zeit gewesen in Unterschächen. Den Tag durch war sie allein mit mir und einer Hauskatze. Die junge Mutter kam sich verloren vor in dem Dorf. Mein Vater kannte natürlich jeden in Unterschächen. Am Abend kam er heim, aber sicher war er öfters in einer der Beizen anzutreffen. Er äusserte sogar den Gedanken, im Dorf eine solche zu übernehmen. Das wäre schlimm gewesen für meine Mutter. Von der Katze hat sie mir öfters erzählt; die war selbständig und anhänglich, je nachdem - wie Katzen so sind: sie ging jeweils fischen im Bach neben dem Haus und brachte sich eine Forelle mit. Zuweilen pflegte sie sich auf mich zu legen, der ich in der Wiege lag, das war dann die anhängliche Phase. Einmal jedoch hätte sie sich direkt auf meinen Hals gelegt, das grosse Tier. Als meine Mutter das sah, kriegte sie einen Riesenschreck. Sie dachte, die Katze könnte mich glatt ersticken mit ihrem Gewicht. Das war im Sommer 1947.

In diesem Haus in Unterschächen wohnte ich in meinem ersten Lebensjahr, 1947.

Der Bach verläuft noch immer neben dem Haus; er kommt direkt von der Loretogrotte her, die etwas weiter hinten liegt. (Ich glaube nicht, dass die Quelle damals schon ein Loreto-Heiligtum gewesen war)

Übrigens hat schon im 13. Jahrhundert ein Walter Schmid in Unterschächen gelebt; er zinste für ein Gut, das »Ring in dem Lussen« genannt wurde: »*In villa Underschechen: Walt(herus) Faber unius solidi de predio, quod dicitur Ring, in dien Lussen.*« (Urkunde vom 1. April 1294 in der Kirchenlade Spiringen/Quellenwerk I/1)

Urigen

Eine Spitzkehre nach Unterschächen, und in der nächsten Kurve Richtung Klausenpass liegt Urigen. Welch ur-urnerischer uriger Name! Walter und ich kannten Urigen nur vom Hörensagen, das erste Mal habe ich Grossvaters Ferienhaus 1983 gesehen, als wir zu Onkel Franz' 70stem Geburtstag eingeladen waren. Das Fest fand im Posthotel in Urigen statt; Marlen, ich und Rahel, sie war noch ein Baby, durften im Ferienhaus schlafen. Mein Vater hatte seinen Anteil am Ferienhaus verloren, da Grossvater seine Spielschulden bezahlt hatte. So haben wir als seine Erben natürlich keinen Anspruch auf Urigen (falls wir aus dem fernen St. Gallen das überhaupt gewollt hätten).

Als ich ins Chalet eintrat, dachte ich: das ist sicher alles noch so, wie es zu Grossvaters Zeiten eingerichtet worden war. Es roch gemütlich nach Holz. Eine Fotografie von Grossvater in Sepia hing in der Stube, wie wenn ein Teil von ihm noch anwesend wäre. Grosseltern und Kinder haben alle ihre Ferien in Urigen verbracht. Nie wäre es den Grosseltern

Grossvaters Ferienhaus in Urigen.

234

in den Sinn gekommen, ins Ausland zu fahren, nach St. Tropez oder an den Starnberger See, um dort Ferien zu machen. Da waren sie regelrechte Urner: sie fühlten sich wohl in ihren geliebten, heimischen Bergen, »auf sonniger Höhe«, wie es im Nachruf hiess. In diesem bescheidenen »Paradies« habe er die glücklichsten und unbeschwertesten Tage seines Alters erlebt, hiess es weiter. Das kann ich mir gut vorstellen. Einerseits konnte er so die Enge des Dorfes, das umgeben ist von hohen Bergen, hinter sich lassen und von der Höhe aus ins Tal schauen; anderseits dem Dauerlärm des Verkehrs entfliehen, der ununterbrochen an seinem Haus an der Gotthardstrasse vorbeibrauste. Damals gab es die Autobahn noch nicht. –
Betreffend Ferien: Cousine Ursi Schweizer erzählte mir, dass Grossvater in späteren Jahren oft allein nach Italien in die Ferien zu fahren pflegte (»d' Grossmueter hesch nid zum Kanton us brocht.«).

Fährt man von Urigen weiter bergwärts, kommt man auf den Klausenpass, der ins Glarnerland führt. Diese Reise habe ich als Bub mehr als einmal gemacht, wenn Tante Madlen mich im alten Austin von Onkel Karl zurück fuhr nach Netstal.

Blick von Urigen das Schächental hinab.

Altdorf

Einiges über Altdorf habe ich schon im Kapitel über meinen Grossvater und meine Grossmutter berichtet: über das rosa Haus an der Gotthardstrasse 3 und seine Atmosphäre. Heute ist dort die Korporation Uri beheimatet. Onkel Franz hat das riesige Haus verkauft, das nur noch eine Belastung war. Franz und Tante Greti zogen hinüber ins benachbarte Haus von Tante Madlen. Nun wohnten die drei Geschwister wieder zusammen, Franz und Greti richteten sich im unteren Teil der ehemaligen Praxisräume von Onkel Karl ein. Die Stube von Greti war recht geräumig und hell. Das nicht sehr helle Zimmer von Onkel Franz war völlig überfüllt. Bett, Tisch, Vitrine; dazu stapelte sich ein grosser Teil des Familieninventars aus Grossvaters Büro darin: Adelsbrief, Orden, Epauletten, Bücher, Bilder, Ordner usw. So wohnten sie einige Jahre. Greti starb 1995; nun waren noch Madlen und Franz übrig in Altdorf.

Er machte sich nun vermehrt Gedanken darüber, was mit dem Familieninventar geschehen solle. Seine Söhne schien er dafür nicht in Betracht zu ziehen, obwohl Jost daran interessiert gewesen wäre, wie er mir viel später einmal mitteilte. Und Walter und ich, die in St. Gallen lebten, kamen sowieso nicht in Frage. So entschloss er sich eines Tages, das gesamte Material ans Staatsarchiv Uri zu übergeben. Seit

Altdorf/Uria. Abb. aus: Heinrich Glarean, Beschreibung der Schweiz - Lob der 13 Orte. (Tschudy 1948)

dem 29. März 1996 lagert es nun als P-7 im Privatarchiv und die Gemälde in der Historischen Abteilung. Ich war im Laufe der Jahre mehrmals dort gewesen, um zu recherchieren und zu fotografieren. Auch führte ich verschiedentlich Gespräche mit den leitenden Historikern, dem inzwischen pensionierten Herrn Dr. Aebersold, Herrn Dr. Kuhn und anderen. So erfuhr ich manches, was mir vielleicht sonst entgangen wäre. Unter anderem wurde ich auf die Familienforschung von Josef Muheim aufmerksam gemacht, die mir bis dahin unbekannt gewesen war. Darüber habe ich ja schon berichtet.

Zurück zum Haus **Gotthardstrasse** 3: Das spätgotische Portal an der Hinterseite des stattlichen Hauses weist die Jahreszahl 1593 auf. Bundesrichter Franz Schmid erwarb das Haus zur Geburt seines Sohnes Franz (5. Juni 1878) von Louis Favre, dem Erbauer des Gotthard-Tunnels, der hier seine Büros hatte. 1879 vermietete Urgrossvater Franz Schmid der Baugesellschaft Gotthardbahn einen Teil des Hauses. Die Bauzeit des Tunnels dauerte von 1871 bis 1880, der Durchstich erfolgte am 29. Februar 1880. Im Staatsarchiv befinden sich noch immer Freikarten für eine Fahrt von Luzern nach Göschenen, aus den Jahren 1884, 1885 und 1886. Die Karten wurden nie eingelöst!

An der Gartenmauer strassenseits entdeckte ich, in die Mauer eingelassen, ein **Tatzenkreuz**, das mir als Kind nie aufgefallen war. Dem Original begegnete ich bei einem Besuch im Historischen Museum in Altdorf. Der Ort des Kreuzes bezeichnete in etwa die Dorfgrenze, denn bis zu dieser Stelle gingen früher die Priester jeweils dem Leichenzug entgegen, um den Toten abzuholen und zum Friedhof zu begleiten. (So steht es auf der Tafel im Museum) Dieses Tatzenkreuz, auch Templerkreuz genannt, erinnerte mich jedenfalls an unseren Kreuzritter Werner Schmid von Ury. Auf das Tatzenkreuz stiess ich immer wieder bei meinen Recherchen: hier am Grossvaterhaus, mehrfach im Kloster St. Lazarus in Seedorf, in der Deutschritterkommende in Hitzkirch.

Gegenüber dem rosa Haus befand sich der Stammsitz der Beroldinger, an der Gotthardstrasse Nr. 2. Die Verbindung der Familien Schmid von Uri und der von Beroldingen lag also in doppeltem Sinne nahe: in Altdorf lagen sie sich direkt gegenüber; auch heirateten sie im Lauf der Jahrhunderte immer wieder untereinander. Grossvater betreute über sechzig Jahre lang die Beroldingen-Stiftung (Fideikommiss).
Der grosse Dorfbrand von Altdorf am 5. April 1799 – das Dorf war besetzt von den Franzosen – zerstörte einen grossen Teil der Wohnhäuser und anderen Gebäude, so auch jenes an der Gotthardstrasse 3. Die Mauern und die Grundrissanlage blieben unversehrt, doch verbrannte die ganze Innenausstattung (Gasser, KDS, 2004, S. 246).

Heute befindet sich die Korporation Uri im
ehemaligen „rosa Haus" an der Gotthardstrasse 3
in Altdorf.

Templerkreuz an der Mauer der Gotthardstrasse 3. Dieses Kreuz bezeichnete früher
die Dorfgrenze. Das verwitterte Original-
kreuz aus Sandstein befindet sich im
Historischen Museum in Altdorf.

Freikarten der Gotthardbahn
von 1884, gültig für die
Strecke Luzern-Göschenen.
Urgrossvater hat sie nie
eingelöst. (StaU P-7/227)

Um 1600 befand sich der Stammsitz der Familie Schmid von Ury am **Maria-hilfgässlein** (heute Bahnhofstrasse 12-18). Gegenüber dem Schmidhaus befand sich das Siegwarthaus, dazu gehörten noch mehrere andere Gebäude, Höfe und Gärten. Landammann Jost Anton Schmid (1690-1761) erwarb zusätzlich noch einen Garten, in dem er die Kapelle Maria Hilf erbaute; in seiner Haushofstatt liess er einen **Brunnen** errichten, welcher heute auf dem Lehnplatz beim Hotel »Goldener Schlüssel« steht. Auf dem Sockel steht ein Bär mit dem Schmid-Wappen in den Tatzen. Beim Dorfbrand 1799 wurde das Haus zerstört und nicht wieder aufgebaut. Die Ruinen des Schmidischen Hauses standen noch um 1830. Erhalten ist der Torbogen zur ehemals Schmidischen Matte beim Zopfgarten, heute Bahnhofstrasse 12 (Gasser, KDS, 2004, S. 190-192).

Wegen ihrer Zusatznamen möchte ich hier nochmals die drei Linien der Schmid von Uri erwähnen, welche von Jost Dietrich Schmid (dem Grossen. 1518-1582) abstammen:

· a. Anton Schmid (1567-1608)   *»Guardihauptmann«*
· b. Jost Schmid   *»Schmid ob der Kirchen«*
· c. Bernhard Schmid (+1598)   *»Schmid auf der Schiesshütten«*

Es gäbe natürlich noch viel zu sagen über Altdorf, den Hauptort von Uri, doch würde dies den Rahmen dieser Familiengeschichte sprengen. Den Abschnitt beschliessen möchte ich mit einer Person aus dem Bauernstand, mit **Guschti**.

Dieser Guschti ist mir in Erinnerung als kerniger Bauer mit Bart und kräftigen Armen. Er muss mir recht Eindruck gemacht haben, dass ich ihn nie vergessen habe seit damals - ich zählte da etwa vier Jahre. Auch weiss ich noch, dass wir ihn besucht haben auf seinem Hof, und dass wir zurück kamen mit Guschti-Käse, einem besonders würzigen Alpkäse. Dieser kam regelmässig bei uns auf den Tisch. Dieser Älpler schien ein Freund meines Vaters gewesen zu sein. Auch als wir schon längst im Glarnerland und später in St. Gallen wohnten, sagten wir jeweils zu einem besonders würzigen und feinen Alpkäse: *wie-n-en Guschti-Chäs.*

Haupteingang vom „rosa Haus" an der Gotthardstrasse 3, anfangs der 50er Jahre. (StaU P-7)

Das rosa Haus, oberer Stock. (StaU P-7)

Der Schmid-Brunnen von 1720 mit dem Bären auf der einstigen Liegenschaft des Schmid-Hauses zur Matte; Bahnhofstrasse 12. (StaU P-7/353)

Der Bär mit dem Schmid-Wappen an seinem heutigen Platz, an der Schützengasse im Zentrum von Altdorf.

Dieser Torbogen ist der letzte Überrest des Schmid-Hauses zur Matte, beim Zopfgarten (heute: Bahnhofstrasse 12-18).

Der Autor im so genannten Manns-Stuhl der Schmid von Uri in der Pfarrkirche St. Martin zu Altdorf.

Die Seegemeinden:

Flüelen

Flüelen liegt am Ende oder am Anfang des Urner Sees – je nachdem, woher man kommt. Der Name des Ortes leitet sich wahrscheinlich von den Flühen ab, *»die das Dorf wie eine Wand gegen den Berg abschliessen.«* (Gasser, KDS, 1986, S. 61) Schon früh war der Ort ein kleiner Hafen, eine Fährstelle, da der Schiffsweg der praktischste Weg nach Brunnen war. Als um 1200 die Gotthardroute erschlossen wurde, mauserte sich Flüelen zum Hafen von Altdorf; die Waren aus Italien gelangten per Schiff nach Luzern und von dort weiter nach Norden.

Laut Anhang der Schmid'schen Familiengeschichte lebte schon anno 1140 ein Ulrich Schmid von Urÿ zu Flüelen, »ein Edelmann grossen Ansehens«.

Etwa 650 Jahre später, im Jahr 1799, wählte Franz Vinzenz Schmid, der Verfasser ebendieser Familiengeschichte, Flüelen als den Ort, wo er zusammen mit einer Schar Urner den Franzosen entgegentreten wollte. Am Gruonmätteli fand dann der ungleiche Kampf zwischen den Aufständischen und der Übermacht der Franzosen statt. Der Aufstand war von Beginn weg zum Scheitern verurteilt. Schmid, ein glühender Verehrer seines urnerischen Vaterlandes, wurde am 9. Mai 1799 *»von einer feindlichen Kartetschenkugel todgeschossen«*.

Wir haben den Platz aufgesucht, aber von der damaligen Atmosphäre ist nun gar nichts mehr übrig geblieben – ausser einer Tafel »Gruonmätteli« an einem Haus.

Hier landeten die aufständischen Urner unter der Führung von Franz Vinzenz Schmid am 8. Mai 1799 und begaben sich zum Gruonmätteli, um die Franzosen zu erwarten. Dort wurde Franz Vinzenz „von einer feindlichen Kartetschenkugel todgeschossen".

Seedorf

Die Gemeinde liegt links der Reuss am Ufer des Urner Sees und wurde 1254 erstmals erwähnt: *Sedorf.* Gegen Westen bewacht der massige Gitschen den Flecken. Das Geschlecht der Schmid von Uri ist auch mit Seedorf verbunden, wie wir in *Kapitel 5.6 Die alten Dokumente des Klosters St. Lazarus in Seedorf* gesehen haben:

Der Lazarusritter Werner Schmid von Urÿ, von Isenthal stammend, liegt vermutlich im Kloster in Seedorf begraben (Necrologium von 1225).
Im Anhang der Familiengeschichte (siehe Kapitel 5.3) werden weitere Angehörige der Schmid-Familie aufgezählt, die auch das Jahrzeitbuch St. Lazarus Seedorf bezeugt, so z.B.:

Anno 1186 Mechthild Schmid von Urÿ, Ordensdame des königlichen St. Lazar Ordens.
(»*Swester Mechthilt smidina ob*«)
Anno 1358 Hemma Schmid von Urÿ, St. Lazar Ordensdame.
(»*Soror Hemma filia fabri de Sedorf ob.*«)
Anno 1359 Walther Schmid von Urÿ, Sankt Lazar Ordensritter und Margareth seine Gattin.
(»*Waltherus faber de Sedorf ob*«)

Unvergesslich bleibt mir der freundliche Empfang durch Äbtissin Sr. Maria Ulrich im Kloster St. Lazarus, wo sie mir die Faksimile der alten Dokumente des Klosters zum Studieren überliess.

Isenthal

Wie wir schon gehört haben, war der Ritter des königlichen Krieg-Ritterordens vom heiligen Lazar »*Werner Schmid von Urÿ, sonsten wohnhaft auf seiner Burg im Isenthal.*« Ich fragte mich nun, ob es diese Burg oder Spuren davon in Isenthal noch gab. Ein Telefonat mit der Gemeindekanzlei nahm mir diese Hoffnung: »Es gibt keinerlei Hinweise, dass es je eine Burg in Isenthal gegeben hat.«

Nun begann ich in Büchern zu recherchieren. In Helmi Gassers »Die Seegemeinden« (KDS, 1986) wurde ich fündig! Auf Seite 271 schreibt sie:

»Unweit davon, talabwärts, trägt ein schmales, waldiges Geländestück zwischen Grosstalbach und Horn, das allseits von Allmend umgeben ist, den Namen »Bürglen« und Spuren einer kleinen Burgstelle.« Und weiter, in der Anmerkung: *»Als Burgstelle der heutige Hausplatz geeignet. Im Wald, gleichfalls erhöht, Reste von Umfassungsmauern. Unweit des Bachs Fundament eines Ökonomiebaus. (Diese Feststellungen im Einvernehmen mit Prof. Dr. W. Meyer, Basel.)«*

Meine Laune hob sich wieder, und ich beschloss, nach den Spuren dieser alten Burg zu suchen. Ich reservierte ein Doppelzimmer im Hotel »Urirotstock«, und am 11. Juli 2010 fuhren die Ostschweizer wieder einmal ins Urnerland. Ausgerüstet mit einem Situationsplan des Gemeindegebiets Isenthal aus Helmi Gassers »Seegemeinden« machten wir uns nach dem Mittagessen auf die Suche. Die Wirtin hatte uns den Weg nach »Birglen« gewiesen, das etwas ausserhalb der Gemeinde liegt.

Zu Fuss liefen wir das ganze Gebiet ab und fanden auch da und dort Spuren – grosse Steine, Reste von Mauern, die auf eine einstige

Birglen bei Isenthal; hier befand sich früher eine Burg (bestätigt der Pendel).

Stand hier einst die Burg von Lazarus-Ritter Werner Schmid von Isenthal?

Burg hinweisen mochten. Aber sicher konnten wir nicht sein. Das Haus jedenfalls, auf das Frau Dr. Gasser hingewiesen hatte, fanden wir; der Platz wäre tatsächlich geeignet für eine Burg.

In Isenthal gibt es an einem knappen Dutzend Orten Siedlungsbelege aus dem 1. Jahrtausend bis 13. Jahrhundert, u.a. eben in Bürglen (Birglen). Hat hier im 12. Jahrhundert (»Anno 1185«) Lazarusritter Werner Schmid von Urÿ *»auf seiner Burg in Isenthal«* gewohnt?

Als ich so da stand auf Birglen, nachdenklich, in der Zeit zurückdenkend – ja, da stellte ich ihn mir vor, meinen Urahnen: zunächst auf seiner Burg in Isenthal, dann zum Kampf ins Heilige Land, und heim zur letzten Ruhe nach Uri, ins Kloster Seedorf.

Seelisberg

Seelisberg – in Bezug auf die Familie Schmid von Uri bedeutet dies vor allem das **Schlösschen Beroldingen**, da die Schmid mit dem Geschlecht der von Beroldingen schon seit Jahrhunderten verwandtschaftlich verbunden sind.

Im Jahre 1530 baute Landammann Josue von Beroldingen auf den Fundamenten einer mittelalterlichen Burg das Jagdschlösschen Beroldingen. Es liegt am uralten Saumweg Beckenried-Bauen. Gemäss alter Tradition sei die Familie schon um 1200 dort wohnhaft gewesen. Das Schlösschen ist auf einer kleinen Hochebene gelegen mit Blick auf das hintere Becken des Urnersees und die vom Bristenstock überragte Reussebene.

Das Schlösschen Beroldingen bei Seelisberg, erbaut im Jahr 1530. Die Schmid von Uri sind mit dem Geschlecht der Beroldinger schon seit Jahrhunderten verwandtschaftlich verbunden.

9.2 Das Geschlecht derer von Beroldingen

Helmi Gasser schreibt, dass der Ingen-Name alten Ursprungs sei und einen alemannischen Rufnamen enthalten dürfte. Im Jahre 1257 wurde ein Cuno von Beroldingen erstmals erwähnt, und 1315 war einer der fünf in der Schlacht von Morgarten gefallenen Urner Cuonrat von Beroldingen. (Gasser, KDS, 1986, S. 410)

»Einen ersten Höhepunkt erlebte das Geschlecht mit Heinrich von Beroldingen, Landammann 1427-1429, der wohl noch in Beroldingen wohnte. Erstmals erwähnt wird »*hus und hofstatt zu Beroldingen*« um 1500; es gehörte damals seinem in Altdorf sesshaften Grosssohn Andreas (gest. 1510). Dessen Sohn Josue (gest. 1563), einer der glänzendsten Urner Namen seiner Zeit, fügte dem Stammhaus der Familie 1545 eine Kapelle an.« (Gasser, KDS, 1986, S. 410)

 Josue von Beroldingen wurde von Kaiser Karl V. 1521 in den erblichen Adelsstand erhoben (Wappenbrief vom 12. Mai 1521), also rund 30 Jahre bevor Jost Schmid vom selben Kaiser geadelt wurde.
Josts Sohn, Ratsherr und Gardehauptmann Jost Schmid, seines Namens der Vierte, heiratete **Barbara von Beroldingen** (überlieferte Jahreszahl für Jost IV. = **1596**).
1739 ist Jost Anton Schmid Beroldinger Vogt.
Sebastian von Beroldingen, Josues Sohn, machte das »alte Stammhaus« testamentarisch zum Fideikommiss (am 24. Juli 1598). In neuerer Zeit wurde der Fideikommiss von der Familie Schmid von Uri verwaltet: bis 1966 von Fürsprech und Notar Dr. Franz Schmid; dann ein paar Jahre von seinem Enkel Franz, und heute durch den Kanton.

1801 sind die Beroldingen in Uri ausgestorben, die reichsgräfliche Linie besteht noch. Frau Dr. Helmi Gasser machte mich anlässlich eines Besuches bei ihr in Basel darauf aufmerksam, dass eine geborene Gräfin von Beroldingen, **Sybille Freifrau von Wrangel aus Stuttgart**, früher oft auf dem Schlösschen Beroldingen zu Besuch und in den Ferien gewesen sei. Auch besitze diese noch Fotoalben aus jener Zeit, die ihre Mutter angelegt habe. Sie sprach vor allem von einem Album, in dem auch Fotos von meinem

Grossvater Dr. Franz Schmid zu sehen seien, und ob ich interessiert wäre, dieses Album einmal zu sehen? Ja, das interessierte mich sehr! Frau Dr. Gasser telefonierte darauf mit der Gräfin und teilte ihr mit, dass ich sie gerne in Stuttgart besuchen wolle, um dieses Album zu sehen, und dass ich meine Tochter Rahel, die gelernte Fotografin ist, mitnehmen wolle, um die mich interessierenden Bilder fachmännisch zu fotografieren.

Um es kurz zu machen: am 15. März 2014 fand das verabredete Treffen mit der Gräfin in Stuttgart statt. Sybille von Wrangel, eine schöne, elegante, alte Dame empfing uns in ihrer zweistöckigen Dachwohnung, erlesen eingerichtet mit Möbeln und Gegenständen aus vergangenen Beroldinger- und von Wrangel-Zeiten: Alte Gemälde von Vorfahren, von ihr selbst als schöne junge Frau, Stammbäume an den Wänden, Säbel, Porzellan in Vitrinen. Inmitten all dieser Dinge lebt sie allein (ihr Mann ist gestorben), die letzte der Stuttgarter Beroldinger, ihr Geist noch frisch und voll von Erinnerungen.

Schon bald waren wir beim Grund unseres Besuchs, dem Fotoalbum. Die Gräfin erklärte uns, dass es sich um ein Jubiläums-Album handelt:
Am 30. August 1930 feierten die Beroldinger auf dem Schlösschen das **400-Jahr-Jubiläum: 1530-1930**. Damals war sie fünf Jahre alt (sie ist 1925 geboren, und zählte bei unserem Besuch 89 Jahre). Sie sagte, sie könne sich noch gut an meinen Grossvater erinnern. Dies wohl auch, weil sie ihn auch später immer wieder einmal sah bei Anlässen. Und wirklich - auf einem der Fotos erkannte ich ihn sofort: ganz gerade stand er da (wie immer – so kannte ich ihn), ohne zu lächeln und schaute nicht direkt in die Kamera. Er trug einen Vatermörder, wie man die weissen, spitzen und gestärkten Kragen damals nannte. Er stand inmitten einer grossen Gruppe Leute, Männer, Frauen, Pfarrer und Kinder. Die Beschriftung unter dem Foto lautete (gekürzt)
»*Vor dem Gedächtnis-Gottesdienst in der Schlosskapelle...von l. nach r. Gräfin Larisch (geb. Gfn Beroldingen) Graf Zsiga, ...Gf Alexander, etc.*«

und zählte vor allem die Beroldinger Familienmitglieder auf. In Stuttgart war mir nur mein Grossvater Franz Schmid aufgefallen, so wie ich es oben beschrieben habe. Aber als wir das Foto zuhause mit Mona noch einmal anschauten, fragte sie mich: »Ist der da vorn nicht dein Vater? Er hat dieselben Züge wie du.« Tatsächlich! In der vordersten Reihe, ganz rechts, vor meinem Grossvater, steht ein Bub, etwa zwölf Jahre alt und schaut etwas missvergnügt in die Kamera. Nun erkannte ich ihn, erkannte auch mich in ihm. Es kam mir vor wie ein Geschenk! Denn ein Kinderfoto aus diesen Jahren hatte ich noch nie gesehen. Wir besassen nur zwei Fotos von ihm aus der Gymnasialzeit. Wie seltsam: 84 Jahre war dieses Foto in der Versenkung gewesen, nun ist es mir – dank Frau Helmi Gasser und Frau von Wrangel – zugefallen. Es ist, wie wenn ein Stückchen mehr von meinem Vater ans Licht gekommen wäre. Wiederum schloss sich ein Kreis.

Eine illustre Gästeschar, darunter mein Grossvater Franz Schmid mit Sohn Karl, meinem Vater (rechts im Bild).

Nun hatte ich also noch mehr Informationen zu Beroldingen – aber das Schlösschen selber hatte ich noch immer nicht gesehen. Eines Tages Ende August 2014 entschloss ich mich spontan, nach Seelisberg zu fahren. Im Knonauer Amt führt die Autobahn durch den **Rüteli**-Tunnel. Rüthelin – so nannten die alten Eidgenossen das Rütli, das ja direkt unter der Gemeinde Seelisberg am See liegt. Vielleicht auch noch das Rütli besuchen? dachte ich bei mir. –

Freifrau Sibylle von Wrangel, geb. Gräfin von Beroldingen, Stuttgart.

Christian blättert im Fotoalbum von 1930, das Sibylles Mutter anlässlich des 400-Jahr-Jubliäums von Beroldingen angelegt hat.

In Seelisberg angekommen, zeigte mir ein Ortsplan den Weg: bergan durch den Tannwald, einen dunklen Tann voller Felsbrocken und bemooster Steine. Nach einer guten halben Stunde tauchte hinter einer Kuhwiese ein Dach auf, das ich von Fotos her kannte: das Schlösschen Beroldingen! Langsam näherte ich mich: in der Wiese vor dem Gebäude steckte eine kleine Tafel. SPASSVOGEL stand darauf. Je näher ich dem Haus kam, umso mehr staunte ich: Engel, Feen und Zwerge rund um das Haus, in den Fenstern, in den Gärten, vor der Kapelle. Man sieht, dass eine Künstlerin darin wohnt. In der Kapelle von 1546 Katzenskulpturen neben der Mutter Gottes, ein Riesenengel neben dem hl. Sebastian. Wunderlich, aber mir gefiel es. Ich begab mich zurück auf die Wiese vor dem Schlösschen, von der aus man einen wunderbaren Blick auf den Urnersee und die Reussebene hat und näherte mich dem grossen Tisch, bedeckt mit einer Spitzendecke, umrahmt von einem guten Dutzend weisser Gartenstühle. Diese waren mit einem kleinen Zettel beklebt, auf dem stand:

Ihr Logenplatz über dem Urnersee, offeriert von Rosmarie Glenz.
www.kunstobjekte.ch

Ich musste lachen, und dankbar für die Sitzgelegenheit nahm ich Platz, um bei Panoramablick meinen Znüni zu verspeisen: ein Käsebrot und ein schöner reifer Apfel mit einem Wurmloch. Der Apfel war schon fast gegessen, als sich aus dem Loch etwas kleines Dunkles auf den Boden fallen liess: Ein Ohrwurm. Nun ist er also umgezogen, von St. Gallen nach Seelisberg. Der Panoramablick war ihm sicher egal. Aber ob den Kühen bewusst ist, an welch schönem Ort sie wohnen? Als ich sie fragte, schauten sie mich mit ihren guten Kuhaugen wissend an.

Zurück im Ort, stand ich vor einem gelben Wegweiser: Rütli 55 Min. – Im Kopf überschlug ich, wie lange ich wohl brauchen würde, um nachher wieder hochzusteigen…

Rütli

Seit der Schulreise in der 6. Klasse war ich nicht mehr auf diesem geschichtsträchtigen Platz gewesen. Also gab ich mir einen Ruck. Nach etwa einer Stunde steilen Abstiegs kam ich beim Rütlihaus an. Eine Tafel wies zum Schwurplatz unterhalb, ein halbkreisförmiger Platz, umstanden von zerfurchten Felsen, aus denen drei Quellen sprudelten, das Ganze eingerahmt von dunklen Eibenbäumen. Drei Quellen, drei Eid-Genossen, die drei Waldstätte. Ein beeindruckender, sinnreicher Ort: mythisch, mystisch. Ich dachte bei mir: müsste man einen solchen Ort erbauen, so kriegte man ihn nicht besser hin (Anmerkung: tatsächlich wurde er im Jahre 1865 künstlich erbaut! »*Hiezu wurde in Ingenbohl eine Felswand von Schrattenkalkstein abgesprengt und für das Ergiessen von drei voneinander unabhängig entspringenden Quellen hergerichtet.*« Gasser, KDS, 1986, S. 422). Im Übrigen war ich mir sicher, ihn damals – das muss 1960 gewesen sein – nicht gesehen zu haben. Hatte uns Lehrer Eigenmann zum Schwurplatz gar nicht hingeführt?

Die Rütliwiese.

Der Schwurplatz auf dem Rütli – eindrücklich gestaltet mit seinen 3 Quellen.

Nach einer kurzen Runde über die Rütliwiese zog es mich ins Restaurant, wo ich mich ins alte Stübli mit den Butzenscheiben setzte und mir einen Kaffee Träsch genehmigte. An der Wand alte Stiche und ein Bild von General Guisan: Erinnerung an den Rütlirapport am 25. Juli 1940 – ein klug gewählter Ort. Das Rütli mit seiner mythischen, einigenden Kraft.

Die früheste Erwähnung des Rütli als Ort der geheimen Zusammenkünfte der verbündeten Eidgenossen ist das Weisse Buch von Sarnen, um 1470. Da dieses auf einer Vorlage etwa aus dem Jahr 1420 beruht, darf man ruhig sagen, dass die schweizerische Befreiungssage rund 120 Jahre nach den damaligen Ereignissen erstmals aufgeschrieben worden ist. Und Helmi Gasser schreibt: *»Das Rütli war schon um 1300 landwirtschaftlich bebautes Gut. ... Es hatte zudem eine kleine Hafenanlage.«* (Gasser, KDS, 1986, S. 417)

Der Schwur der 3 Eidgenossen. Durch eine eigenartige Spiegelung auf dem Glas entsteht der Eindruck, als ob der Schwur gen Himmel strahle. (Stich in der Stube des Rütli-Hauses)

Der schwärmerische Bayernkönig Ludwig II. (links) bei einem seiner Besuche in Uri. (Foto: Historisches Museum Altdorf)

Dass das Rütli heute noch einigermassen ursprünglich aussieht, ist nicht selbstverständlich. Es gab immer wieder Bestrebungen, es zu verändern, zu bebauen, zu schmücken...mit anderen Worten: zu verschandeln. Erstmals während der französischen Revolutionszeit. So wollte z.B. der damals berühmte französische Philosoph Abbé Guillaume Thomas Raynal um 1781 aus der eigenen Tasche einen 8 Meter hohen Obelisken auf dem Rütli finanzieren, was die urnerische Regierung zum Glück verhinderte. Kurz darauf, 1789, stellte Landschreiber Franz Vinzenz Schmid – unser Vorfahr, der Chronist – ebenfalls einen Antrag für ein ansehnliches Denkmal auf dem Rütli, worauf der Landammann und Rat von Uri den Beschluss fasste, ein solches »in diesem himmlischen Flur der heiligsten Eide« zu errichten. Zum Glück kam es nicht so weit: die unruhigen Zeiten der französischen Besetzung verhinderten dieses Vorhaben, obwohl diese Bemühungen um eine nationale Gedenkstätte durchaus zu schätzen sind.

Auch der schwärmerisch veranlagte Bayernkönig Ludwig II. (1845-1886) hegte die Absicht, auf dem Rütli ein weiteres seiner Märchenschlösser hinzuklotzen. Der König, ein glühender Bewunderer Wilhelm Tells, wollte dessen Heimat selber erkunden und unternahm zweimal Reisen an den Vierwaldstättersee und nach Uri. »*Von bestimmten Stellen am Ufer liess der Monarch Alphornbläser ihre sehnsüchtigen Melodien spielen, um seine Gefühle aufs höchste zu steigern. - Zu seinen meistgeliebten und meistbesuchten Orten gehörte das Rütli, das er mit Vorliebe zu nächtlicher Stunde aufsuchte.*« Der damalige Rütlipächter Michael Aschwanden (1843-1897) war einer der wenigen Leute in Uri, zu denen der versponnene und menschenscheue Ludwig »*einen engen, freundschaftlichen Kontakt hatte. Er verbrachte mit dem einfachen Urner manche nächtliche Stunde beim Licht der Petroleumlampe in traulichem Gespräch im Rütlihaus.*« (obige Zitate: Ausstellung Historisches Museum Altdorf) - Und so muss dem König die Idee gekommen sein, das Rütli, »*diesen Begründungsort des Glückes der biederen, mir so theuren Schweizer*« mit einem Schloss zu »zieren«. Dieser Bau wurde - wie auch weitere Hotel- und Seilbahnbauten, zu denen Anträge gestellt wurden - zum Glück nie realisiert.

Nach diesen gedanklichen Abstechern aber zurück in die Realität: ich stand noch immer vor dem Rütlihaus, und ein Blick auf den Wegweiser verriet mir, dass das Rütli auf 435 m ü.M. liegt. Nach Seelisberg hinauf standen mir also 400 Meter Aufstieg bevor. – Ich schaffte es, im Schweisse meines Angesichts... Oben angekommen, noch einen letzten Kaffee im Hotel Tell, dann setzte ich mich ins Auto und fuhr heimwärts. Und was ertönte da aus dem Autoradio? Sie spielten die Ouvertüre von Rossini's »Wilhelm Tell«.

9.3 Die Tellfrage: hat Wilhelm Tell gelebt?

Ich bin sozusagen mit Wilhelm Tell im Blut aufgewachsen. Damit meine ich natürlich nicht, dass in meinen Adern Tells Blut fliesst, sondern dass die Existenz Wilhelm Tells in unserer Familie väterlicherseits eine Tatsache war. Tell hat gelebt, deshalb wurde auch nie darüber diskutiert, ob er denn vielleicht nur ein Mythos, eine Sagengestalt gewesen sei.

Tell und der Uristier – das waren für mich Knaben Fixpunkte der Urschweiz, dem Kanton, aus dem ich herkam. Der Uristier, der Stier auf gelbem Grund noch mehr als Tell, denn das Bild von Tell hat sich immer wieder verwandelt im Laufe der Zeit. Doch der schwarze Stier blickt unverbrüchlich wild aus dem gelben Wappen. Wenn ich als Achtjähriger nach Altdorf in die Ferien fuhr, grüsste er allenthalben: Vom Felsen der Axensteinstrasse, von Hotels, Restaurants, Privathäusern, Fahnenstangen, Souvenirläden, Pralinéschachteln usw. Dieser Stier war präsent, Vertrauen erweckend und gab mir ein Gefühl von Heimat, ohne dass ich dieses Wort damals gekannt hätte. Aber eine vage Vorstellung davon hatte ich: denn mir war bewusst, dass ich von Glarus (wo wir damals wohnten) zurück nach Uri fuhr, wo meines Vaters Familie und ich selber herkam. In Uri hatte ich gewohnt, in der Heimat meiner Mutter, im Sudetenland, jedoch nie.

Tante Madlen fuhr mit uns Kindern zur Tellsplatte, zur Tellskapelle, und täglich kamen wir am Telldenkmal vorbei, wenn wir einkaufen gingen. Dieser Mann, dieser Held, war allgegenwärtig. Und sein Name war:

»dr Täll«

In Uri hörte ich von ihm sprechen als vom »Täll«, und nicht vom »Wilhelm Tell«. Und »dr Täll« hatte für mich einen Klang wie »dr Toll«. Und das war definitiv etwas Tolles, Positives. Der ältere Sinn von toll = tollwitzig, verrückt war mir als Kind nicht bekannt. Erst als ich begann, mich mit Sprachen zu beschäftigen, erschloss sich mir dieses Wort. Alt- und Mittelhochdeutsch »tol« bedeutete »töricht, einfältig, anmassend«. In Sergius Golowins »Lustige Eid-Genossen« stiess ich erstmals auf den Satz aus dem ältesten Urner Tell-Spiel von 1512:

»Wer' ich vernünftig, witzig und schnell, so wer' ich nit genannt der Tell.«

Golowin zitiert dazu einen Autor Spreng: »Täll, oder Telle, ... heisst nach dem Buchstaben »ein Einfältiger«. Golowin folgert: »Ein solches Wort war seit jeher die gegebene Bezeichnung für einen »Wilden Mann«, einen Aussenseiter, »Hinterwäldler« aus der unbezwungenen Wildnis – einen »kindischen« Narren für oberflächliche Betrachter, einen Träger göttlicher Weisheit für den urzeitlichen Volksglauben.« (Golowin, S. 77)

Heute würde ich sagen, dass Wilhelm Tell und der Uristier für mich Identifikationsfiguren waren, in meiner damals etwas unsicheren Welt. Nur Donald Duck stand noch über den beiden. Denn Donald war lebendig und lebte im Jetzt – während der Stier und Tell aus uralten Zeiten stammten.

Wo und wann wurde Wilhelm Tell erstmals erwähnt?

Im »Weissen Buch von Sarnen« findet sich die früheste Erwähnung Tells und der eidgenössischen Befreiungsgeschichte. Geschrieben wurde es um **1470** vom Obwaldner Landschreiber Hans Schriber. Das Buch ist in helles Schweinsleder gebunden, daher wahrscheinlich der Name »Weisses Buch«. Hier erfahren wir erstmals von bösen Vögten, die die Innerschweizer Untertanen drangsalieren, vom Vogt Gijssler und von Thall (Tell) und die Geschichte mit dem Hut auf der Stange. Dann auch von geheimen Zusammenkünften von Urnern, Schwyzern und Unterwaldnern auf dem Rütli, die gegen fremde Vögte und fremdes Recht aufstehen und sich zu wehren beginnen.

Es gilt als sicher, dass das Weisse Buch auf eine ältere Vorlage zurückgeht, die um oder nach **1420** entstanden ist (Gasser, KDS, 1986, S. 26). Gewisse Passagen reichen teilweise sogar bis anfangs **14. Jahrhundert** zurück. So beschreibt Schriber z.B. «*die Vertreibung des Vogts von Landenberg, die wohl Folge einer lokalen Fehde um 1307 war.*» (HLS, 2012, S. 204)

Dem Tell hat's auf den Kopf geschneit: die heutigen Historiker wollen ihn partout ins Reich des Mythos verbannen. (Telldenkmal in Altdorf)

Nun befinden wir uns also im 14. Jahrhundert. Das Todesjahr von Tell ist ungewiss. Einige Chronisten überliefern das Jahr 1343. Tell soll im Schächenbach ertrunken sein, als er ein Knäbchen aus den wilden Fluten rettete. Bei Landschreiber Franz V. Schmid lesen wir, dass 1343 ein Jahr des Schreckens und der jämmerlichsten Verwüstung war, da »*ein ungeheurer Guss ausgetretener Waldströme Bürglen, Altdorf und Schattdorf zum Theil*« verschüttete. Schmid bezieht sich da auf Leuens Lexikon. (Schmid, 1788, S. 174). Dies scheint mir eher zweifelhaft, da Tell dann etwa 80 Jahre alt gewesen wäre. Ein solch hohes Alter erreichten die Menschen damals nur in Ausnahmefällen.

Die Tellengeschichte spielt um 1300 (die einen überliefern 1291, andere 1307). Das weisse Buch ist 1470 geschrieben worden, also etwa 170 Jahre nach den Ereignissen.

Nehmen wir aber die ältere Vorlage, auf der das Weisse Buch beruht, so ergibt das:

1420 minus 1300 = **120 Jahre**.

Die Befreiungssage wäre also etwa 120 Jahre nach Tells Tod aufgeschrieben worden! Wer soll in dieser Zeitspanne einen Mann namens Tell erfunden haben? Das Volk hat ein langes Gedächtnis. Es erfindet doch nicht aus dem Nichts eine Figur voller Kraft und Leben, wenn da vorher nichts und niemand war! Wahrscheinlicher, ja logischer ist, dass Tell gelebt hat, und dass seine Taten von der Bevölkerung immer wieder erzählt wurden, bis jemand diese mündliche Überlieferung erstmals notierte – eben um 1420.

Das geschichtliche Selbstverständnis der Eidgenossen begann sich damals, im 15. Jahrhundert, erst allmählich zu bilden. Selbstbewusst geworden durch die vielen Siege, begannen sie nun ihre Geschichten, Sagen und Mythen zu sammeln und aufzuschreiben.

Dieses alte Haus in Unterschächen könnte in Tells Zeiten zurück reichen.

Ein wichtiges Zeugnis zum Thema Tell finden wir in:

Franz V. Schmid's Allg. Geschichte des Freystaats Ury. *(Band 1)*
Im 17. Kapitel (S. 131ff.) erzählt er die allgemein bekannte Geschichte von Tell mit Apfelschuss und Tellensprung bis zu Gesslers Tod, und im 26. Kapitel (S. 198ff.), dem letzten von Band 1, erfahren wir Wichtiges über Tell:

- a) den Landsgemeindebeschluss (»*Landsgemeind-Erkanntnis*«) von **1387**, bei dem von den Bürgern von Altdorf beschlossen wurde, ab sofort jedes Jahr im Monat Mai an einer Gedenkfahrt Wilhelm Tells zu gedenken – kaum hundert Jahre nach den Ereignissen!! (den vollständigen Urtext von 1387 finden Sie in Kap. 9.4)
- b) in einem Namensverzeichnis mit dem Titel »***Andere Personen von Würde und Ansehen***« (S. 203) findet sich unter der Rubrik »*Ritter, Kriegsleute und andere*« u.a. »*Cuno **Tell**, des Erzhelden Wilhelms Enkel*« (sowie auf S. 208 »*Jost Schmid von Ury war in hohem Ansehen 1390*«).

Im Hauptkapitel 17 über Tell haben mich v.a. die Quellenangaben interessiert, die Schmid angibt. Diese haben mich auf weitere, unerwartete Spuren zum Thema unseres Nationalhelden geführt!

Auf Seite 136 unten merkt Franz Vinzenz Schmid an:
Von Tellen und seiner Geschichte thun Meldung:
- *Die Jahrzeiten zu Altdorf und Bürglen.*
- *Klingenbergs Chronic. miscell.*
- *Pünteners Chron.*
- *Eglof Etterlin.*
- *Melchior Russ.*
- *Werner Schodelers Chron. miscell.*
- *Petermann Etterlin Chron. pag. 15.*
- *Stumpfs Chron. Helv. lib. IV, cap. 53.*
- *Simler, von dem Regt. Löbl. Eidsg. pag. 55*
- *Tschudi Chron. Helv. ad annum 1307.*
- *u.a.*

(Viele dieser alten Bücher sind übrigens im Tellmuseum in Bürglen unter Glas ausgestellt)

Die Klingenberger Chronik hat mich hier vor allen anderen interessiert, da ihr (mutmasslicher) Verfasser *Johann von Klingenberg, Ritter zu Stein*, Mitte des 14. Jahrhunderts gelebt hat, also ein gutes halbes Jahrhundert bevor die Vorlage des Weissen Buches von Sarnen, um 1420, geschrieben wurde! Johann von Klingenberg stammte aus einem Thurgauer Adelsgeschlecht und ist in der Schlacht von Näfels am 9. April 1388 gefallen. Sein Neffe führte das Werk fort und beschrieb in seiner Chronik diese Schlacht.

Lebendiges Jahrzeit: jedes Jahr wird auf der Näfelser Fahrt der Schlacht von Näfels vom 9. April 1388 gedacht. 500 Glarner, unterstützt durch einige Schwyzer und Urner, schlugen damals 6000 Habsburger in die Flucht. Auf dem Fahrtsplatz wird der Fahrtsbrief vorgelesen und die Namen sämtlicher Eidgenossen aufgezählt, die vor nunmehr 627 Jahren gefallen sind. Dieses Jahr fiel die „Fahrt" auf den Tag genau auf das Schlachtdatum: 9. April 2015; ich nahm zum ersten Mal daran teil: als selbsternannter Vertreter der Urner.

Die beiden (und/oder noch weitere Mitglieder der Klingenbergs) notierten aber auch andere Begebenheiten aus der alten Schweizer Geschichte: den Bund der Eidgenossen und die Geschichte um Tell. Dieser wird dort *Tall* genannt – genauso, wie ihn später das Weisse Buch nennen wird: Thall.

Nun hätten wir mit diesen Herren von Klingenberg Chronisten, die Ereignisse beschrieben, welche etwa um 1300 stattgefunden haben. Haben sie demnach Geschichten gehört von Leuten, deren Väter und Grossväter noch dabei gewesen waren?

Ich machte mich auf die Suche nach dieser Chronik und wurde fündig in books.google.ch:

Die Klingenberger Chronik,
wie sie Schodoler, Tschudi, Guilliman und Andere benützten,
nach der von Tschudi besessenen und vier anderen Handschriften
zum erstenmal ganz,
und mit Parallelen aus gleichzeitigen ungedruckten Chroniken.
herausgegeben von Dr. Anton Henne von Sargans.
Gotha 1861.

Aus der Einführung:

Tschudi, Stumpf und Guilliman benützten eine Chronik, geschrieben durch mehrere Mitglieder der Thurgauer Ritterfamilie von Klingenberg, unter anderen:
Johann I. 1240
Ulrich 1242, gest. vor 1274 (dessen Sohn Heinrich war Chorherr in Zürich und ein Freund des Sängers Hadeloub, des Verfassers der Manesse-Handschrift)
Johann, gefallen in der Schlacht von Näfels 1388
Johann, 1420, gest. 1461 (evtl. ein Neffe des vorher stehenden)

Am 13. April 1860 gelangten eigenhändige Notizen von Ägidius Tschudi, betitelt »Clingenbergs«, in die Hände von Herausgeber Anton Henne; sie dürften um 1530 entstanden sein. Der Sarganser Historiker hatte also Tschudi's eigenes Exemplar der Klingenberger Chronik vor sich! Henne schreibt:

»Hier fand sich dann auch wirklich der von Stumpf und Guilliman erwähnte... älteste Eidgenossenbund, ausdrücklich mit dem Jahre 1306, der Thurgauer Adel, die Näfelser Schlacht...« etc.

Weiteres aus dem Inhalt:

...»Wer sind nun die Verbündeten? Unsere Chronik nennt sie nicht, ... Hingegen nennt die ächtalte Volkssage von jeher alle drei Verschwörer »die Tellen«, und zwar: Wilhelm Tell von Uri (in den ältesten Kapellengemälden kenntlich an der Armbrust), Konrad ab Altsellen aus Unterwalden, den Tödter des Vog-

tes im Bade (kenntlich an der Axt, nach Anderen Arnold von Melchthale), und Stauffacher von Schwiz; ...so z.B. die Kapelle ob Freienbach, so die bekannte Gedenkmünze mit der Jahrzahl 1296, ... während das weisse Buch sagt »Stoupacher, Fürst von Uri, und der Melchthaler«.

Mit Tells Namen hat man unnöthig gedeutet und sogar den Taufnamen Wilhelm damals ungebräuchlich finden wollen, während er auf Schweizerboden sehr bekannt, in der burgundischen Schweiz und dem nahen Wallis sehr beliebt war, und im Schwizer'schen sogar Geschlechtsname zahlreicher Familien wurde. –

Das Jahr 1306 steht nicht isolirt bei Klingenberg; auch die Inschrift an der Kapelle bei Steinen ... sagt »1306 ists gewesen«; das Handbüchlein von 1546: »Geschach im 1306 jar«, und Vadians Chronik der Äbte St. Gallens bis 1531 sogar »im 1306. jar im rebmonat«.
...
Den Vogt selbst, mögen Spätere ihn nun Grissler ... oder Gessler nennen ... kann eben so wenig irgend Jemand bei uns erfunden haben als die Schussgeschichte, die das weisse Buch kaum 160 Jahre später schon ausführlich erzählt, und schon damals ein Volkslied (sagt Russ 1482) behandelte; ... so kann kaum ein Sinniger annehmen, dass es bei uns welche gegeben, eine solche zu erfinden, noch weniger ... sie zu glauben. Das Volk denkt lang.

Der Landsgemeindebeschluss von 1387 in Schmids Urnergeschichte, welcher den Tell nennt, mag irrig den Sonntag als 7. Mai datiren, statt 5., aber er ist nicht ärger verneuteutscht als tausend Urkundenkopien, und die Festprozession wurde ihm gemäss immer gehalten. (vom Autor hervorgehoben)

... die Erzählung im weissen Buche, worinn der Tell sich bei Gessler mit den Worten entschuldigt: »wäre ich witzig vnd ich hiessi anders vnd nit der Tall.« (Henne, 1861, S. 43-45)

Nachsatz:
Aegidius Tschudi schrieb die »Clingenbergs histori« in seinem »Chronicon Helveticum« (1534-1536) mehreren Mitgliedern des Thurgauer Rittergeschlechts der von Klingenberg aus dem 13.-15. Jahrhundert zu (»Herr Jo-

hannes von Klingenberg Ritter, der Alte..., der 1240 und darnach gelebt hat, wie das bezügt sin Urenkel...«. Zu den Namen der Klingenberg-Autoren siehe auch weiter oben).

Einige Historiker vermuten, der Rapperswiler Stadtschreiber Eberhard Wüst (um 1440) sei der Verfasser der Klingenberger Chronik gewesen. Schon Aegidius Tschudi schrieb ihm den 2. Teil zu. Mit diesen Mutmassungen wollte ich mich jedoch nicht näher befassen.
Als wichtigster Punkt erscheint mir hier, dass mit der Klingenberger Chronik auf sehr alte Berichte im Zusammenhang mit der Tell- und Befreiungssage zurück gegriffen wurde.

Aegidius Tschudi (1505-1572) hätte in seine Schweizer Chronik »*nie die Episode vom Schreckensregiment habsburgischer Vögte und der blutigen Gegenwehr der Eidgenossen eingeflochten, wenn sie nicht wirklich geschehen wären*«, schreibt Franz Wyrsch, indem er sich auf Karl Meyer »Die Urschweizer Befreiungstradition« beruft, »*denn Tschudi erhielt vom habsburgischen Kaiser den Adelstitel und stand zur Zeit der Reformation und Gegenreformation in gemeinsamer Religionspolitik mit Österreich.*« (Wyrsch, S. 21) Auch dies ein Argument für die überlieferte Schweizer Befreiungssage.

Wilhelm-Tell-Skizze von Aegidius Tschudi (um 1535). Diesen Tell hat der Glarner Historiker an den Rand einer Manuskriptseite von seinem zwischen 1534-1536 entstandenen „Chronicon Helveticum" gezeichnet. Dieser witzige Tell sieht aus wie eine frühe Comic-Figur und steht ganz im Gegensatz zu seiner sachlichen Chronik. (aus l'Hebdo 31.7.2014; AKG-Images, Zentralbibliothek Zürich).

Verlassen wir nun diese Chroniken und fragen uns: Gibt es noch weitere Quellen oder Hinweise auf einen Mann namens Tell?

Die Antwort lautet: **Ja.**

Es gibt weitere Hinweise und Argumente, dass Wilhelm Tell keine Sagengestalt ist, sondern wirklich gelebt hat. Frau Dr. Helmi Gasser schreibt, **1388** soll eine erste **Tells-Kapelle** erbaut worden sein. Sie zitiert das Zeugnis eines Hans Zum Brunnen: *»die erz-capel bey des Wilhelm tell Sprang am Ure-See«* soll *»zu ewigem Dankh und Gedechtnus«* zu bauen, von der Landsgemeinde 1387 befohlen worden sein. Damals seien noch über 114 Mann dabei gewesen, die den Tell noch gekannt hätten. Dies bezeugt Hans Zum Brunnen *»in einer alten Schrift in dem Jahr 1460 gefunden«* zu haben.« Obwohl das Original inzwischen verschollen ist, existiert eine beglaubigte Abschrift desselben in der Burger-Bibliothek in Bern.

Zum frühen Datum dieser Tellskapelle schreibt Helmi Gasser: *»Dass man nach der Schlacht von Sempach und der Erbauung der dortigen Schlachtkapelle (1387) in der Urschweiz auch dankbar der Taten und Anfänge der Eidgenossenschaft gedachte, dürfte immerhin ein Argument zugunsten dieses Datums darstellen.«* (Gasser, KDS, 1986, S. 26)

Die Tellfrage: Der Urner Regierungsrat Dr. Anton Gisler schrieb 1895 ein Buch *»Die Tellfrage – Versuch ihrer Geschichte und Lösung«*. Ich möchte daraus nur einen einzigen, aber entscheidenden Gedanken zitieren: *»**Die Prozessionen Bürglen-Steinen und zur Kapelle am See sind ohne Tell ein Rätsel.**«* (Nbl. Uri 1932, S. 39). Dieser Gedanke scheint mir ein gewichtiges Argument für die Existenz Wilhelm Tells zu sein.

Eine bedeutende Quelle zum Thema stellen auch die **Jahrzeitbücher** dar, in denen die Namen von Verstorbenen eingetragen wurden, derer man jährlich an einem bestimmten Datum gedachte. Helmi Gasser zitiert das JzB von Morschach, das die Abschrift einer Urner Befreiungsüberlieferung enthält:
Gedenktag ist am 30. Oktober 1307. Man gedachte des Sprungs von Wilhelm Tell, der auf dem Gemeindegebiet von Sisikon stattgefunden hatte. Tell rettete sich mit einem Sprung aus dem Boot auf die Tellsplatte, wie sie von da an genannt wurde – eines der herausragenden Begebnisse der Eidgenossenschaft. 1307 ist übrigens auch die Jahreszahl, die auf dem Telldenkmal in Altdorf steht. Gemäss Urner Überlieferung fand der Bundesschwur auf dem Rütli am 7. November 1307 statt. Deshalb hat sich dieses Datum in der Urschweiz bis ins 20. Jahrhundert gehalten. Der 1. August - als Datum des Bundesbriefs - hat sich erst seit etwa 1920 durchgesetzt.

Dies etwa war der Stand meines Wissens über Wilhelm Tell, als ich auf das Buch von Arnold Claudio Schärer stiess »**Und es gab Tell doch**«. Und nun wurde es wirklich interessant! Denn meines Erachtens weist Schärer mit seinen Forschungen nach, dass es Wilhelm Tell wirklich gegeben hat – auch wenn viele heutige Historiker (wie Georg Kreis oder Roger Sablonier) dies vehement bestreiten.

Arnold Claudio Schärer, und es gab Tell doch

Schärer erforschte die Geschichte seiner Familie. In Dokumenten aus der Zeit um 1300 stiess er dabei auf Hinweise, Indizien und Belege zur Tellgeschichte. Beim Studium erwarb er sich grundlegende Kenntnisse des Alt- und Mittelhochdeutschen. Er verstand, wie die Leute damals redeten und begann nun das Mittelalter mit den Augen eines Menschen jener Zeit zu sehen. Eine weitere Voraussetzung war das Studium der Wirtschafts- und Rechtsgeschichte sowie der politischen Situation in der frühen Eidgenossenschaft. Als Schärer dann auf das Geheimnis der verschiedenen Namen stiess, die eine einzige Person haben kann, hatte er den Schlüssel zum Rätsel um Wilhelm Tell gefunden!

Wilhelm Tell war kein einfacher Urner Bauer, sondern er stammte von einem alten Geschlecht von Schwertemachern und Waffenschmieden ab und gehörte gehörte damit der führenden Schicht an. Der Grund, warum man ihn unter dem Namen Tell praktisch nicht findet in den Archiven, ist folgender: Als Hersteller von Armbrusten wurde er *Gorkeit* oder *Gorgheit* genannt; diese Wörter sind Abwandlungen des lateinischen *gorytus*, was Köcher bedeutet. In älterer Zeit muss Köcher, bzw. *Gorytus* die Bezeichnung für die Höhlung in der Armbrust gewesen sein, in die Pfeile eingelegt wurden. So war *Gorkeit* die verballhornte Bezeichnung für jemanden, der Armbruste herstellte.

Tell war Urner, obwohl er aus Zürich kam. Sein Grossvater *Hugo Gorkeit* war schon Armbrustmacher. Von ihm hat Tell wahrscheinlich das Handwerk gelernt. Die Gorkeits waren eine ritterliche Familie, obwohl Tell selber nicht Ritter war. Er besass ein Gut in Schattdorf, wo er auch als Bauer lebte. Die Nachkommen Tells, die seinen Beruf ausübten, wurden bis zum

Enkel Tells mit *Gorkeit* benannt, der Urenkel jedoch mit der deutschen Form »Armbruster«. (Er zinste 1376 in der Wacht Neumarkt in Zürich)

Die Waldstätte distanzierten sich von Tells Attentat in der Hohlen Gasse. Sie wollten den Habsburgern keinen Anlass zu kriegerischen Interventionen geben. Tell konnte also nicht mehr nach Uri zurück, er wurde aus den Waldstätten verbannt. Aus den Quellen ist ersichtlich, dass Wilhelm Tell am 16. Januar 1297 starb. Schärer schreibt, er sei ermordet worden, obwohl für den Tyrannenmord Sühne geleistet worden sei. Oberhalb der »hohlen Gasse« steht der Sühnestein. Tells Sohn Konrad, der »Apfelbub«, heiratete eine Enkelin von Vogt Gessler. Es herrschte jedoch Blutrache, und bei schweren Vergehen war Selbstjustiz erlaubt. - Tell kann also nicht im hohen Alter im Schächenbach in Bürglen ertrunken sein.

Zu Obigem noch ein paar bemerkenswerte Details, die sich in Wappen und Siegeln nachweisen lassen: **Die Lilie** war das uralte Wappensymbol des Geschlechts der *Albus* (von ihnen zeugt noch der Albis bei Zürich!), aus der die Tellfamilie stammte, und zeigt eine symmetrische aufrechte Lilie. Ihr Wappen ist mit anderen auf den Deckenbalken des Hauses »zum Loch« beim Grossmünster gemalt. Nun hat Schärer im Staatsarchiv Aarau auf einer Urkunde von 1328 ein Siegel des Tellsohnes Ulrich gefunden, das eine **gebogene Lilie** zeigt. Die Umschrift lautet: *Ulrich genannt Gorghait, Bürger von Zürich.* – Die Lilie ist ein uraltes Friedenssymbol. Die Albus und ihre Seitenlinien hatten es zu ihrem Sinnbild erkoren. Wilhem Tell und seine Söhne wussten, wie sehr der Friede in der Hohlen Gasse gelitten hat. Sie wussten aber auch um Gesslers Anmassung. Tell war wohl der Meinung, den Frieden nicht gebrochen, sondern nur »gebogen« zu haben. Die gebogene Lilie in Ulrich Gorkeits Siegel war also ein Symbol des Friedens, der bis zum Brechen gespannt war.

Das Denken und Fühlen von Tell muss von Schuld belastet gewesen sein – umso mehr, da sich seine Söhne mit den Gesslers verbunden hatten. **Den späten Wilhelm Tell** müssen wir deshalb in einer veränderten Umwelt sehen – in einer Welt ohne Hass und Konfrontation.

Der Name Tell stammt von **Tellikon**. Heute heisst die Gemeinde *Dällikon*, sie wurde 1150 erstmals erwähnt. 1292 ist das früheste gesicherte Indiz, dass Tell eine Kurzform von Tellikon ist: *Konrad von Tellinkon* wird erwähnt, der identisch ist mit *Konrad Urner*, einem Onkel von Wilhelm Tell.

Links: das Wappen der Tell-Vorfahren, dem Zürcher Geschlecht der Albus mit der aufrechten Lilie. Rechts: das Wappen des Tell-Sohnes Ulrich Gorkeit mit der gebogenen Lilie – da sein Vater mit dem Tyrannenmord das Recht „gebogen" hatte. (Schärer, Und es gab Tell doch)

Dem Privatforscher Arnold Claudio Schärer kommt die Ehre zu, Wilhelm Tell wieder ans Licht geholt zu haben. Nachdem die heutige Geschichtsforschung ihn völlig ins Reich der Mythen verwiesen hat, ist es Schärer gelungen, Tell Konturen zu geben und ihn als den lebendigen Menschen darzustellen, der er gewesen war: mutig, hitzig, mit seinen Schattenseiten. Dank hat Schärer von keiner Seite erhalten, weder von Historikern noch von der Presse. Aber seine Forschungen haben sich dennoch etabliert: Gibt man den Begriff *Gorkeit* ein im Internet, so stösst man auf zahlreiche Veröffentlichungen zum Tell-Thema. Das Volk lässt sich nicht täuschen!

Tell in der Literatur

Über unseren Nationalhelden gibt es unzählige Werke und Theaterstücke, und Vollständigkeit ist nicht die Aufgabe dieses Buches. Ich picke deshalb einige persönliche Rosinen heraus, die mir aus dem einen oder anderen Grund aufgefallen sind.

Das älteste *Urner Tellenspiel* ist wahrscheinlich 1511 oder 1512 entstanden:

Das Urner Spiel von Wilhelm Tell. Anonym. 16. Jahrhundert.
(in: Schweizerische Schauspiele des sechszehnten Jahrhunderts)
bearbeitet von Hans Bodmer; Zürich 1893.

Das Entstehungsjahr kennt man darum so genau, weil der Herold im Spiel den Winterfeldzug der Eidgenossen im November 1511 erwähnt, aber nicht die erfolglose Unternehmung der Eroberung von Mailand von 1512. Hans Bodmer schreibt in der Einleitung (S. 5):

> *»Unwillkürlich drängt sich auch die Vermutung auf, dass das Urner Tellenspiel in seinem innersten Kerne die Reste von älteren improvisirten Volksaufführungen, welche in den Waldstätten früh gepflegt wurden und gerade in dem vorliegenden Drama ihren endgiltigen Ausdruck fanden, bewahre und mehr auf der lebendigen, von Geschlecht zu Geschlecht sich vererbenden Überlieferung als auf schriftlichen Quellen beruhen.«*

Dieses alte Tellenspiel steht also in einer Tradition, die in den Waldstätten schon sehr früh gepflegt wurde! Das Volk erinnerte sich der Taten Tells, gab diese mündlich weiter und spielte diese spontan auf Märkten und Volksfesten, wie das im Mittelalter üblich war.

Das wohl berühmteste Tell-Schauspiel ist das Drama **»Wilhelm Tell«** von **Friedrich Schiller**, welches 1804 uraufgeführt wurde.

Weniger bekannt ist, dass es **Johann Wolfgang von Goethe** war, der Schiller dieses Thema angeboten hatte. Goethe hat die Schweiz zwischen 1775 und 1795 dreimal bereist und in der Urschweiz all die historischen Stätten besucht, die mit Tell und der Befreiungssage in Zusammenhang stehen. Auch erstand er sich Tschudis Schweizer Chronik. Er trug sich mit dem Gedanken, die *»Tellische Geschichte«* dichterisch zu verarbeiten, liess es aus Zeitgründen jedoch bleiben. Der Dichterfürst übergab Schiller alles, was er über das Thema wusste und womit er sich beschäftigt hatte. Goethe notierte sich: *»Von allem diesem erzählte ich Schillern, in dessen Seele sich meine Landschaften und meine handelnden Figuren zu einem Drama bildeten. Und da ich andere Dinge zu tun hatte..., so trat ich meinen Gegenstand Schillern völlig ab, der denn darauf sein bewunderungswürdiges Gedicht schrieb.«* Der Sänger Tells, Schiller, hat selber nie einen Fuss in die Schweiz gesetzt. (Quelle: Hanspeter Muster, Seelisberg, Kapitel »Der Schillerstein«)

Das „Wahre Bild" des Wilhelm Tell.
Seite aus Franz Vinzenz Schmids
„Uraniens Gedächtniss Tempel" von
1781. Schmid kopierte das um 1570
geschaffene Gemälde eines unbekannten Schweizer Malers, welches in
mehreren Kopien existierte. (heute u.a.
im Tellmuseum in Bürglen, im Kloster
Seedorf
und im Historischen Museum Uri)

Nach dem Apfelschuss. Bronzeskulptur
von J. Simonet, Genf (um 1880);
vermutlich zum 1. Wettbewerb für ein
Telldenkmal in Altdorf. (Tellmuseum
Bürglen)

Basierend auf Schillers Drama hat **Gioachino
Rossini** seine Oper »Wilhelm Tell« komponiert, die heute vor allem wegen ihrer Ouvertüre bekannt ist.

Max Frisch, Wilhelm Tell für die Schule.
Geschrieben im August 1970, inzwischen in
der 28. Auflage (2012).

Auf nur 70 Seiten und erFrischend geschrieben, erfährt man Vergnügliches und Ketzeri-
sches über unseren Nationalhelden. Frisch
kratzt zwar sehr an seinem Mythos – nach der
Veröffentlichung 1971 gab es einen Skandal –
aber alles reisst er denn doch nicht nieder.
Da die Tellsgeschichte aus der Sicht des dick-

lichen Ritters Vogt Gessler erzählt wird, der bei dem ständigen Föhn im Sommer 1291 stets an Kopfweh leidet, wirkt Wilhelm Tell zwar sonderbar konturlos, aber die Vogttötung bei Küssnacht stellt Frisch nicht in Frage. Aufschlussreich fand ich die Anmerkungen, welche immerhin 20 Seiten umfassen. Hier erfuhr ich viel Interessantes, z.B. von **Gottfried Keller:** *»Auch den Tell geben wir nicht auf und glauben an einen handlichen, rat- und tatkräftigen Schützen, der sich zu jener Zeit zu schaffen machte und unter seinen Mitbürgern berühmt war. Den Apfelschuss freilich geben wir preis. ...«* (Frisch, S. 81). Häufig zitiert Frisch Gedanken aus **Karl Meyer, Die Urschweizer Befreiungstradition,** so z.B.: *»... so hätten wir doch kein Recht, deshalb verallgemeinernd die ganze Tellen-Erzählung, geschweige denn die ganze Bundesgeschichte als Sage oder Erfindung zu werten.«* (Frisch, S. 82)

Das Telldenkmal von Altdorf

Das 1895 erbaute Telldenkmal in Altdorf steht an dem Ort, wo früher die Gerichtslinde stand. Es könnte an keinem besseren Platz stehen: Der Legende nach fand hier der Apfelschuss statt, und Tells Knabe war an diesen Baum gebunden. - Gerichtslinden waren im Mittelalter Plätze, wo Gericht gehalten wurde. 1567 fällte man diesen Baum, um an seine Stelle einen Brunnen zu setzen. Helmi Gasser schreibt: *»Wahrscheinlich wollte man, nachdem mit der Gerichtslinde 1567 ein an den Tellschuss gemahnendes Rechtsaltertum verschwunden war, zur Erinnerung an den Helden ein Denkmal setzen.«* (Gasser, KDS, 2004, S. 94)

Merke:

Diese Linde wurde also unter unserem berühmten Vorfahren **Jost Schmid** gefällt, da dieser von 1565-1567 Landammann von Uri war. Er hat dies natürlich nicht allein entschieden, aber sicher hatte er auf diese radikale Verfügung einen entscheidenden Einfluss. Das würde passen zu diesem weitgereisten, »modern« denkenden Magistraten, dass er sich von der mittelalterlichen Rechtssprechung distanzieren und ein neues Zeichen setzen wollte.

Das Tell-Kapitel beschliessen möchte ich, indem ich den Bogen wieder zu den Schmid von Uri spanne:
Unser Ritter Jost Schmid war Mitglied der *Bruderschaft der Tellskapelle.*

Diese elitäre Vereinigung wurde **1561** gegründet und beging von diesem Zeitpunkt an in der Kapelle ein Ewiges Jahrzeit. Ihr gehörten vor allem politisch oder im Kriegswesen Tätige an, die für den alten Glauben einstanden. Auf Jost trafen alle Punkte zu. Sein Name wird im Bruderschaftsverzeichnis aufgeführt, als er Landammann von Altdorf war (1565-1567). Die erste Tellskapelle soll, wie wir weiter oben gesehen haben, schon **1388** erbaut worden sein. (Gasser, KDS, 1986, S. 28)

9.4 Franz Vinzenz Schmid, Allg. Geschichte des Freystaats Uri, 2 Bde (1788-90)

Bei meinem zweiten Besuch im Staatsarchiv in Altdorf Anfang August 2008 liess ich mir aus der Abteilung P-7 jene Dokumente zeigen, für die mir beim ersten Besuch die Zeit nicht gereicht hatte, unter anderem das Original des Buches:

Allgemeine Geschichte des Freystaats Ury, durch Franz Vinzenz Schmid,
bestellter Obrister Wachtmeister und Landschreiber zu Ury
Erster Theil,
bis zur Errichtung des Sempacher Briefs in 1393.
Zug, 1788.

Auf 255 Seiten schreibt Schmid in diesem ersten Band die Urner Kantonsgeschichte. Sein Stil ist schwärmerisch, aber voller Liebe für sein »theures Vaterland Ury«. Im Vorbericht schreibt er:

> »*Diese Geschichte hatte ich anfänglich nur zu meiner Lust und Unterricht zu beschreiben unternommen; hernach, da der Himmel mich mit Kindern gesegnet, verdoppelte sich mein Schreibeifer: denn ich dachte, durch ein sothanes Werk einstens möchte ich auch endlich geschicktere inländische Federn hierdurch reizen, den angebahnten Weg zu sothanen gemeinnützigen Arbeiten mit mehrerer Kunst und Erfolg fortzuführen: O denn hätte ich schon einen Hauptpunkt meiner Wünsche erzielet!!!*«

Sodann beginnt seine »*Vorläufige Landes- und Regimentsbeschreibung des Freystaats Ury und derer dazu gehörigen Landen*«. Da die Eingeweide der Berge reich an Mineralien, besonders an kostbaren Krystallen seien, schreibt er, dass Uri verdiente, »**das Krystallen-Land** *benamset zu werden.*« (Seite 3)

Fasziniert hat mich das Kapitel über die Herkunft der Urner. Schmid nennt die **Taurisker** als jene Urbevölkerung, die »*die Urbarmachung des heutigen Urnerlandes ertrozt*« hätten. Wer sind diese »*keine Unmöglichkeit kennenden Taurisker*«? (Seiten 97 ff.)

Von den Römern mehrfach in Schlachten besiegt, musste der keltische Stamm der Taurisker immer wieder ausweichen, so 225 v.Chr. bei Telamon, worauf sie sich in Turin (Taurini) niederliessen.
13 v.Chr. wurden sie durch Drusus unterworfen und wanderten nun in die Alpen aus: ins heutige Österreich (*Tauern*) und über den Gotthard ins heutige Uri: *Tauriszien.*

Die Ur-Helvetier. Kelten? Taurisker? Einer nagelt gerade den Kopf eines Feindes an seine Hütte, um dessen Kraft auf sich übergehen zu lassen. (aus: Gaullieur, die Schweiz, 1856)

Schmid schreibt:
»*Es bleibt mir gänzlich ein Räthsel, wann der Volksnamen Taurisker sich in den der Urner verwandelt habe. Dem sey wie ihm wolle, die Wortbedeutung des eint- und andern scheint mir die nämliche.*«

Mir scheint es naheliegend: TAURISKER = TAURISCI = TAURISKER. Der Kern des Wortes ist Uri!

»*Obgleich die Taurisker in heidnischer Blindheit steckten, so war doch ihr Geist soweit aufgeklärt, dass sie nicht Thiere, oder andere unedle Dinge für Gottheiten annahmen. Sie betheten freylich auf der Spitze des Gothards ein erschaffenes Wesen, aber auch unter allen Geschöpfen das wohlthätigste, das entzückendste, die **goldene Sonne** an.*«

Als 560 das Ostgotische Reich in Italien seine Endzeit erreicht hatte, suchten auch die Goten Schutz »*im schauervollen Gebürge*«, suchten »*Freystädte und Lust des Lebens*«. So gelangten sie »*in den Staat der **Tauriskern**, von welchen sie würdig genug geschäzt wurden, zu Brüdern und Landleuten aufgenommen zu werden; und also bekam … **Tauriszien** einen glücklichen Zuwachs neuer schätzbarer Landeinsassen.*« Von den keltischen Tauriskern und den **Goten** also stammen die Urner ab! Schmid zitiert Suanet: »*Es ist die alte Kraft und Macht, die gleiche Freyheit in ungeschwächten Gliedern. Niemand hats **Ury** im Schlachtfelde an; Niemand führt schärfere Waffen! So besingt der belorberte Suanet den Ruhm und die Sitten des Landes Ury.*«

Im letzten Kapitel beschreibt Schmid, wie sich die Bewohner von Uri knapp hundert Jahre nach der Befreiungsgeschichte des Helden Tell erinnern und an der **Landsgemeinde von 1387** beschlossen, erstens: von nun an in jedem Monat Mai eine *Kreutzfarete* (Wallfahrt) nach Bürglen zu unternehmen und zweitens: eine Tellskapelle an dem Ort zu bauen, wo Tell aus dem Schiff gesprungen (1388). Nachfolgend der etwas gekürzte Text im Originalton:

> »*Sechs und zwanzigstes Kapitel.* (S. 198ff.)
> *Der Eidsgenossen fernere Unternehmungen und Schicksale bis zu der in 1389 beliebten Waffenrast; Erbauung der Kapelle auf der Tellen-Platten; König Wenzel bestätiget der Urnern Freyheiten; Errichtung des Sempacher Briefs.*
>
> *… bis die Reichsstädte es durch ihre mittelnde Mühe so weit brachten, dass die Kriegende ire Waffen bis in 1388 versprachen ruhen zu lassen.*
> *Seit dem die verdrängte Freyheit wieder hergestellt war, zeigte sich bis auf diesen Zeitpunkt in allem das Glück den Urnern als eine erklärte unzertrennliche Freundinn. Izt erinnerte man sich des*

Himmel-Günstlings, mit dem sich dieses dauerhafte Glück angefangen: mit Verehrung dachte man an **Tellen**, den Erlöser des allgemeinen Volks im Trübsale. In öffentlichem Merkmaale sollte sie
sich der Nachwelt zeigen; aber da zeigte keine Nation stolz aus Erzt
und Marmor. Unsere fromme Alten erkannten in allem die Werke
eines schützenden gütigsten Gottes; also feyerte man die grossen
glücklichen Begebenheiten einzig allein Gottesdienstlich, indem
man an die Stellen, die eine Hauptthat, oder einen errungenen Sieg
bezeichneten, Kapellen dem heiligen, starken, unüberwindlichen
Gott dem Herrn der Heerscharen, Tempel ewiger Anbethung baue-
te, in denen man einzig die Magnalia Dei preisen sollte. In 1387
verordnete eine ganze fromme biederbe Landesgemeinde an dem
Orte zu Bürglen, wo Tellens Behausung gestanden, eine Predigt zu
ewigem Danke Gottes und seines Beystandes zu halten a).
Landsgemeind-Erkanntnis so in 1387 ergangen, findet sich im An-
hange.
Jahrs hierauf richtete das andächtige Volk seinem so gnädigsten
Gott auf der Tellen-Platten auch einen Altar auf b).
Die Tellenkapelle, an dem Orte wo Tell aus dem Schiff gesprungen,
ist 1388 erbauet worden.

In dieser mit dem Gottesdienste so eifrig beschäftigten Versamm-
lung, die dieses fromme Werk angesehen, streckten über 114 Personen ihre miterkennende Hände aus dem einschlüssigen Kreise auf,
die Tellen noch persönlich gekannt hatten.

In 1389 bestätigte König Wenzeslaf dem Lande Ury nicht nur alle
seine Freyheiten, sondern verlieh ihm auch den Bann über alle Sachen zu richten.«

…

S. 203:

»**Namensverzeichnis** der in den erzählten Jahrhunderten der Gemeinde vorgestandenen Herrn Landammannen.
Werner, Freyherr von Attinghausen, ein Mächtiger über eigene
Leute und viele Landesgüter herrschender vornehmer und hochangesehener Edelmann, Herr seiner freyherrlichen Stammburg

Attinghausen, und der Schlösser Löwenstein, Zumbrunnen etc. war Landammann in 1206.

…

Cuno von Bürglen *war Landammann in* 1366.«

…

S. 206ff.:

»*Andere Personen von Würde und Ansehen.*«

…unter: »**Ritter, Kriegsleute, und andere.**«

figurieren u.a.:

»*Cuno* **Tell**, *des Erzhelden Wilhelms Enkel.*«

und auf S. 208:

»*Jost Schmid von Ury war in hohem Ansehen 1390.*«

»**Anhang**

21.

Urkundliche Landesgemeind-Erkanntnuss von 1387.

Im Namen Gottes Amen. Ich Conrate von Unteroyen Amme ze Ure thuen Kunde offenliche mit diesen briefe, das Wir Ammann und eine ganze Gemeinde ze Altorfe an der Gebreite versamt haben angesechen und einander Ewigklichen aufgesatzt an der Kreutzfarete nach Steina unseren L. Aydtgnossen ze Schweitze gebiethe, so in isren höchsten nöthe im jahre des Herren 1307 zalt unsre Lieb Altvordere mit ihne haben geordnete und gethan wie bisharo sie auch zu us nach Bürglen kommen nutz aber das mit grossen koste lang nie bston wurde, geordnet ze geben den unsren einem jede 2 plappert so mitgehet aus allen Kilchhörinen unsres Landes ze Ure und allwege ze gahn im Monat Majo mit dem helge Kreuze und Bildnuse Sant Kumernus einem priester und dorte zu opfere ein wachskertze jährlichen. Ouch haben Wir angesechen und us aufgesatzt ze haben ein predigte ze Bürglen an dem Orte wo unser Liebes Landmanns Erste Widerbringers der Freyheit Wilhelm Tellen Haus ist ze ewigen Danke Gottes und seiner schutze. Geben ze Ure den Sibende Tage war Sontags des Monats Maii im jahre des Herren gezalt Ein Tausent Dreyhundert Achzig und darnache im sibenden jahre, aus gebothe der Landleuthen, Ich Conrate von Unteroyen ir Amme erwehlet.« (S. 252)

Aus diesem Landsgemeindebeschluss von 1387 erfahren wir, dass die Begebnisse um Tell im Jahre 1307 passiert seien. Deshalb steht diese Jahrzahl auch auf dem Telldenkmal in Altdorf. **Da wären von den Ereignissen bis zum Landsgemeindebeschluss also lediglich 80 Jahre verflossen!**

Über Franz Vinzenz Schmid und die *Allg. Geschichte des Freystaats Ury* schreibt das Historische Lexikon der Schweiz im Jahre 2012:

»Sein bedeutendstes Werk ist die allerdings unkritische und überhöhte Urner Kantonsgeschichte, die bis 1481 reicht und sich durch einen heute noch benutzten Urkundenanhang auszeichnet.«

Ich habe die beiden Bände mit Freude und Lust gelesen – trotz des gloriosen Schreibstils meines Vorfahren! Viel habe ich gelernt und erfahren bei der Lektüre: zum einen über den Kanton Uri, wie er von einem glühenden Patrioten Ende des 18. Jahrhunderts beschrieben wurde; und zum zweiten über Franz Vinzenz Schmid selber. Dieser Mann, der genau im Schnittpunkt zwischen der alten Eidgenossenschaft und der neuen Helvetik lebte, war hin und her gerissen zwischen dem Alten und dem Neuen. Als Oberstlandeswachtmeister und Mitglied des Kriegsrats war er ja mit der Ausbildung des Urner Militärs betraut (Er selber schreibt: *»1779. Formierte ich aus jungen Knaben ein freÿwilliges schönes Cadetten Corps.«*). 1795 war er Kommandant des Urner Hilfskontingents in Basel (*»Stuhnd ich für Basel...«* – nachzulesen in seiner Autobiographie, Kap. 5.2). Dann nahm er aber eine Beamtung im Dienste des Kantons Waldstätten – einer Kreation Napoleons – an. Sein Dienst für die Helvetik war aber von kurzer Dauer. Es scheint, dass er sich an den Kampf um die Freiheit der alten Eidgenossen erinnerte, denn im April 1799 wurde er zum Anführer des Urner Volksaufstands gegen die Franzosen, der aber völlig aussichtslos war. Er fiel am 8. Mai 1799 in Flüelen.
Unter diesem Gesichtspunkt habe ich auch seine Schilderungen des Freiheitskampfs der Eidgenossen gegen die Habsburger, die Einmischung der fremden Vögte, die Beschneidung ihrer uralten Rechte mit anderen Augen gelesen. Ebenso die Geschichte über Wilhelm Tell.
Parallelen zu heute drängten sich mir auf.

Darüber nun ein paar abschliessende Gedanken im letzten Kapitel.

^{10.0} *Ausblick*

Auch in unserer heutigen Welt gibt es »fremde Vögte« – elegant gekleidet, mehr als gut verdienend, über andere bestimmen wollend - und die Meinung des »dummen« Volkes verachtend. Geben wir Acht… Ein bisschen mehr Täll, ein bisschen mehr »Toll« würde uns heutigen Schweizern nicht schaden. Man muss den Vogt ja nicht erschiessen - aber ein Quäntchen mehr Selbstbewusstsein und weniger Kuschen vor den Mächtigen, den Grossen würde der Schweiz wieder etwas Respekt verschaffen. (siehe Anhang »Allem und jedem anpassen?«)

Wo wären wir, wenn unsere Vorfahren nicht so gehandelt hätten wie sie gehandelt haben? Ihrem Mut verdanken wir viel. Wo sind diese Eigenschaften verblieben…

… Der Mut, der Trotz, die Freude, das Wilde und Barbarische?

Ihr Eigensinn und ihr Drang nach Unabhängigkeit war stets gepaart mit Offenheit. Die Eidgenossen haben sich nie abgekapselt. Im Gegenteil. Sie waren offen für ihre Nachbarn, haben Geschäfte mit ihnen gemacht und sind weit gereist. Immer waren sie eingebunden ins Heilige Römische Reich, aber »ihre Freyheiten« haben sie sich vom Kaiser immer wieder bestätigen lassen. Wie weise!

Jost Schmid ist im Jahre 1550 deswegen nach Augsburg gesandt worden, um Bestätigung der eidgenössischen Freiheiten. Den Kaiser gibt es nicht mehr, aber eine übermächtige EU, die uns Vorschriften macht, genauso wie die USA und ungreifbare Geheimdienste und »Schattenregierungen«. Gibt es noch Gesandte, die wir um »Bestätigung unserer Freiheiten« irgendwo hinschicken könnten…?

^{11.0} *Danksagung*

Mein erster Dank geht an meine Vorfahren, sodann an meine Eltern, von denen ich das Wichtigste habe: mein Leben. Dieses Leben durfte ich weitergeben, dafür danke ich meiner ersten Frau, Marlen, und meinen wunderbaren Töchtern Rahel und Joëlle. Sie sind die Zukunft.

Danken möchte ich im Weiteren all den Menschen, die dazu beigetragen haben, dass dieses Buch verwirklicht werden konnte: meinem Bruder Walter, der mich von Anfang an bei diesem Projekt unterstützt hat und für sein fachmännisches Lektorat; meiner Tochter Joëlle für ihr Lektorat und ihre Fragen zu den alten Texten, die mich wieder ins Hier und Jetzt geholt haben; meiner Lebenspartnerin Mona, die mich auf vielen der Recherche-Reisen begleitet hat und die mich mit ihren Fragen oftmals auf eine neue, gute Idee gebracht hat; unseren Freunden Christoph und Christine Hatz für ihr konstruktives Lektorat der Frühfassung des Buches; Herrn Dr. Rolf Aebersold, dem früheren, sowie Herrn Dr. Hansjörg Kuhn, dem jetzigen Staatsarchivar beim Staatsarchiv Uri und ihren Mitarbeitern; dem Team des Staatsarchivs Frauenfeld, speziell der Mediävistin Frau Stöckli für ihre spontane Hilfe beim Übersetzen schwieriger Wörter (*„rossen"*); dem Staatsarchiv Zürich für die Zusendung der Bettelordnung; den Herren Dr. Peter Erhart, Dr. Jakob Kuratli und Frau Silvia Bärlocher vom Stiftsarchiv St. Gallen; Herrn Dr. Christoph Zollikofer und Frau Marie-Helene Kesselring für ihre vielfältige Hilfe bei der Recherche zu Josts zweiter Ehefrau Anna Zollikofer von Altenklingen (Heirat am 14.2.1565). Dank der mir zugestellten Fotokopien aus dem Zollikofer'schen Genealogiebuch der Schlossbibliothek von Altenklingen konnten viele Fragen geklärt werden, u.a. steht nun auch das Geburtsjahr von Jost dem Grossen fest: 1518 (und nicht 1523 wie bislang angenommen; siehe HLS, 2012, S. 129); der damaligen Äbtissin Sr. Maria Ulrich vom Lazaruskloster Seedorf für das grosszügige Zur-Verfügung-Stellen der Faksimile-Klosterdokumente; Bernard Henrion von Gold Records (mit dem ich einst die KV-Schulbank gedrückt habe) für die Doppel-CD *„d Lüüt säged ich heig e kein Stärn"* vom singenden Historiker Hans Peter Treichler; welch Letzterem ich ebenfalls danke für die Erlaubnis, einige Texte daraus abzudrucken.

Ganz herzlich danken möchte ich Frau Dr. Helmi Gasser für ihre wertvollen Informationen zur Familiengeschichte. Durch ihre langjährige Arbeit an den drei Bänden über die Kunstdenkmäler des Kantons Uri hat sie sich profunde Kenntnisse über die Schmid von Uri angeeignet und war Onkel Franz und den Tanten Madlen und Greti freundschaftlich verbunden. Es freut mich, dass diese Freundschaft nun zwischen uns weitergeführt wird. Durch Frau Gasser kam auch die Verbindung zu Freifrau Sibylle von Wrangel, geb. Gräfin von Beroldingen statt. Sie empfing Rahel und mich sehr freundlich in Stuttgart; ihr verdanke ich seltene Fotos aus ihren alten Familienalben. Durch einen Zeitungsartikel im Frühjahr 2013 wurde ich auf den Genealogen Josef Muheim aufmerksam, einen ausgewiesenen Spezialisten über die familiengeschichtlichen Zusammenhänge der Schmid von Uri. Anlässlich eines Besuches bei ihm in Greppen erfuhr ich, dass er im Auftrag von Onkel Franz während etwa zehn Jahren an einer Schmid-Familienchronik gearbeitet habe. Dieser und verschiedenen Dokumenten, die Onkel Franz Herrn Muheim leihweise überlassen hat, verdanke ich wertvolle Informationen, die ich in mein Buch aufgenommen habe. Ohne meinen Besuch bei Josef Muheim wäre z.B. der Stammbaum aus Schlesien (der von 1233-1898 reicht) nicht ans Tageslicht gekommen.

Ein grosser Dank gebührt dem leider inzwischen verstorbenen Privatforscher Arnold Claudio Schärer, dessen immenses Wissen über das Mittelalter mir zu dem faszinierenden Kapitel über die Minnesänger verholfen hat (Kap. 8: Waren die Vorfahren der Schmid von Uri Habsburger?). Weiter danken möchte ich: dem Genealogen und Musiker Toni Arnold von Bürglen, der unermüdlich von sämtlichen Familien des Kantons Uri Stammbäume angelegt hat; dem über 90-jährigen St. Galler Original Josef Eigenmann, der dank seiner Urner Ehefrau, geb. Gisler aus Gammerschwand, Verbindungen ins Riedertal hat. Josef hat mich mit Alois Gisler („dr Gammerschwand Wisi") aus Bürglen bekannt gemacht, einem pensionierten Lehrer und Geschichtsinteressierten, von dem ich die irre Geschichte mit den sieben Kanonenkugeln des Franz Vinzenz Schmid habe. Auch er verstarb leider kurz nach unserer Begegnung, durch einen Unfall. Dank auch an meinen langjährigen Freund Hansueli Holzer, der immer zu haben ist für eine Reise, so z.B. ins Luzerner Seetal, um den Spuren des Minnesängers Rudolf von Rotenburg nachzugehen. Unschätzbare Hilfe erhielt ich von Walter Raschle, mit dem ich seit den 1970er Jahren befreundet bin: er, der selber mittelalterliche Lieder singt, übersetzte den Text des Minnesängers „Regenbogen". Mir selber war der Text unverständlich geblieben. Danke!

Wichtige, mir unbekannte Informationen erhielt ich von Cousinen und Cousins: von Ursi Teuscher-Schweizer, Madlen Kohne-Schweizer, Franz Müller und Jost Schmid. Schön, dass Jost die Initiative für das Cousins- und Cousinen-Treffen in Urigen im Herbst 2014 ergriffen hat! Dank auch an Cou-Cousine Mirjam Lautenschlager für Ihre Hinweise zu Verwandten, die ich nicht mehr persönlich gekannt habe und an Cou-Cousin Toni Schmid für seine Geschichten aus der Kindheit. Für das Bereitstellen ihrer Schmid-Stammbäume bedanke ich mich bei Hubert Kohne-Schweizer und Peter Brunner.

Zu guter Letzt: mein Manuskript und die vielen Fotos wurden erst zum Buch, als Grafiker und Fotografinnen sich ans Werk machten, um es in Form zu bringen! Ich bin meiner Tochter Rahel sehr dankbar, dass sie – als Fotografin – sich an diese schwierige gestalterische Aufgabe getraut hat. *) Zum Glück durfte sie auf die hochherzige Hilfe von Moricz („Mo") Németh zählen, einem Mitbewohner ihrer WG und Top-Grafiker, der Rahel in die hohe Kunst der Buchgestaltung eingeführt hat. Danke, Mo! Ein herzlicher Dank geht auch an Frosan von Gunten-Akbarzada, eine Freundin von Rahel und ebenfalls Fotografin. Frosan hat grosszügig ihre Fotoausrüstung zur Verfügung gestellt für die Reise zur Gräfin von Beroldingen; auch hat sie Rahel sehr dabei geholfen, einen Probedruck zu gestalten.

*) kleiner Nachtrag:
Auszug aus einem E-Mail von Rahel an mich (17.8.2015):
„... Lange konnte ich mir gar nicht richtig vorstellen, was so eine „Familiengeschichte" denn alles beinhaltet. So war auch vieles für mich „sehr weit weg". Aber als ich zu Kapitel 9.0 Zurück nach Uri kam, habe ich beim Lesen gemerkt, wie es mich berührt hat... Schön, dass du dir all die Jahre die Arbeit gemacht hast – geforscht, entdeckt und aufgeschrieben. – Ich freue mich, dass ich meinen Teil dazu beitragen kann, diese Geschichte aufzuzeichnen und es so zu einem Generationen verbindenden Projekt wird...
Alles Liebe, Rahel Hannah Schmid von Uri"

Dieses Mail hat mich sehr gefreut!

Die Herausgabe dieses Buches wurde ermöglicht durch die freundliche Unterstützung folgender Personen und Institutionen:

Dätwyler Stiftung, Altdorf
Kanton Uri, Kulturförderung
Korporation Uri, Altdorf
Hansueli und Kathrin Holzer, St. Gallen
Walter Schmid, St. Gallen
Thomas Schweizer, Le Mont-sur-Lausanne
Bettina Würth, St. Gallen

12.0 *Abkürzungen*

Gfr.	Der Geschichtsfreund
HBLS	Historisch-Biographisches Lexikon der Schweiz
HLS	Historisches Lexikon der Schweiz
Jzb	Jahrzeitbuch
KDS	Die Kunstdenkmäler der Schweiz
Nbl.	Historisches Neujahrsblatt (für Uri)
NH	Necrologium von Hitzkirch
PA	Privatarchiv
StaUR, StaU	Staatsarchiv Uri
Stb	Sterbebuch

13.0 *Anhang*

13.1 Die Muheim-Dokumente

Auf den nachfolgenden Seiten einige mir wichtig erscheinenden Blätter aus den Muheim-Dokumenten:

· Aus seiner umfangreichen Familienchronik die ersten vier Seiten.

· Onkel Franz hat am 8. Januar 1983 Josef Muheim diese Kurzfassung der Schmid-Ahnenreihe zur Einsichtnahme überlassen. Im Unterschied zu allen anderen Stammbäumen gilt hier **Peter Schmid ab Ury**, gefallen in Sempach 1386, als Stammvater (nach Emil Huber 1917).

· Aus dem Familien-Archiv Schmid (Nr. 37 C.F.S.) stammt ein Namensverzeichnis der *Komthurer und Ritter des Königlichen Kriegerordens von Sankt Lazar zu Jerusalem*, aus Urnerischem Adel abstammend und geboren.

· Verzeichnis aller 26 Landvögte der Familie Schmid von Uri von 1550 bis 1790.

· Fähnrich Peter Schmid aus Bomatt (Pomatt); er erwarb 1566 für 1035 Gl. das Landrecht von Uri. Zu dieser Zeit waren die Schmid von Uri schon längst in Altdorf ansässig. (Aus einem Stammbaum der Schmid von Bellikon)

· Beispiel für ein von Josef Muheim angefertigtes Einzelblatt (Vorder- und Rückseite): für Jost Schmid (1523-1582), Landammann (jener Jost, der später »der Grosse« genannt wurde). Aufgelistet sind 13 Kinder aus drei Ehen. Unter »ergänzende Angaben« auf der Rückseite des Blattes stehen u.a. die uns schon bekannten Informationen wie Adelsbrief, Ehevertrag mit Anna Zollikofer usw.

· »*Von den Strytt zuo Sempach 1386*«. Blatt aus dem Jahrzeitbuch Altdorf (Schlachtenjahrzeit).Unter den gefallenen Urnern: Peter Schmid.

I N H A L T

Vorlauf   Abkürzungen zu Quellen und Literatur
Ahnentafeln   - Schmid-Linie ob der Kirche
                    - Schmid-Linie des Gardehauptmann
                    - Schmid-Linie auf der Schiesshütte
Die Anfänge des Familiennamens "Schmid"
Series Avorum

Inhaltsverzeichnis von Josef Muheims Schmid-Familienchronik (Staatsarchiv Uri, PA P-7)

Die Anfänge des Familiennamens "Schmid"

Aus der Tätigkeit des Schmid-Berufes kamen die Schmid zu ihrem Namen. Der Schmid, als Metallbearbeiter, war überall zu finden. Da und dort wurde der Beruf zum Familiennamen, auch für die Nachkommen, welche den Schmidberuf nicht mehr ausübten. Nach dem Historisch-biographischen Lexikon der Schweiz lassen sich in allen 18 deutschschweizer Kantonen Familien mit dem Namen Schmid (Schmidt, Schmied,Smit,Smid) finden. [1] In den welschen Kantonen existiert sinngemäss der gleiche Name mit Fabri (Fabry,Favre). Ein genealogischer Zusammenhang zwischen den einzelnen Kantonen besteht kaum. Selbst innerhalb einem Kanton konnten sich verwandtschaftlich unabhängige Schmid in mehrere Stämmen bilden. Laut dem Familiennamenbuch waren Ende der 1960er-Jahre in allen Kantonen der Schweiz, ausser in Nidwalden, Schmid verbürgert. [2]

Dem urkundlich ältesten Schmid begegnen wir ausgerechnet im heute "schmid-losen" Kanton Nidwalden. Zirka 1197 lebte in Buochs offenbar ein Heinrich Schmid, welcher in einer Urkunde als "Henrico Fabro" erwähnt wird. [3] Es entsprach dem damaligen Schreibstil, dass Eigennamen, wenn möglich latienisch aufs Pergament gebracht wurden. In Schwyz erscheint 1281 "Ulrich der Schmid, der Ammann". Nach dem HBLS [4] sind um dieselbe Zeit im Thurgau 1274, Wallis 1230 (Naters), Bern 1278, Glarus 1289, Schaffhausen 1299, und in Luzern ebenfalls im 13.Jahrhundert Schmid-Personen bezeugt.

In Uri ist die sehr bekannte Urkunde vom 29.März 1290 im Pfarrarchiv Spiringen,welche uns den ersten Urner Schmid bekannt macht. "Walt(herus) Faber unius solidi de predio, quond dicitur Ring, in dien Lussen" in "Villa Underschechen" war neben zahlreichen andern Bewohnern von Spriringen und Unterschächen namentlich Mitbegründer der Pfarrei Spiringen. [5] Ob nun dieser Walter Schmid aus Unterschächen als Urahne der Schmid von Uri gelten kann, ist gerade wegen den Möglichkeiten des dezentralen Vorkommen beim Schmid-Beruf ungewiss.

Im Rodel der Fraumünsterabtei Zürich wird um 1400 über die Pflichten der Inhaber der Belmen- und Fischlishofstatt zu Flüelen berichtet. Am Schluss lesen wir: "Die Güter und hofstatten hat ein Jenni Schmid und der Subel zu Flüelen". [6]

Ein Jenni Schmid eerwähnt auch eine weitere Urkunde in der Pfarrlade zu Seelisberg am 5.3.1450: " ...kueni kenpf und Hensly Trutman ab sewlis berg ze gemeiner kilchherren Handen an eim Teill, und Heini bontly und Jenni smit am andren Teill, ...". [7] Eine Identität der beiden Jenni Schmid ist nicht nachzuweisen.

[1] HBLS Bd.6, 211ff (Neuenburg 1931)
[2] Schweizerisches Familiennamenbuch (1968-71, 5 Bände)
[3] Quellenwerk zur Entstehung der Schweizerischen Eidgenossenschaft (QW) II/2 S.225
[4] vgl. Fussnote 1
[5] QW I/1 S.738ff, Urkunde Nr.1620
[6] QW II/2 S.293
[7] Geschichtsfreund (Gfr) Bd.21, (1866) S.21

Seite 1: Die Anfänge des Familiennamens „Schmid"

Schmid von Ursern / Schmid von Uri / Schmid von Bellikon

In groben Zügen kennt man im Land Uri diese drei Schmid-Sippen. Verbürgert sind die Familien in Altdorf, Gurtnellen und Hospental. Bei den Bürgerzählungen ergibt sich zahlenmässig folgendes Bild:

1880 [16]	[17]	1910	1951	1961	1971	1981	1990
wohnten in							
Altdorf 18 Schmid,	Altdorf	90	87	76	63	64	69
Hospental 21 Schmid,							
und je eine Person	Hospental	58	80	84	89	105	112
in Flüelen, Göschenen,							
Schattdorf und Wassen.	Gurtnellen	5	7	8	10	13	16

In Hospental legte sich eine Familie Schmid seit dem 17.Jahrhundert den Familiennamen Müller zu. Anderseits wurde 1693 ein Bartolomäus Schmid (1660-1738), Erbauer der Pfarrkirche Andermatt, zum Talmann angenommen. [18]

Die Schmid von Bellikon kamen aus dem Pomat. Peter schmid liess sich 1566 in Uri einbürgern. Sein Urenkel Johann Martin Schmid erwarb 1640 das Schloss und Dörfchen Bellikon im Kanton Aargau. Ab 1646 nannte sich diese Familie Schmid von Bellikon.
Ein Enkel von Josef Martin hatte keine männliche Nachkommen. Deshalb ging Bellikon an den Schwiegersohn Franz Josef Schmid von Uri über(Nr.44). Diese Schmidlinie erlosch aber ebenfalls 1874 in Zug.
Ein anderer Enkel von Josef Martin erhielt durch die Heirat in die Familie von Roll die Herrschaft von Böttstein, und nannte sich seitherr Schmid von Böttstein. Diese Familie scheint aber 1942 im Mannesstamm erloschen zu sein, ohne es hätten sich Zweige im Ausland niedergelassen. [19]
Beim Forschen der Schmid-Familien muss man auf der Hut sein, um keine Personen zwischen Schmid von Uri und jenen von Bellikon zu verwechseln. Die Schmid von Uri sind in den Pfarreibüchern selten mit dem Zusatz "von Uri" versehen. Auch bei den andern Schmid wurde nicht immer die Mühe genommen, das "von Bellikon" oder "v.B." seinen Sippenangehörigen anzuhängen.
Im weitern finden wir auch in den Pfarreibüchern immer wieder Schmid und anverwandte Namen, welche kaum je nachweisbar, oder überhaupt keinen Zusammenhang mit den urnerischen Schmid haben. Im "Extractus" sin 17 Familien zwischen 1584-1650 aufgeführt, welche sich genealogisch nicht zuordnen lassen. [20] Möglicherweise sind einige davon auch zugewandert. So ist Johann Sebastian Schmid,vulgo "Giselschmidt der Kahrer", welcher 1704 im Alter von 97 Jahren in Altdorf gestorben ist, als ehemaliger Täufling im Extractus nicht zu finden. [21] (vgl. Nr.16)

[16] "Urner-Wochenblatt"-Beilage Nr.19, 12.Mai 1883: Man beachte, dass hier nur eine Einwohner- nicht Bürgerzählung vorliegt.
[17] "Urner Wochenblatt" 24.12.1921 und Meldungen der Zivilstandsbeamten 1951-1991 an den Kanton.
[18] Historisch-biographisches Lexikon der Schweiz, Band 6,Seite 207
[19] Auskunft vom Zivilstandsamt Böttstein (Brief vom 26.2.1983)
[20] Pfarrarchiv Erstfeld: "Extractus Libri Baptismalis Altdorfensis"
[21] Weiter starb 1700 Virgo Maria Magdalena Schmidt, vulgo "Giselschmidt" und 1709 Juvenis Johann Sebastian Schmid "oder "Göselschmdt,auriga". Vermutlich sind diese Personen Kinder des 1704 verstorbenen Greises.

Das Rätsel um den Anfang der geraden Ahnenreihe

Mancher Stammbaum rühmt sich mit seinen Wurzeln in das Mittelalter zu greifen. Dabei sind oft im 15./16., ja sogar bis ins 17.Jahrhundert recherchierweise ins Vater-Sohn-Verhältnis zusammengewürfelte Einzelpersonen zusammengeführt. So hat auch Emil Huber 1917 in einem Stammbaum den im Sempacherkrieg gefallenen Peter Schmid einfach als Stammvater untenangestellt. [22]
Der Stammatograph Gabriel Bucelin war 1678 etwas bescheidener und fing erst mit Jost Schmid-Ramstein an (Nr.1) [23] Das Stammbuch Uri übernimmt den gleichen Anfang. Das Leu-Lexikon buchstabiert nochmals um eine Generation zurück und fängt bei Johann Schmid-Zumburg (Nr.2) an. [24]
Will man nur den urnerischen Quellen Glauben Schenken, so darf man den Stammbaum erst bei Hauptmann Anton Schmid-Wolleb (Nr.3) ansetzen.Denn Jahrzeitbuch von Landammann Jost Schmid erwähnt noch seine Eltern und Grosseltern. Mit gutem Gewissen kann man also erst mit diesen drei Generationen anfangen. [25]
Wohl stand Bucelin vor 300 Jahren noch näher bei dieser Geschichte. Aber auch bei ihm (und seinen Informanten) lag diese unsichere Nahtstelle bereits fünf Generationen zurück. Ferner wird später über Gabriel Buzelin (1599-1681) geschrieben, dass er als eine unentbehrliche Informationsquelle gelte: "Aber alle seine Angaben sind mit Vorsicht aufzunehmen, da er es an Akriebie fehlen liess". [26]

Vor 200 Jahren machte sich Landschreiber Franz Vinzenz Schmid 1758 -1799 (Nr.79) als Urner Historiker und familieneigener Genealog hervor. Für Angaben ihm naheliegender Generationen darf man ihn wohl als Gewährsperson beiziehen. Sein Sohn Landschreiber Karl Franz Schmid 1781-1831 ergänzte die Arbeiten seines Vaters. Seine 1821 entstandene "Geschlechts- und Geschichtskunder des weltberühmten uralt adelich um das Vaterland höchst verdienten helvetischen Hauses der Hochwohlgebornen Herren Schmid ab Ury" versuchte Staatsarchivarf Wymann um 1933 in Druck zu legen. Es blieb offenbar beim Versuch von 13 Seiten. [277] Der barocke Schreibstil und die Gloriösität des Inhalts lassen Zweifel über die Echtheit der Angaben aufkommen. Zum Beispiel wissen wir wohl vom Schlachtenjahrzeit, dass ein Peter Schmid zu Sempach gefallen ist. Dass er aber froh zusah, wie das schön warme Blut in vollen Strömen aus weit aufgerissenen Wunden über den behaupteten Boden rieselte, ist ein Produkt der patriotischen Phantasie des Schreibers.

[22]Familienstammbaum des Herrn Moritz Schmid-Bissig von Altdorf in Erstfeld, anno 1917 von Emil Huber, Altdorf.
Heute bei Xaver Schmid-Schyrr in La Tour-de Peilz (Nr.110)
[23]Germaniae Topo-chrono-stemmatographicae sacrae et profanae,opera et studio R.P.F.Gabrielis Bucelini (in Feldkirch) anno 1678. S.146: "Praenobilis et Generosissimae Familiae, multisque titulis Spectatissimae Schmidiorum, ex Uri Helvetiae, Fragmentum Stemmatographicum)

[24]Schweizerisches Lexikon von Leu, XVI.Teil, (1760), Seite 387
[25]Pfarrarchiv Altdorf: Jahrzeitbuch Folio 31b
[26]Feller Richard / Bonjour Edgar:
Geschichtsschreibung der Schweiz, Band I/395
[27]Staatsarchiv Uri: P-7/55

Seite 4: Das Rätsel um den Anfang der geraden Ahnenreihe.

Ahnenreihe der Schmid von Uri für Dr.Franz Schmid-Renner, Altdorf		Jahrzeit-Buch	Bucelini 1678	Stammbuch Uri	Leu Lexikon	Emil Huber 1917
Peter Schmid ab Ury			fehlt	fehlt	erwähnt	Stammvater gefallen in Sempach 1386
Jost	∞ Apollonia von Ramstein		Stammvater 1390	Stammvater 1390	fehlt	berühmt 1390
Johann	∞ Barbara Zumberg		1427	Nr.2	Stammvater S.387	zugenannt "der Alt" 1427
Anton Hauptmann	∞ Margaretha Wolleb	Folio 31 b	Capitan.	Nr.3	Hauptm.	Hauptmann
Jost Landschreiber	∞ Barbara Christen	Folio 31 b	Capitan. ob Trojae	Nr.5 L'schr.	Hauptm. L'schr.	Jost d.Altere Hptm./L'schr. +zu Troyes
Jost Ritter Landammann	∞ I.Euphemia von Erlach II.Anna Zollikofer III.Elisabeth Mutschlin	Folio 31 b	Vir spectatissimus Helv.	Nr.6	S.387	Jost d.Jüngere u.s.w.
Jost Ratsherr,Hauptm.	∞ Barbara von Beroldingen	Folio 31 b	Capitan.	Nr.8	S.389	Extractus Nr.9 (1596)
Jost Dietrich 1596-+vor 1630 Hauptm.Ratsherr	∞ Anna Margr.Bessler v.Wattingen		Jost Theodor	Nr.13	S.389	Nr.14
Karl Franz 1623-1684 Landammann	∞ ca.1645 Magdalena Moor -1689		L'aman Uraniensis	Nr.21	S.389	Nr.30 (Im Taufbuch ab 1649)
Johann Franz 1647-1693 Landammann	∞ 1668 Elisabet Bessler		Joan. Franc. Schmidt	Nr.33	S.389 Holzh. S.394	Nr.43 (Kinder im Taufbuch)
Karl Franz 1677-1730 Landammann	∞1704 Rosa Genov.Schmid v.Bellik. und v.Böttst. 1680-1717			Nr.46	S.390 Holzh. S.394	4 Kinder von 1704-10
Franz Martin 1706-1777 Landammann	∞ ca.1734 Rosa Bessler v.Watt. -1784			Nr.59	S.390 Holzh. S.394	13 Kinder von 1735-55
Franz Martin 1746-1804 Seckelmeister	∞ 1783 Katharina Gerig 1757-1831			Nr.71	Holzh. S.395	8 Kinder von 1787-1800
Anton General 1792-1880	∞ 1837 Karolina Curti 1812-1875			Nr.81		4 Kinder von 1838-48
Franz L'ammann 1841-1923 Bundesrichter	∞ 1873 Katharina Schillig 1848-1931			Nr.85		8 Kinder von 1874-90 BR Nr.16
Franz Dr.jur. 1878-1969 Verhörrichter	∞ 1909 Nanette Huber 1886-1975			Nr.97A		7 Kinder von 1910-19 BR Nr.80
Franz Dr.jur. 1913 Verhörrichter/Landrat	∞ 1947 Esther Renner 1927					2 Söhne 1948/1952 BR II/Nr.340

Ahnenreihe der Schmid von Uri, angefertigt für Dr. Franz Schmid-Renner, Altdorf.

Namensverezeichnis der Komthurer
und Rittern des Königlichen Krieger-
und Verpfleg Ordens von Sankt
Lazar zu Jerusalem aus Urnerschem
Adel abstammend und Erborn

1.Die Komthurer: 1.Melchior von Beroldingen Komthurer des Ritter Hauses zu
Seedorf von 1212 bis 1214 .....

2.Werner Jmhof von Blumenfeld   1220-1223

3.Werner Lowiner   1290-1295

4.Diethelm Freyherr von Attinghausen   1295-1305

5.Arnold An-der-Gand   1305-1336

6.Walther Freiherr von Attinghausen   1336-1350

7.Mathias Lovwiner

8.Arnold von Groaun zu Obrost

2.Die Ritter: 1.Werner Schmid von Ury, Edler und Burgherr,Vertheidiger
der Gottesstadt Jerusalem und Palestinens,Schutzheld der
Königen zu Jerusalem aus den Aller durchlauchsten Herr-
scherhäubern von Anjon,von Monferrat und von Lusignan
Mitbesieger des Soldans von Egypten und Syrien in 1177
eine Blum und Krone Kristlicher Helden und ein Schröcken
der Sarazener

2.Arnold von Adelgeschwyl hat tapfer für unsere heilige
Religion gefochten

3.Johann von Rieden hat tapfer für den wahren Glauben gefochten

4.Konrad von Ury und Brunnberg

5.Werner von Seedorf

6.Eglof Freyherr von Attinghausen

7.Heinrich von Ury und Brunnberg

8.Heinrich Freyherr von Attinghausen

9.Konrad von Bürglen

10.Medand von Ursern

11.Heinrich Zum Brunnen von Löwenstein
usw.

37.Anton Schmid von Ury

38.Walther Schmid von Ury

39.Cuno Schmid von Ury

40 Burkard Zwyer von Evebach

41.Josue von Beroldingen
usw.

Namensverzeichnis der Urner Komthurer und Ritter des Lazarus-Ordens von Jerusalem, aus dem
Familienarchiv Schmid.

Landvögte

Landvogtei Baden

1637-1639	Schmid Bernhard ca.1597-1639	Nr.11	Nec BarbBrsch
1701-1702	Schmid Jost Anton 1657-1735	Nr.32	TB A 1701
1652	*Franz Schmid*	*Nr. 18*	*TB A 1652*

Landvogtei Bellenz

1698	Schmid Martin Anton

Landvogtei Bollentz (Amtssitz in Lottigna)

1596-98	Schmid Johann Ludwig
1686	Schmid Jost Azarius
1704	Schmid Martin Anton
1710	Schmid Franz Florian

Landvogtei Lifenen (Amtssitz Faido)

1759	Schmid Josef Anton 1729-1781	Nr.61	Leu S.391
1762	do. bestättigt		{
1755	do. bestättigt		{ Leu Supl S.396
1768	do. bestättigt		{

Landvogtei Oberes Freiamt

1724	Schmid Karl Franz
1755	Schmid Franz Martin

Landvogtei in den freien Aemtern

1664	Schmid Karl Franz	Nr.21?	
1693	Schmid Johann Franz	Nr.33	
1755-1756	Schmid Franz Martin 1706-1777	Nr.59	[1] Nec Grysen
1773-1774	Schmid Karl Franz	Nr.69	
1789-1790	do.		

Landvogtei Meienthal (Amtssitz in Cevio)

1716	Schmid Franz Florian	*vermutlich von Bellikon* ✱*1681*

Landvogtei Riviera (Amtssitz Osogna)

1696	Schmid Martin Anton	
1732-1733	Schmid Johann Franz von Bellikon	Nr.44 ?

Landvogtei Rheintal

1756-1757	Schmid Kar Franz 1710-1770	Nr.60	[2] SB A 8.2.1770

Landvogtei Thurgau

1550	Schmid Jost	Nr. 6
1606	Schmid Anton	Nr. 7
1786-*87*	Schmid Jost Anton *+ 1787*	Nr.72

[1] Necrologium Grysen-Bruderschaft 1777; "..gewester Landvogt in den freien Aemtern".

[2] Sterbebuch Altdorf 8.2.1770 "Expraefectus Rheguria"

102|5 fehlt

49

Die 26 Landvögte der Familie Schmid von Uri seit 1550.

Fähnrich Peter Schmid aus Bomatt (Pomat); er erwarb 1566 für 1035 Gulden das Landrecht von Uri. Zu dieser Zeit waren die Schmid von Uri schon längst in Altdorf ansässig. (Aus einem Stammbaum der Schmid von Bellikon)

Jost	1	Schmid	2	N°

Blatt : feuille :

* 1523 (Nbl. 1910 S.103)	3	† 1582 28.6. (P-7/358)	4
~	5	▢	6

Eltern:
parents:

von 8 in 9
de à

1565-67, 73-75, 81-183 Landammann
1559 und 1561 Dorfvogt 11
1553 Kirchenvogt in Altdorf (PfA 1/1) 12

Adelsbrief von 1550 von Kaiser Karl Nbl. 1928/406

∞ um 1545 13

Euphemia	14	v.o.n. Erlach	15
*	16	†	17
~	18	▢	19

Eltern: Anton und Ludovika von Hertenstein (StB Uri) 20
parents:

von 21 in 22
de à
23
24
25

zum mal ∞ 1565 (Ehevertrag abgeschlossen in Konstanz 14.11.1565 (P-7/7) 26
la fois

Anna	27	Zollikofer	28
*	29	†	30
~	31	▢	32

Eltern: Othmar Zollikofer und Ursula Krum 33
parents:

von St. Gallen 34 in 35
de à
36
37

P 7/7 Ehebrief vom 14.11.1565 38

Kinder aus II. Ehe (Im StB Uri nur Kinder 1,3,6,7,8,10,11,12,13)
enfants

aus II. Ehe 5 Kinder
aus III. u. P. Kinder
Güterfreis... SAN S.74

1. Johann Ludwig	40	*	41	†	42
		~	43	▢	44
		∞ Magdalena Troger	45		10

2. Johann (ledig)	46	*	47	†	48
		~	49	▢	50
		∞	51		

3. Heinrich (ledig)	52	*	53	†	54
		~	55	▢	56
		∞	57		

4. Jost (ledig)	58	*	59	† 14 Jahre alt gestorben	60
		~	61	▢	62
		∞	63		

5. Helena (ledig)	64	*	65	†	66
		~	67	▢	68
		∞	69		

aus III. Ehe 1578
Bürgerrecht von Luzern

aus 3. Ehe 6. Anton	70	*	71	†	72
		~	73	▢	74
		∞ Maria Magdalena von Biberegg	75		7

II. 1964

Form. 1

Zeichen / Signes : ● geboren / né †● totgeb. / mort né ⁓ getauft / baptisé ∞ verheiratet / marié o|o geschieden / divorcé † gestorben / décédé ▢ begraben / enseveli

Jost Blatt

Kinder / enfants					

7. **Jost** _von Luzern_   1578 Bürgerrecht   76   *   77 †   78
   79 ☐   80
∞ Barbara von Beroldingen   81   **8**

8. **Bernhard**   1578 Bürgerrecht von Luzern   82   *   83 †   84
   85 ☐   86
∞ Barbara Deflorin   87   **9**

9. **Dietrich**   1578 Bürgerrecht v. Luzern   88   *   89 † unmündig   90
   91 ☐   92
∞   93

10. **Barbara**   94   *   95 †   96
   97 ☐   98
∞ Emanuel Bessler †1626 (Nbl. 1982/83 S.77) SAH Bd 52(14 Nr.55.)   99

aus 3.Ehe
11. **Katharina**   100   *   101 †   102
   103 ☐   104
∞ Peter von Roll   105

12. **Magdalena**   106   *   107 †   108
   109 ☐   110
∞ 1599 Rudolf Reding von Biberegg   111

aus 2.Ehe
13. **Regina**   Nbl. 1942/52   ∞ I. Ascanius a Pro HNU 9194.55
∞ II. Johann Konrad von Beroldingen

Zeile		Ligne	Renseignements complémentaires, remarques, sources
1.	Vergabte 1581 60 Gl an die Kirchenglocke in Bürglen Gfr. 20/82 (neben Ammann von Pro 25 Gl/übrige Altdorfer keine Gabe mehr als 10 Gl.)	1	Staatsarchiv Uri P-7
			Nbl. 1928 B 434, 400.
	In den Jahren 1582-86 erhielten vom Herzog in Savoyen Private Gelder. Darunter Hptm. Jauch und Melchior zum Krüel als Erben des Landaman Schmidsel. je 40 Thaler. Nbl. 1903/84	5	Adelsbrief Kaiser Karls V. für J. Schmid vom 17.8.1550, Kopie
		7	Ehevertrag Ritter J. Sch. u. Anna Zollikofer 14.2.1565
	1554 war Vogt Schmid bei dem Ausschuss für Besichtigung zum Schutz vor dem Schächenbach. Nbl. 1311/64	8	Landrecht von Disentis Pfingstmontag 1571
		9	Bürgerrecht von Luzern 29.8.1578 (Nachtrag 1654
	1576 Marchbrief L'aman Jost Schmids Guotlingen, welches nach Schattdorf gehörte Nbl. 1913/68	15	Attestation über Jost Schmids Vorfahren/Nachkommen 12.12.1654
	ca 1580 vermutlich Erbauer des Lusser-Haus (B'häuser S. XV)		Kind 13 war die T.v. Anna Zollikofer (JzB 346 14.Juli)
	seit seiner Zeit wurden die Landammänner kontinuierlich Mitglieder der Bruderschaft der hl Dreifaltigkeit zur Tellsplatten	105	Jz v. Peter von Roll, Kath. T.v. Jost u. Elis. Mutschlin
	Kdm Uri II/28, Anm. 131		
28	Hptm. Jakob Imhof, gewesener Logt im Freiamt und Frau Anna Zollikoferin ... an Kirche St. Martin geschenkt Nbl. 1973/74 S. 106		

Bearbeiter — établi par: Datum — date:

Anna Mutschlin ∞ Landschreiber Laender von Beroldingen / T.v. Hans Jacob Mutschlin

Beispiel für ein von Josef Muheim angefertigtes Einzelblatt (Vorderseite und Rückseite): für Jost Schmid (1523-1582), Landammann (später genannt der Grosse).

Namen so inn obgenanten kriegen vnd stritten vs vnserem
namen hie nit geschriben stat got der almechtig welle innen allen

Im morgarten

...schriben am Morgarten vm komen Inn dem Jar des herren Do
...ar vff Samstag nach Sant martis tag Namlich Her
...beroldingen · Rudi furst · Cunrat loeg vnd welti seman ·

Von dem Strytt zu Loupen

...ter abent Inn dem Jar des herren Do man zalt · M · CCC · xxxviij
...ent Hemmi zum brunnen · Cunrat an der gand · Welti knudes sun

Von den Strytt zu Sempach

M · CCC Lxxxvj · Jar vff den nechsten Mentag nach Sant Vrichs
...r strytt zu Sempach mit Hergog lüpolden von osterrych Da
...vil grafen fryenn Ritter vnd edel knecht so da mit im erschlage
...land Namlich Cunrat der frönen Lanndt amman vnnd
· Juncker hainrich von moss · Juncker steffen von silinenn
...her moser · Hans zwyer · C Cuni in der gass ab sewlisperg
...greper von sisickon   wernher im acher
...jug von sisickon   jost was wern im achers wachterman
...nes royss   wern öster · Heini brisi
...luzli von schattorff   Jenni am ebner · Peter Claus
...ni ob dem Jsental   walther frum · Jenni reny
...cat burgh · Cunrat suter   Jenni brendli · Rudolff von bern
...schöz von stulen   wernher kupferschmid · Peterma fullo
...rich erni von gruenen   peter schmid · Arnold im werd vnd
        B   Rudi kunz   C

„Von den Strytt zuo Sempach, 1386". Blatt aus dem Jahrzeitbuch Altdorf (Schlachtenjahrzeit). Unter
den gefallenen Urnern: Peter Schmid.

13.2 Ausblick: Allem und jedem anpassen?

In der stets lesenswerten Kolumne »Unkommod« in der »Ostschweiz am Sonntag« vom 4. Januar 2015 schrieb der Rechtsanwalt Valentin Landmann einen Artikel zum Thema Finanzplatz Schweiz mit dem Titel:

»Allem und jedem anpassen?
Vor kurzem telefonierte ich mit einem New Yorker Staatsanwalt und fragte ihn: »*Warum ausgerechnet die Schweiz?*« *Und er antwortete:* »**Ein castle, das sich selber von innen her strumreif schiesst, ist leichter zu stürmen als ein castle, das sich wehrt.**«
Wie soll es nun mit unserem Finanzplatz weitergehen? ... Eine vom Bundesrat eingesetzte Expertengruppe schlägt vor allem vor, EU-Recht zu übernehmen ... um nirgends mehr anzuecken. ... Massgebend für den Erfolg der Schweizer Banken, der hoffentlich wieder einkehren wird, kann nicht sein, dass sie sich allem anpassen, dass die Schweiz auf eine eigenständige Regelung ihrer Normen verzichtet.«

Dies bezog sich auf den Finanzplatz Schweiz, trifft aber auf andere Themen genauso zu: z.B. Verhandlungen der Schweiz mit Brüssel, mit der EU.

13.3 Schloss Oberberg

Etwa 25 Jahre, nachdem ich das alte Gästebuch auf Schloss Oberberg gesehen hatte, wollte ich es fotografisch dokumentieren. Ich schilderte dem Präsidenten vom Verein Schloss Oberberg, Herrn Albert Lehmann, meinen Wunsch. Ihm war ein solches Buch nicht bekannt,
doch war er bereit, nach dem Folianten zu suchen. Wir vereinbarten ein Treffen auf dem Schloss am 15. Februar 2013. Eine gründliche Suche in Estrich, Schränken und Kisten ergab aber leider kein positives Resultat: das alte Gästebuch scheint heute verschollen. Nun bleibt nur mein Zeugnis: ich habe es damals mit eigenen Augen gesehen.

13.4 Zur Illustration der Arbeit eines Landvogts: Auszüge aus: Die Landgrafschaft Thurgau vor der Revolution von 1798 von Helene Hasenfratz (Frauenfeld 1908)

Bemerkungen:

Bestimmte Teile dieses Auszugs, die schon in Kap. 2.2 abgedruckt wurden, werden hier nicht noch einmal aufgeführt.

Was in Anführungszeichen steht, ist wörtlich zitiert, der Rest wurde von mir zusammengefasst.

»Für die Unterscheidung, was malefizisch (Malefiz = Verbrechen, Missetat) und nicht malefizisch sei, war der erwähnte Vertrag zwischen den 7 Orten und den drei Städten Bern, Freiburg und Solothurn vom 17. September 1555 grundlegend. Der 11. Artikel desselben verfügte:

Es dient in das Malefiz und hat ein Landrichter zu strafen:

Beschimpfung der 10 Orte und ihrer Organe mit Worten und Werken, Totschlag, Gross-Schwür und Gotteslästern, Selbstmord (wobei das Vermögen des Entleibten der Obrigkeit verfällt), Diebstahl, Mord, Ketzerei, Hexerei, Täuferei, Meineid, Eidbruch, falsches Zeugnis, Friedbruch mit Werken, Aufpassen und Verwunden auf offener, freier Reichsstrasse, jemanden über Frieden aus dem Hause heraus fordern und ihn verwunden, Friedbruch mit ganzem oder halbem Waffenzücken, Steine aufheben, man werfe oder nicht, Ueberfälle von Leut und Gut auf freier Landstrasse, wenn jemand Landstrassen sich zueignet, sie verändert oder sperrt, wissentliche Aenderung von offenen Marchen oder Grenzzeichen, Bruch des Geleits, das der **Landvogt** *als Landrichter gibt.*

Zum Malefiz gehören Konfiskation des Vermögens landesflüchtiger Verbrecher, der von Verwandten des Entleibten getöteten Totschläger und der Hingerichteten, die Fälle und Erbfälle von »ledigen Kinden« im Thurgau. In Summa kommt vor das Malefizgericht und straft der »Landrichter« anstatt der hohen Obrigkeit alle bösen Sachen und Taten, womit ein Mensch seine Ehre, Leib und Leben verwirken kann, ausgenommen die Reisstrafen, die sich die 7 Orte vorbehalten.« (S. 5)

Nebst all diesen aufgezählten Vergehen wurden noch viele andere verzeichnet wie Vater oder Mutter schlagen, Unzucht von Geschwisterkindern,

Briefe fälschen usw. Nichtsdestoweniger blieb die Frage, was malefizisch oder nicht malefizisch sei, in manchen Fällen unentschieden.

»Das Oberamt.

Das Oberamt war das Verwaltungsorgan der 8 Orte, zugleich aber das erste Gericht der Landschaft in Kriminal- und Zivilsachen, welches das Landgericht an die zweite Stelle zurückgedrängt hatte. Die Sitzungen desselben fanden jeweils am Montag und Samstag vormittags (wenn viele Beschlüsse zu erledigen waren, auch nachmittags) statt. Es wurde im Schlosse zu Frauenfeld gehalten und setzte sich zusammen aus dem Landvogt, dem Landschreiber, dem Landammann und dem Landweibel. Neben ihm standen vier Prokuratoren, Bürger aus Frauenfeld, je zwei von jeder Religion. Der Landvogt führte den Vorsitz; er hatte allein die entscheidende Stimme; die übrigen Beisitzer gaben nur ihr Gutachten ab; das Urteil wurde im Namen des Landvogts ausgefertigt. ...«

Jede klagende Partei bezahlte als gewöhnliches Tagsatzungsgeld 2 fl.; davon gebührte dem Landvogt 1 fl. Und den übrigen Beamten je 20 kr.

Der Landvogt

Der Landvogt wurde der Kehrordnung nach von jedem der 8 alten Orte erwählt, indem sich aber Glarus das Recht vorbehielt, jeweils an siebenter Stelle die Vogtei zu führen und den siebenten Teil der Einkünfte forderte. Die Amtsdauer war zwei Jahre, und der Antritt des neuen Landvogts vollzog sich auf den Tag St. Johannis des Täufers; von Mitternacht dieses Tages an begannen seine Gefälle zu fliessen und nahm er die Regierung an die Hand. Ausser seinen eigenen Hausangehörigen durfte er nicht mit mehr als sechs Pferden in die Landschaft einziehen; empfangen wurde er von zwei Gerichtsherren, zwei Landrichtern und zwei Abgeordneten von Frauenfeld. Das Oberamt, die Spitzen des Frauenfeldischen Magistrats, evangelische und katholische Geistliche der Stadt stellten sich ihm vor. ... Die Abgeordneten seines Kantons präsentierten den Neuerwählten den Mitgesandten, und es wurde ihm der Amtseid abgenommen:

»Ihr werdet schweeren den herren Eydgenossen von stätten und Landen der 8. orthen... Nutz und Ehr zu fördern, Ihren schaden zu wenden und Ihnen Ihr gricht, Rechtung und gewaltsame so sie da haben zu Beheben und zu Behalten so sehr Eüver vermögen ist; die fähl, gläss, Zinss, nutz und gülten so

die Eydgenossen an dem End haben einzuziehen Ihnen die zu verrechnen und aufzuweissen, wan sie dass an Eüch forderen werden, von der Landgraafschaft Thurgoüv; ...den Eydgenossen von den X. orthen zu verrechnen und Jedem orth sein Theil zu geben...« usw. – eine ganze Litanei von Bussen, Frevelstrafen, Pflichten etc. (S. 8)

»In einzelnen Orten, vor allem den Landgemeindekantonen, war der Wahlakt für den Landvogt mit grossen Unkosten verbunden, indem sich das souveräne Volk für seine Ernennung bezahlen liess. Alle Anstrengungen, diesen Missbrauch zu beseitigen, blieben erfolglos. ...
Der Landvogt vergab alle bedeutenderen bürgerlichen, polizeilichen und militärischen Stellen, so diejenigen der Landrichter, der Prokuratoren, der Landgerichtsdiener etc. Alle Urteile und Verordnungen wurden in seinem Namen ausgefertigt. In seiner Eigenschaft als »Landrichter« der 10 Orte hatte er den Vorsitz im Landgericht, wo ihn indessen der Landammann vertrat. Er liess die Verbrecher verhaften und die vorläufige Untersuchung anstellen. Nachdem das Blutgericht geurteilt hatte, konnte er die Strafe der Missetäter mildern.

Seine bestimmten **Einkünfte** *waren gering. Er erhielt von den regierenden Ständen eine jährliche Besoldung von 100 fl.*
für das Examinieren der Gefangenen 20 fl.
...usw.
An Naturalien:
Trockene Früchte:
von Neunforn jährlich Kernen 2 Viertel
von Dänikon jährlich Haber 8 Mütt
...usw.
Nasse Früchte:«
Von verschiedenen Klöstern (von Kreuzlingen über Reichenau bis zum Domkapitel Konstanz) empfing er jährlich zusammen 101 Eimer Wein. Einige Klöster sandten ihm für ihren Anteil das Geld; den Reichenauer Wein verkaufte er am Orte, um den Fuhrlohn zu sparen; den von Stammheim musste er selbst abholen lassen.
»Jährlich wurden ferner dem Landvogt eingeliefert von Landschlacht 40 kr. Grundzins, von Dänikon ein Louis d'or und ein Lebkuchen, von Fischingen ein Ochs, von Tobel ein Schwein, ... Die Chorherren von Bischofszell über-

reichten ihm bei der Huldigung zwei Stücke Leinwand zu 20 Ellen; bei dem gleichen Anlasse flossen ihm Huldigungsgelder zu. ... Dies alles erweckt den Anschein von reichen Einnahmen; aber es mussten dagegen Ehrengelder, Uerten, Trinkgelder, Letzegeschenke verteilt werden, ...
Das Einkommen des Landvogts beruhte hauptsächlich auf den zufälligen Sporteln: so den Eid- und Patentsiegelgeldern... Eine bedeutende Einnahme hatte er durch die Ernennung der Beamten. Der Landrichter z.B. erlegte dabei 54 fl., der Freihauptmann 4, 5, 6 und mehr Dukaten. (S. 12) ...Von den fremden Kesslern und Krämern erhob er eine Abgabe von 2, 3, 4 Talern auf die Person; die Juden leisteten ihm für beide Regierungsjahre eine Geldzahlung von 40 – 50 fl., um im Lande handeln zu dürfen. Von allen Bussen, Fällen, Abzügen u.a. gebührten ihm 5%. (S. 13) ... Im ganzen Lande durften sie (die Glieder des Oberamts) freie Jagd ausüben.

Bei dieser Art der landvögtlichen Besoldung war der Willkür grosser Spielraum gelassen. Ein rechtlich gesinnter Beamter konnte sich aber nicht allzu sehr bereichern. ...Bei der Rechtsprechung bestachen die Parteien durch Geschenke an den Landvogt oder die Frau Landvögtin. (S. 14) ... Der Landvogt hatte freie Wohnung im **Schlosse Frauenfeld**, das die 10 Orte unterhielten; dieselben sorgten auch für den landvögtlichen Hausrat.

Der Landschreiber
Die Landvögte betraten den Thurgau unbekannt mit den Gesetzen, Gewohnheiten und Sitten des Landes; kaum hatte sich einer eingearbeitet, so musste er die Vogtei verlassen, und ein anderer Neuling folgte ihm nach. Dieser Zustand hob die Bedeutung der drei Oberamtsräte, vor allem des **Landschreibers**, der von den regierenden Ständen auf Lebenszeit ernannt war. (S. 15)

Die Landgerichtsdiener trugen jeweilen die Farbe desjenigen Standes, der zur Zeit den Landvogt stellte. (S. 29)

Das landvogteiliche Syndikat
Die Zustände im gesamten Rechtswesen waren wohl dazu angetan, aus den Leuten »Tröler« zu machen, namentlich, wenn sie beweglich, ehrgeizig und eigensinnig waren, wie uns die Thurgauer in den zeitgenössischen Quellen erscheinen. Die thurgauische Prozesssüchtigkeit war allgemein bekannt und gefürchtet.« (S. 33)

Die Huldigung

Die Eidformel
…Nachdem durch den Landschreiber oder dessen Stellvertreter die Eidformel abgelesen worden war, erfolgte der **Eid**. Die Formel, 1460 aufgesetzt, war niemals wesentlich verändert worden. Sie lautete:

»Es schweret die gantze Landtschaft un:gndh. Den 7 (8) orthen der Eydgnossen, Namlich … Nutz und Ehr zu fördern, ihren schaden zu wahrnen und zu wenden, auch ihr ambt und gricht Recht zu Beheben, alss sehr sie mögen… auch sie Bey demselben Eyd die Landschaft helfen Retten wo es noth Thut, und were es sach dass sie Jemand sähen argwöhnlich durch dir statt, ammbt oder Gricht füehren, oder ob Jemand da fahren (= fangen) und auss der Eydgnossschaft oder Ihrem gebieth füehren wollte, so sollen sie alle zulaufen, Ein geschrey machen, mit Mund oder mit glogen, und Ein anderen helfen, dass solcher schad gewendet werde…« usw.

…

Die weiteren Huldigungsplätze waren: der Klosterhof der Abtei **Fischingen**, in der Kommende **Tobel** das Ritterhaus, im Flecken **Weinfelden** vor dem Wirtshaus z. »Traube«, in **Bürglen** vor dem Schlosse, in **Amriswil**, wo Abgesandte des Bischofs von Konstanz an der Huldigung teilnahmen, in **Münsterlingen** auf der steinernen Treppe des Klosters. … In **Egelshofen**. Auf dem Wege fand sich eine Gesandtschaft der Stadt Konstanz zur Begrüssung ein. … In **Ermatingen** und **Steckborn** empfing man den Landvogt mit Abfeuerung des kleinen und groben Geschützes. … Die letzten Huldigungsplätze waren das Kloster **St. Katharinenthal**, **Diessenhofen** und **Rheinau**.

Die autonomen Städte:

Frauenfeld war eine autonome Stadt, d.h. sie unterstand unmittelbar den regierenden Ständen. Die Freiheitsbriefe, welche Frauenfeld von österreichischen Fürsten erhalten hatte und die 1460 (nach der Eroberung) von den Eidgenossen bestätigt und später vermehrt worden waren, räumten der Stadt eine ganz besondere Stellung ein, so dass sie sich nicht als zur Landgrafschaft Thurgau gehörig betrachtete. Auch Diessenhofen besass beinahe die gleichen Rechte und Freiheiten wie Frauenfeld (die sie ebenfalls noch unter dem Hause Oesterreich erhalten hatten). (S. 48)

Eine Ausnahmestellung nahmen auch **Arbon**, **Horn** und **Bischofszell** unter den altstiftisch-konstanzischen Herrschaften ein: an alle drei Orten wurde dem thurgauischen Landvogte niemals gehuldigt. Doch beanspruchten die Eidgenossen daselbst die höchste Landesherrlichkeit und den Schirm, das Besatzungsrecht etc. (S. 75)

»*Die Leibeigenschaft.*

Die Bewohner der Landgrafschaft Thurgau waren der Leibeigenschaft unterworfen; nur die Bürger der Städte Frauenfeld, Diessenhofen, Bischofszell und Arbon waren davon befreit.« (S. 120)

»*Der Leibeigene schuldete seinem Herrn:*

· *1. Den Leibdienst oder Tagwerk genannt. Nach der Vereinbarung von 1526 zwischen der Landschaft, den Klöstern und Gerichtsherren war der Leibeigene zu einem Tagwerk im Jahre verpflichtet, von dem er sich aber mittels einer entsprechenden Lösungssumme befreien konnte.*

  Die regierenden Orte verlangten von ihren Leibeigenen weder Leib- noch Zugdienst.

· *2. Das Fastnachthuhn, auch Schutz- und Leibhenne genannt, oder an dessen Stelle 10 Schillinge.*

· *3. den jährlichen Fallbatzen, der bis 1766 sehr ungleich gefordert wurde, 6, 8, 12 – 15 kr.*

· *4. Den Fall, Mortarium, Totengeld. Der Spruch von 1526 bestimmte, dass beim Absterben der Leibeigenen das beste Stück Vieh geschätzt werde und dem Leibherrn die Hälfte seines Wertes als Hauptfall zufallen solle.*

· *usw.* (S. 121)

Polizeiliches.

Während sich immer mehr der Grundsatz geltend machte, dass jeder Kirchgemeinde die Unterstützung ihrer Armen obliege, war es die Aufgabe der Harschiere, fremde Bettler und herumschweifendes Gesindel vom Eintritt in das Land abzuhalten. (S. 150) ... Besonders scharfe Aufsicht hielt man über die sogenannten Bettelpfaffen, Waldbrüder, da sich häufig Landstreicher unter dieser Verkleidung bargen. Nur wenn sie Pässe, Attestate und Empfehlungs-

schreiben ... vorweisen konnten, war ihnen das Betteln, Almosensammeln zugelassen. ... Alle, die Bären, Affen oder anderes Gaukelwerk ins Land brachten, ferner solche, die mit Dudelsäcken, Leiern, Raritätskasten, Lotterien, Glückshäfen herumzogen, sollten als unnütze und heillose Strolche, die den guten Landmann um sein Geld zu bringen trachten, auf demselben Wege, den sie kamen, zurückgejagt und ihnen unter keinerlei Vorwand der Durchpass gestattet werden; inbegriffen war das höchst schädliche und gewissenlose Gesindel der Quacksalber, Marktschreier, Verkäufer von zu Lachsnereien (= Zaubereien) verleitenden Büchern.

Deserteure und abgedankte Soldaten hatten ihren geraden Weg auf der Landstrasse zu verfolgen und durften sich nicht auf Nebenwegen blicken lassen. Das Feuern, Kochen, Sieden und Braten unter dem Schatten der Bäume, wodurch der Fleiss des arbeitsamen Landmanns verspottet wurde, fand strenge Ahndung; die Aerger erregenden Faulenzer wurden, wenn sie widerstanden, fortgeprügelt, und jedermann war untersagt, solch liederlichem Gesindel Nachtherberge oder Unterschlupf zu gewähren. Den Klöstern und Herrschaften wurde das Suppen-, Brot- und Getränkeausteilen an Fremde verboten. Ehrliche und des Mitleids würdige Arme hingegen sollten Linderung ihrer Not finden. ... Wenn das Gesindel zu sehr überhand nahm, wurde eine sogenannte Betteljagd angestellt, ein allgemeines Treiben der Heimatlosen über die Grenze. Rückkehr in das Land wurde mit einer gerichtsherrlichen Strafe belegt, auch erfordernden Falles mit Schlägen und Haarabschneiden gezüchtigt. Handwerksburschen, oder wer sonst das Land in Geschäften verliess, mussten sich mit Pässen versehen.

Sonn- und Feiertagsmandate mahnten zur Zucht unter dem Volke auf, um es vor Liederlichkeit und Armut zu bewahren. An Sonn-, Feier-, Fest- und deren Nachtagen war das Saufen, Springen, Tanzen, Spielen mit Karten, Kegeln, Würfeln...verboten. Speziell ereiferten sich die Mandate gegen das Lichtstubengehen der jungen ledigen Leute, gegen Geschrei und Johlen auf der Strasse. Der ehrsame Bürger mochte wohl nach geendetem Gottesdienste einen bescheidenen Trunk tun, doch niemals im Sommer bis über 9, im Winter über 8 Uhr im Wirtshause sitzen bleiben.« (S. 152) ...

Freier Handel.

Den Gerichtsherren und Untertanen war der freie Verkauf gestattet von Salz, Stahl, Eisen, Garn, Hanf, Werg, Tuch, Leder, ..., Schmalz, Käse, Zieger, ..., Korn, Hafer und andern Früchten und Sachen. Die Gerichtsuntertanen mussten aber ihre Hühner, Eier, Kälber etc. zuerst der Herrschaft anbieten. Die fremden Krämer kamen beim Landvogt um Bewilligung des Hausierens und die Erteilung eines Patentes ein. Die Einheimischen ... suchten umsonst die lästigen Konkurrenten fernzuhalten, ... Man wollte den »Savoyarden« wenigstens die Niederlage ihrer Ware im Lande verbieten; nur auf offenen Märkten sollten sie dieselbe zum Verkaufe auslegen. ... Gleiche Beschwerden ergingen gegen die Juden. (S. 178) Man wollte sie überhaupt nicht im Lande dulden. 1786 beklagten sich Ausschüsse der Landschaft über die vielen an Juden erteilten Bewilligungen, nicht allein durch das Land zu reisen, sondern auch Handel treiben zu dürfen, worauf sich die Jahrrechnung genötigt sah, die landvögtlichen Passerteilungen einzuschränken und den Juden alle Handelschaft im Thurgau zu verbieten. (S. 179)

Münze.

... Ablösung von Kapitalien sollten womöglich in groben Gold- und Silbermünzen stattfinden. ... Bei dem immer steigenden Kurs des Goldes war folgende Valuation vorgeschlagen worden:

Maxdors	*à 10 fl. 10 kr.*	*(fl. = Gulden/florin)*
Schiltlidublonen	*à 10 fl.*	
Französische und spanische alte Dublonen		
	à 8 fl.	
Dukaten	*à 4 fl. 15 kr.*	
Sonnendublonen	*à 9 fl. 45 kr.*	
Kronentaler	*à 2 fl. 30 kr.*	
Louisblancs	*à 2 fl. 12 kr.*	

1757 wurde geklagt, dass in der ganzen Landgrafschaft Thurgau nicht mehr als für 200 fl. Zürcher oder gute Münze zu finden sei. Ein Zürcher Schilling, geschweige eine andere Sorte, wurde wie eine Medaille gehütet. ...«

Eintrag im Historisch-Biographischen Lexikon der Schweiz (Sechster Band, 1934)

SCHMID

A. **Kanton Uri.** I. Aus der Familie Schmid gen. Müller in Hospental waren Talammänner von Ursern: COLUMBAN, 1585; SEBASTIAN, 1603; JOHANNES, 1620. Seit dem 17. Jahrh. heisst diese Familie Müller (s.d.)

II. Seit dem Anfang des 17. Jahrh. nachweisbare Familie in Hospental. Wappen: in Blau ein Adler mit einem Schmiedhammer in den Fängen.

III. Alte Aristokratenfamilie, der gelegentlich zum Unterschied von den Schmid von Bellikon der Zuname »von Uri« oder »ab Uri« beigelegt wird. Wappen (Adelsbrief von 1550): geviertet von Blau mit einer goldenen Lilie und von Gold mit einem schwarzen Bären. Die Familienfolge lässt sich vom Anfang des 16. Jahrh. an beglaubigen. –

1. JOST, Landschreiber 1519, korrespondierte mit seinem ehemaligen Lehrer Zwingli, gestorben als Hauptmann in Frankreich. –

2. **Jost**, genannt der Grosse, Sohn von Nr. 1, Landvogt im Thurgau 1550-1551, eidgenössischer Gesandter an Kaiser Karl V. auf den Reichstag nach Augsburg zur Bestätigung der Freiheiten, wobei er für sich und seine Nachkommen am 17. August 1550 einen Adelsbrief erlangte. Landesstatthalter 1562-1564, Landammann 1565-1567, 1573-1575, 1581-1582. Schiedsrichter zwischen dem Stift St. Gallen und den regierenden Orten im Thurgau 1564, Gesandter zur Beschwörung des Bündnisses der Eidgenossen mit Karl IX. von Frankreich 1565, eidgenössischer Gesandter zu Kaiser Maximilian II. nach Augsburg 1566. Tagsatzungsgesandter 1566, 1573, 1574, 1581, söhnte 1570 die Stadt Luzern mit den Rotenburgern aus und erhielt dafür 1578 das Burgrecht von Luzern geschenkt, das 1654 für seine ganze Familie erneuert wurde. Jost empfieng 1573 auch das ausländische Burgerrecht im Hochgericht Disentis; gestorben 28. Juni 1582 als der reichste Mann von Uri. –

3. JOHANN LUDWIG, Sohn von Nr. 2, Landvogt von Blenio 1596. Seine drei Brüder Anton, Jost und Bernhard sind die Stammväter dreier Zweige. Erster Zweig: – 4. ANTON, Sohn von Nr. 2, Hauptmann, Landvogt im Thurgau 1606, gestorben in Frauenfeld, Stifter einer Familienpfründe, Stammvater zweier Linien.

Zweiter Zweig: - 16. JOST, Sohn von Nr. 2, des Rats in Uri. ...
Dritter Zweig: - 32. BERNHARD, Sohn von Nr. 2, des Rats in Uri. - ...

Ein Zweig der Schmid von Uri verpflanzte sich durch ANTON MARIA, *
1689, nach Fischingen (Thurgau) und von dort nach andern Gemeinden
der Kantone Thurgau, St. Gallen, Graubünden und Zürich. Nachkommen
dieses Zweiges erhielten 1845 neuerdings das Landrecht von Uri zugesichert. -

[13.6] **Eintrag in: Ordre de la Noblesse, Paris.**

SCHMID, CH, Uri. Stammbaum 1519, cit. 1290. *)
Famille de chefs d'Etats d'Uri, lettre de noblesse du Saint Empire, Augs-
bourg, 1550.
DHBS. Oberhaupt : Franz Schmid, 6460 Altdorf, Suisse.

Extrait du Livre « l'ordre de la noblesse », volume VII, 1985-1992.
Familles d'Europe enregistrées IN ORDINE NOBILITATIS 1985-1992

Edité sous le contrôle de l'Ordo Nobilitatis par Jean de Bonnot, 7 Faubourg
St. Honoré, Paris.

*) cit. bedeutet : (erstmals) erwähnt 1290.

^{14.0} *Quellen*

Helene Hasenfratz, Die Landgrafschaft Thurgau vor der Revolution von 1798. Frauenfeld 1908.

Historisch-Biographisches Lexikon der Schweiz. Neuenburg 1921-1934.

Historisches Lexikon der Schweiz, Band 11. Basel 2012.

Biographisches Lexikon verstorbener Schweizer IN MEMORIAM, 3. Band. Zürich 1950.

In Ordine Nobilitatis/L'ordre de la noblesse, Familles d'Europe enregistrées, vol. 7. Paris 1985-1992.

Peter Dürrenmatt, Schweizer Geschichte. Zürich 1963.

E. Fischer, Illustrierte Schweizergeschichte von den Anfängen bis zur Gegenwart. Schaffhausen 1947.

E.H. Gaullieur, Die Schweiz, Ihre Geschichte, Geographie und Statistik, Band 1 & 2. Genf und Basel 1856.

Helmi Gasser, Die Kunstdenkmäler des Kantons Uri, Band I.I, Altdorf 1. Teil. Bern 2001.

Helmi Gasser, Die Kunstdenkmäler des Kantons Uri, Band I.II, Altdorf 2. Teil. Bern 2004.

Helmi Gasser, Die Kunstdenkmäler des Kantons Uri, Band II Die Seegemeinden. Bern 1986.

Iso Müller, Geschichte von Ursern. Disentis 1984.

Alex Christen, Ursern. Bern 1960.

Eduard Renner, Goldener Ring über Uri. Zürich 1991.

Karl Brandi, Kaiser Karl V. München 1941.

Alfred Kohler, Karl V., 1500-1558. München 2005.

Fernand Braudel, Karl V., Die Notwendigkeit des Zufalls. Stuttgart 1990.

J. Huizinga, Herbst des Mittelalters. Leipzig 1930.

Karl Stockmeyer, Bilder aus der Schweizerischen Reformations-Geschichte. Basel 1916.

Franz Vinzenz Schmid, Allgemeine Geschichte des Freystaats Ury, Erster Theil. Zug 1788.

Franz Vinzenz Schmid, Allgemeine Geschichte des Freystaats Uri, Zweyter Theil. Zug 1790.

Franz Vinzenz Schmid, Geschlechts- und Geschichtkunde ...der ...Schmid ab Ury. Privatausgabe 1799/1821.

Die Schmid-Familienchronik, von Josef Muheim, 1990 (Privatausgabe, in: StaU/P-7)

Rudolf Henggeler, Das Schlachtenjahrzeit der Eidgenossen. Basel 1940.

Quellenwerk zur Entstehung der schweizerischen Eidgenossenschaft. Urkunden, Chroniken, Hofrechte, Rödel und Jahrzeitbücher bis zum Beginn des XV. Jahrhunderts. Abt. II: Urbare und Rödel bis zum Jahre 1400; Band I-III. Aarau 1941.

Der Geschichtsfreund. Einsiedeln 4/1847, 33/1878, 1/1895, 70/1915.

Historisches Neujahrsblatt, herausgegeben vom Verein für Geschichte und Altertümer von Uri. Altdorf verschiedene Jahrgänge (1901, 1909, 1910, 1915, 1924, 1926, 1927, 1928)

Faksimile vom Lazarus-Orden: Statutenbuch 1418; Regelbuch 1314; Nekrologium 1225. Die drei ältesten noch erhaltenen Dokumente des Lazarus-Ordens. Seedorf 1999.

Helmi Gasser, Die Urner Tellskapellen des 16. Jahrhunderts – Memorialkapellen mit Bilderzyklen, Separatdruck aus »Der Geschichtsfreund«, 160. Band. Altdorf 2007.

Helmi Gasser, Zwei Altdorfer Herrensitze. Die Häuser ehm. der Familie Epp, Gotthardstr. 14 /Herrengasse 10, Innerschweizer Schatztruhe 5. Ruswil 2006.

Heinrich Glarean, Beschreibung der Schweiz, Lob der Dreizehn Orte. St. Gallen 1948.

Urs Kälin, Die Urner Magistraten-Familien. Zürich 1991.

Hans Muheim, 150 Jahre Offiziersgesellschaft Uri, Eine Chronik. Altdorf 1994.

P. Franz Xaver Enzler, Der Pfarrer im »Thal«. Einsiedeln 1964.

Hanspeter Muster, Seelisberg. Verkehrsverein Seelisberg o.J.

Peter Niederhäuser (Hg.), Die Habsburger zwischen Aare und Bodensee. Zürich 2010.

Gottfried Keller, Züricher Novellen. Bern 1948.

Hans Rudolf Hilty, Risse (Erzählerische Recherchen). Bern 1977.

Arnold Claudio Schärer, Und es gab Tell doch. Luzern 1986.
Arnold Claudio Schärer, Wilder Mann ohne wilde Frau. Küssnacht am Rigi 2012.
Max Frisch, Wilhelm Tell für die Schule. Frankfurt 1971.
Sergius Golowin, Die phantastische Geschichte der freien Schweiz (Lustige Eid-Genossen). Bern 1998.
Karl Meyer, Die Urschweizer Befreiungs-Tradition. Zürich 1927.
Catherine Santschi, Schweizer Nationalfeste im Spiegel der Geschichte. Zürich 1991.
Franz Wyrsch, Durch diese Hohle Gasse muss er kommen… Küssnacht am Rigi 1986.
Heinrich Wölflin, Niklaus von Flüe (die älteste Biographie über Bruder Klaus), 1501. Malters 2005.
Schweizerische Schauspiele des sechszehnten Jahrhunderts, 3. Band: I. Das Urner Spiel von Wilhelm Tell; II. Das neue Tellenspiel. Zürich 1893.
Ingo F. Walther (Hg.), Sämtliche Miniaturen der Manesse-Liederhandschrift. Stuttgart 1981.

Blanche Merz, Orte der Kraft in der Schweiz, 1998.
Bernhard Morbach, Die Musikwelt der Renaissance. Kassel 2006.

sowie Recherchen in:
Staatsarchiv Uri, Altdorf
Staatsarchiv des Kantons Thurgau, Frauenfeld
Stiftsarchiv des Kantons St. Gallen
Staatsarchiv des Kantons Zürich
Schmid-Nachforschungen des Genealogen Josef Muheim
Schloss Oberberg, bei Gossau SG
Schloss Altenklingen, bei Wigoltingen TG

Bildnachweis

Titelseite: Gestaltung Rahel Schmid und Moricz Németh; Porträt von Ritter Jost Schmid, genannt der Grosse; Gemälde um 1600. (StaUR, kantonale Kunstsammlung)

Rückseite: Tellskapelle, Ölbild, unsigniert, um 1900. Foto Christian Schmid
Sämtliche Bilder von Christian Schmid, ausser:
· Rahel Schmid: 27, 80, 146, 248, 249
· PA Schmid & Schweizer-Schmid: 38, 43, 141, 149, 153, 157, 169, 172, 186, 187, 286, 287, 288, 289
· PA Christian Schmid: 23, 27, 160, 163, 165
· PA Trix Christen: 171
· Hist. Museum Altdorf: 10, S. 127 o., 252 r.
· Staatsarchiv Zürich: 22
· Staatsarchiv Frauenfeld: 54
· Stiftsarchiv St. Gallen: 55
· Vlg Frobenius Basel (1917): 58
· Bruckmann München (1941): 63
· StaUR, kant. Kunstsammlung: 86 o., 89
· StaUR P-7: 34, 75, 91, 94, 102, 138, 147, 156, 180, 238 u., 240, 241 o.l., 268, 282, 283, 284, 285
· PA Zollikofer, Altenklingen: 97, 98
· Kloster St. Lazarus, Seedorf: 124, 127 u.
· Österr. Nationalbibliothek, Wien: 128 o.
· Hansueli Holzer: 128 u., 223 r.o.
· Mona Mettler: 177, 244
· Nbl 1924: 137, 148
· Nbl. 1923: 193 o.
· Ehapa Verlag, Stuttgart: 158

· Verfasser Toni Arnold, Bürglen: 175
· Verlag Rudolf Georgi, Aachen: 202, 203
· Verfasser Arnold C. Schärer: 204, 205
· Verlag Tschudy, St. Gallen (1948): 236
· PA Sibylle von Wrangel, Fotos Rahel Schmid: 248, 249
· Harlekin Verlag, Luzern: 266
· AKG Images, Zentralbibliothek Zürich: 262
· Tellmuseum Bürglen: 268
· Verlag Ch. Gruaz, Genf (1856): 66, 271
· PA Muheim: 290, 291
· Jahrzeitbuch Altdorf: 292
· Porträt des Autors: Foto Rahel Schmid: 309

^{16.0} *Über den Autor:*

Christian Schmid, geboren 1947, gehört selbst der Familie der Schmid von Uri an. Seine ersten vier Jahre lebte er im Kanton Uri, seit 1958 ist er in St. Gallen wohnhaft. Vater von zwei erwachsenen Töchtern. Schon seit der Schulzeit grosses Interesse für Sprachen und Geschichte. Nach einigen Jahren im kaufmännischen Beruf, mehrjähriger Frankreichaufenthalt und Arbeiten als Übersetzer und Journalist. Ausgedehnte Reisen in Südamerika und Mexiko, danach 25 Jahre als Abteilungsleiter in einer grossen St. Galler Buchhandlung. Seit Sommer 2007 selbständiger Autor und freischaffender Journalist.

Christian Schmid
Curiestrasse 13
9016 St. Gallen

Das Buch ist in Buchhandlungen oder direkt beim Autor bestellbar.
Informationen auf der Website **www.schmidvonuri.ch**

Lightning Source UK Ltd.
Milton Keynes UK
UKHW031937290819
348761UK00009B/1036/P